Amour, chocolats

et autres cochonneries...

Évelyne Gauthier

Amour, chocolats
et autres cochonneries...

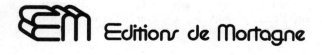
Éditions de Mortagne

Données de catalogage avant publication (Canada)

Gauthier, Evelyne, 1977-

Amour, chocolats et autres cochonneries...

    ISBN : 978-2-89074-732-6

    I. Titre. II. Collection.

PS8563.A849A76 2007   C843'.6   C2007-940126-0

PS8563.A849A76 2007

Édition

Les Éditions de Mortagne

Case postale 116

Boucherville (Québec)

J4B 5E6

Distribution

Tél. : 450 641-2387

Téléc. : 450 655-6092

Courriel : edm@editionsdemortagne.qc.ca

Tous droits réservés

Les Éditions de Mortagne

© Copyright Ottawa 2007

Dépôt légal

Bibliothèque nationale du Canada

Bibliothèque nationale du Québec

Bibliothèque Nationale de France

2ᵉ trimestre 2007

ISBN : 978-2-89074-732-6

1 2 3 4 5 – 07 – 11 10 09 08 07

Imprimé au Canada

Nous reconnaissons l'aide financière du gouvernement du Canada par l'entremise du Programme d'aide au développement de l'industrie de l'édition (PADIÉ) et celle du gouvernement du Québec par l'entremise de la Société de développement des entreprises culturelles (SODEC) pour nos activités d'édition. Gouvernement du Québec – Programme de crédit d'impôt pour l'édition de livres – Gestion SODEC.

À mon conjoint adoré, Marc-André, qui m'a toujours si bien soutenue, qui a cru en moi depuis le début, qui m'a inspiré plusieurs répliques mémorables (je ne précise pas lesquelles) et m'a toujours dit : « Tu peux me citer dans un de tes prochains livres quand tu veux. » Voilà, c'est fait !

Remerciements

À mes parents, les meilleurs qu'on puisse avoir, qui m'ont toujours supportée et encouragée dans tout ce que je faisais. Je ne serais pas ce que je suis aujourd'hui sans eux. Alors, ne changez surtout pas.

À tous mes amis, qui m'ont aidée, appuyée ou inspirée de près ou de loin. Spécialement ma copine Geneviève, qui croyait tellement en mon talent qu'elle a déjà essayé de faire publier un de mes manuscrits sans me le dire.

À toute ma famille, qui n'a jamais tari d'éloges à mon égard.

À tous mes proches (on n'est jamais trop prudent), rapprochés ou éloignés, aimés ou détestés, qui m'ont aussi inspirée par moments, et à qui j'ai promis de dédicacer ce livre personnellement (une fois qu'ils l'auront acheté, bien sûr).

À toutes les personnes qui ont cherché à m'épauler dans mon travail de création. (« J'ai eu une super bonne idée. Tu devrais t'en servir pour ton prochain livre. »)

Finalement, à ceux qui n'ont pas cru en moi et ont tenté de me décourager (oui, il y en a eu quelques-uns). Non seulement votre scepticisme m'a incitée à persévérer, mais aujourd'hui, je peux me permettre de vous faire un monumental pied de nez !

La vie est comme une boîte de chocolats.
On ne sait jamais sur quoi on va tomber.

Forrest Gump

Chapitre 1

Tremblay, Amélie Tremblay
(Juin)

Mariage : moment où un homme cesse de porter un toast à une femme et où elle commence à lui porter sur les nerfs.

Helen Rowland

Je hais les mariages. Je les déteste profondément. Je sais que ce n'est pas vraiment bien, que ça devrait être une occasion de se réjouir, de fêter l'amour de deux êtres qui s'unissent pour la vie – du moins, c'est ce que tout le monde prétend, même si neuf mariages sur dix se terminent par un divorce –, mais je ne peux m'empêcher d'exécrer les mariages.

Évidemment, je donnerais tout pour me marier aussi. L'idée que d'autres puissent profiter de cette institution et de tous les avantages et le prestige qui y sont associés, alors que je suis encore une pauvre célibataire, me rend malade de jalousie. Je sais, c'est mal... Du reste, je suis certaine de ne pas être la seule dans cette situation. Tous les célibataires conviés à cette noce doivent, en dépit des apparences, être secrètement en train de se morfondre.

Me voilà donc prise à jouer les demoiselles d'honneur, en ce 28 juin, au mariage de ma cousine, Sarah Gagné, et de Raphaël Nadeau. L'horreur ! Nous sommes à l'église Saint-Joachim, à Pointe-Claire, sous un soleil radieux et un beau 23 °C. Le ciel est d'un bleu intensément pur et quelques nuages discrets s'égrènent paresseusement, çà et là. Devant nous se profile la silhouette couleur azur du fleuve Saint-Laurent, non loin de l'endroit où il devient le lac Saint-Louis.

Sarah est de quelques semaines ma cadette. Et pourtant, elle s'est casée bien avant moi. Déjà âgée de vingt-huit ans, et je suis toujours seule. Dire que ma mère, à mon âge, avait deux enfants. C'est à mourir de honte. Vêtue d'une jolie – affreuse – robe de satin vert malade, les cheveux noués en chignon du genre « grand-mère » et les pieds serrés dans des chaussures à talons hauts de la même couleur que ma tenue, je m'efforce de sourire à qui mieux mieux, et de passer une journée la moins médiocre possible. Avec cette tenue, les autres demoiselles d'honneur et moi-même avons l'air d'une bande d'infirmières ou d'aliénées mentales échappées de l'asile.

Assister à des épousailles est d'autant plus pénible que, non contente de devoir célébrer l'union d'un couple dont on se fout complètement, de se faire frotter leur bonheur en pleine figure et de devoir faire semblant d'être heureuse pour eux, on se fait irrémédiablement rappeler à quel point on est seule, malheureuse, désespérée et minable.

Je me console en me disant qu'un mariage est l'occasion rêvée de rencontrer des gens et de forger de nouvelles relations, voire de flirter avec de jolis mâles. Par ailleurs, l'un des garçons d'honneur, un certain Jérémie Michaud, m'est tombé dans l'œil ce matin. Plutôt grand, avec des cheveux roux – nuance *Paprika épicé* n° 3,9 – qui forment une auréole de feu autour de sa tête, il est vraiment à craquer. Chacun de ses gestes semble empreint de grâce et de force et il dégage une étonnante joie de vivre. Ne reste plus maintenant qu'à attirer son attention.

Voilà que tous les invités doivent se presser sur le parvis de l'église pour prendre la photo. C'est sans doute ma chance, car les dames et garçons d'honneur doivent se regrouper autour des heureux mariés. Par un habile procédé, je parviens à me glisser tout près du beau Jérémie. Je lui décoche alors mon sourire de publicité pour pâte dentifrice avant de me tourner vers le photographe. Première victoire ! Il me rend mon sourire. Un pas de fait. Plus que dix mille à franchir...

Pendant d'innombrables minutes, invités, mariés, garçons et dames d'honneur posent pour les clichés qui immortaliseront ce jour atroce. Pardon, je voulais dire glorieux. Alors que le photographe nous annonce la dernière prise qui mettra fin au calvaire, Jérémie se penche discrètement vers moi.

— Vous avez un véhicule pour vous rendre à la réception ? Sinon, je peux vous emmener là-bas.

Mon sang ne fait qu'un tour et mon cœur s'arrête. Il faut croire que les heures de souffrance passées à tenter de me javelliser les dents avec des bandes blanchissantes n'ont pas été inutiles. Qui aurait dit qu'un produit aussi banal pouvait me permettre de trouver mon futur époux ? Bon, d'accord, je divague un peu.

— Je n'ai effectivement personne pour me conduire, et je serais heureuse de monter en voiture avec vous.

En fait, c'est totalement faux, car je suis venue avec mes parents. Pour les besoins de la cause, je crois que mentir ne peut qu'avoir des conséquences bénéfiques. Alors que tout le monde se prépare à partir pour la réception qui a lieu dans un hôtel non loin d'ici, je m'approche discrètement de ma mère.

— Maman, je ne partirai pas avec toi et papa, je monte avec Jérémie.

— Le beau jeune homme aux cheveux roux ? Il a l'air bien, il porte de belles chaussures. Des Mephisto, si je ne m'abuse, et bien cirées, en plus.

Ma mère, Maude Gagné, croit encore qu'on peut tout savoir d'une personne en regardant les souliers qu'elle porte. Le pire, c'est que cette manie m'a tellement influencée que je ne peux supporter l'idée d'avoir des chaussures de mauvaise qualité, au cas où je rencontrerais quelqu'un comme elle qui me jugerait en observant mes pieds... J'espère juste qu'elle ne voudra pas aller parler à Jérémie...

– C'est ça, oui. On se retrouvera plus tard, d'accord ?

Je me sauve aussi rapidement que mes godasses, qui ont certainement déjà servi d'instruments de torture pour l'Inquisition espagnole, me le permettent. Je demande à Jérémie de me donner un moment, le temps d'aller voir si je suis présentable malgré mon déguisement de bonne fée marraine. Je me précipite dans l'église, histoire de trouver un coin tranquille et de m'examiner dans mon miroir de poche.

J'en profite pour me remettre un peu de rouge à lèvres. Même s'il est plutôt discret, ça rehausse ma bouche. Je suis plutôt chanceuse de ce côté-là, j'ai des lèvres assez pulpeuses. Pour le reste, par contre, on repassera, car c'est mon seul atout. J'essaie de retoucher mon fard à paupières pour faire ressortir mes yeux bleu gris. Mes cheveux châtain foncé, presque bruns – nuance *Brioche* n° 3,8 –, sont noués en chignon serré et me font ressembler à une bonne sœur, alors difficile d'utiliser ça à mon avantage. Il ne manquerait plus que le chapelet. Tant pis, il faudra bien faire avec. Avec mon mètre soixante-cinq et mes cinquante-cinq kilos – ni grande, ni petite, ni maigre, ni grosse –, on ne peut pas dire que j'attire beaucoup l'attention. Il faudra surtout compter sur mon rouge à lèvres et mon fard à paupières, on dirait. La situation n'est pas parfaite, mais pas désespérée non plus.

En fait, je tiens beaucoup de ma mère, autant sur le plan physique que psychologique. De taille moyenne, des cheveux bruns droits, des grands yeux et des lèvres pulpeuses, je lui ressemble un peu. Ma sœur Noémie ressemble davantage à mon père. Noémie et papa sont d'un naturel calme, sage, réfléchi ; ils ne déplacent pas d'air, alors que ma mère et moi sommes davantage émotives, instinctives et emportées. Je réagis parfois fortement aux événements, tandis que Noémie reste de glace presque en toutes circonstances.

Je suis finalement Jérémie dans sa Honda bleue, enlève mes instruments de torture et m'installe confortablement pour la première fois depuis le début de cette misérable journée. C'est le moment ou jamais d'entamer une conversation privée et de créer des liens.

– Alors ? Vous êtes un copain de Raphaël, le marié ?

– Oui, c'est un ami d'enfance... Amélie, c'est bien ça ?

– Tremblay, Amélie Tremblay. Mais, appelez-moi Amélie.

Au magazine où je travaille, on m'a surnommée la « James Bond » du bureau, à cause de ma façon de me présenter.

– Si on se tutoyait, Amélie ? demande Jérémie en posant sa main sur mon genou, ça serait moins... intimidant.

Je tourne la tête afin qu'il ne remarque pas mes joues qui rougissent, car il va me prendre pour une madone coincée qui n'a jamais flirté de sa vie. Un peu plus et je vais glousser comme une écolière ! Le moins qu'on puisse dire, c'est que Jérémie est vite en affaire, et ce n'est pas pour me déplaire.

– D'accord, si tu y tiens.

Jérémie me fait un sourire à faire fondre une banquise. Peut-être que le destin m'a fait dame d'honneur pour que je trouve enfin l'homme de ma vie ? Bon, je saute quelques étapes. Je devrais cesser de délirer un peu. Il est temps qu'on arrive à la

17

réception, car je crois qu'à force de voir les yeux de Jérémie se poser sur ma poitrine, je vais finir par mouiller ma petite culotte. Je m'empresse de sortir du véhicule et d'afficher mon air de parfaite dame d'honneur, au bras de mon charmant chauffeur. Si ça continue, mes joues vont craquer à force de sourire.

Depuis que j'ai commencé à lui parler, les regards que l'on me porte semblent différents. On m'observe avec un petit sourire entendu, comme si tous savaient qu'il allait se passer quelque chose de spécial. Je ne suis donc pas seule à m'imaginer des trucs, c'est rassurant.

Jérémie et moi approchons de la salle de réception, en passant par le jardin. Des fleurs de toutes les couleurs ornent le parterre, formant une harmonie de nuances et de lumières qui charme l'œil. Les mariés se sont arrêtés à l'entrée menant à la salle et attendent que tous soient là pour faire les lancers du bouquet et de la jarretière. S'il y a une chose qui m'énerve plus que tout des mariages, c'est bien ce rituel stupide et rétrograde ! Encore une fois, les célibataires sont mis en marge de la société, humiliés devant tout le monde et obligés de se prêter à cette tradition dégradante.

Les femmes se pressent en tas et se préparent à recevoir le titanesque bouquet de roses blanches qui, par ailleurs, doit peser une tonne. Sarah a dû se faire des biceps musclés pour le porter ! Cette fois-ci, c'est décidé, je ne participerai pas. Alors que je reste de glace devant ce triste spectacle et tente de m'effacer en me cachant dans un coin reculé, Jérémie me surprend par-derrière.

En apposant doucement ses mains dans le creux de mes reins, il me pousse vers les cinglées qui attendent avidement le bouquet nuptial qui leur donnera l'ultime consécration de « bonne à marier ». Il me chuchote alors à l'oreille un « Bonne chance » en me donnant une tape sur les fesses. Mon cœur bat à tout rompre. Je ne m'attendais pas à ça et je commence à croire avec excitation que nous finirons vraisemblablement dans le même lit, cette nuit.

Sarah se fait bander les yeux par son Raphaël sous les encouragements de la foule. Prostrée, je regarde désespérément ma sœur Noémie, sauvée de ce sort par son statut d'épouse, et qui m'observe en souriant. Je tente de me cacher parmi les enragées. Raphaël commence à faire tourner Sarah sur place, sous les rires excités de la famille. J'essaie d'aller le plus en arrière possible. Subitement, je sens une main qui me saisit le bras. Je me retourne. C'est ma mère qui me tire plus en avant.

– Maman !? Mais, qu'est-ce que tu fais ?

– Tu n'es pas assez en avant, ma chérie. Si tu te tiens en arrière, tu n'attraperas jamais ce bouquet.

Je résiste. Ma mère tire de plus belle en me disant que j'ai le droit d'être mieux placée. Mes efforts pour disparaître risquent de tomber à l'eau.

– Mais, je ne veux pas...

Tout à coup, j'entends un cri.

Je sens soudain un léger choc sur mon visage et un déplacement d'air en même temps que j'entends un bruit de tissu froissé. Puis tombe un silence de mort. Je cligne des yeux pour comprendre ce qui vient d'arriver. C'est en apercevant le paquet informe de feuilles, de fleurs et de rubans qui gît à mes pieds que je commence à saisir ce qui se passe. J'ai les cheveux pleins de pétales et une tige de rose prise dans mon soutien-gorge. C'est moi qui ai reçu le bouquet de la mariée, mais pas dans les mains, en pleine figure !

Je lève la tête pour voir une assemblée muette et mortifiée, qui regarde le bouquet, puis me regarde et regarde les fleurs à nouveau. Tous m'examinent. Je viens d'être ridiculisée devant tout le monde. Il faut que je trouve une façon de rattraper la situation, et vite.

Je me penche, ramasse la gerbe de fleurs déglinguée, feins un sourire naturel et brandis l'objet en décomposition avec une fausse fierté, comme pour dire : « C'est moi qui l'ai ! » La foule applaudit sans grande conviction, et je vois bien que tout le monde est mal à l'aise. Aux yeux de tous, je viens probablement de gâcher un moment qui se voulait merveilleux.

Alors que toute l'assemblée entre dans la salle en m'ignorant, je cherche Jérémie des yeux. J'espère que mon beau grand roux pourra me consoler de cette humiliation. Curieusement, il est introuvable. Dans ma détresse, je remarque à peine la salle de réception, décorée de mille bouquets de fleurs odorantes, de nappes colorées, de confettis, de paillettes, de rubans et autres jolies ornementations. Tout suggère la fête, mais cela me semble purement secondaire, prise que je suis dans mon petit drame intérieur. Je ne cherche qu'à retrouver mon homme d'honneur.

Je me résous à aller m'asseoir près de la mariée et j'attrape au passage un verre de champagne que je m'empresse d'avaler. Je dépose par terre le bouquet maudit, que j'avais péniblement traîné jusque-là. J'aperçois alors mon cavalier assis à l'autre bout de la table, en pleine discussion avec une blonde pulpeuse qui affiche des yeux larmoyants et un air de « Bambi en détresse ». Il m'ignore complètement.

Je ne mets pas longtemps à comprendre qu'il préfère ne pas être associé à une nouille maladroite telle que moi et qu'il a subitement décidé de m'ignorer. De toute évidence, il est aussi vite en affaire pour s'intéresser à une fille que pour la laisser.

Pour ce qui est de m'humilier, on peut dire que c'est doublement réussi. J'ai l'impression que tout le monde me regarde maintenant avec pitié.

*   *
*

Douze heures et bien des verres d'alcool plus tard, je n'ai trouvé personne avec qui danser, sauf mon petit cousin de dix ans, Philippe. Ma gaucherie a éloigné tout mâle potentiel à au moins dix kilomètres à la ronde. Jérémie m'a évitée toute la journée et fait comme s'il ne m'avait jamais parlé. Il s'amuse avec la biche blonde qui roucoule sans arrêt. Je ne me suis pas sentie aussi misérable depuis longtemps. Non seulement je suis incapable de faire la conquête d'un gars visiblement abruti et facile, mais je ne suis même pas apte à attraper un simple bouquet de fleurs.

La nuit est tombée et les convives les moins ardus commencent tranquillement à quitter la réception, ce qui m'a permis, je l'avoue honteusement, de rafler quelques fonds de verre. Je me console en me disant que j'ai eu droit à de la nourriture et à plein d'alcool gratuitement. C'est déjà ça de gagné, je suppose. Ouille ! La tête me tourne et je commence à être somnolente. C'est le temps de ranimer les cellules grises et de prolonger mes capacités intellectuelles à l'aide d'un bon café.

Alors que j'ingurgite goulûment une bonne dose de caféine en écoutant Mick Smiley chanter à tue-tête *I Believe it's Magic* dans les haut-parleurs, je comprends soudain la raison de la déprime qui me frappe. Je regarde ma sœur, de trois ans mon aînée, et ma cousine Sarah, qui a mon âge. Toutes deux sont mariées et ont un bon emploi. Ma sœur Noémie, directrice des inspections et des analyses de marché à la Bourse de Montréal, a déjà deux enfants. Je suis envahie par le sentiment de n'avoir rien accompli. Du moins, rien d'important. Moi qui, adolescente, m'imaginais mariée,

21

mère d'au moins un enfant, rédactrice en chef d'un prestigieux journal et heureuse propriétaire d'une maison de banlieue dès l'âge de vingt-cinq ans, je suis mal partie.

Je suis encore désespérément célibataire, je n'ai qu'une minuscule chronique « fourre-tout » dans un magazine et j'habite dans un 3 1⁄2 aux murs épais comme du carton dans l'est de Montréal. Ma seule relation durable est celle que j'entretiens avec les plantes de mon salon et je n'ai des contacts physiques avec des hommes que lorsque je suis dans le métro et qu'il est tellement bondé que les gens y sont serrés comme des sardines. Pour une raison que j'ignore, c'est à ce moment-là, à demi étendue sur une chaise dans une salle de bal, que je décide qu'il est temps de faire quelque chose pour rectifier la situation. Bien que je n'aie aucune idée de la façon dont je vais réussir ce tour de force. Car je sens que si je ne fais rien, je vais finir en vieille sainte Catherine timbrée, qui tricote toute la journée sur son balcon en parlant à ses fleurs.

Mon père vient s'asseoir à côté de moi. Mon cher papa poule qui ne cherche qu'à protéger ses filles adorées et innocentes du monde extérieur.

— Amélie, ta mère et moi rentrons à la maison, veux-tu qu'on te dépose chez toi ?

— Non, vous restez près d'ici, alors que moi je suis à l'autre bout de la ville, ça va vous imposer un énorme détour.

— Tu en es sûre, ma chérie ? Tu as l'air plutôt mal en point.

— Oui, j'en suis certaine. D'ailleurs, je crois que tante Alicia me reconduira. Après tout, elle habite près de chez moi.

— Bon, comme tu voudras. Bonne nuit, Amélie, et prends soin de toi.

La vérité, c'est que même si j'ai une furieuse envie de partir, je préfère que mes parents ne me voient pas dans un tel état. Si je rentrais avec eux et qu'ils avaient tout leur temps pour m'examiner, je sais qu'ils s'inquiéteraient. Après avoir avalé mon café et fait rapidement le tour de la salle à moitié vide, je me rends compte que tante Alicia est déjà partie. C'est tout moi, ça ! Je n'ai même pas vérifié si elle était encore là. Je suis obligée d'appeler un taxi et d'emprunter de l'argent à l'un des invités, car je n'en ai même pas assez pour retourner chez moi. C'est vraiment gênant...

Pendant le trajet, ma tête recommence à tourner, et des haut-le-cœur me prennent chaque fois que le taxi s'arrête à une inter-section. La combinaison des différentes boissons que j'ai prises et du café, sans doute. Ça m'apprendra à boire des fonds de verre. J'aurais dû rester à l'hôtel, en fin de compte, car le transport me donne la nausée. Prendre en note : ne pas mélanger différents types d'alcool et ne pas prendre l'auto lorsque je suis complètement givrée. Le chauffeur me jette constamment des coups d'œil inquiets et doit probablement prier pour que je ne sois pas malade dans son véhicule.

Après un trajet interminable, j'arrive à la maison, autant à mon soulagement qu'à celui du conducteur. Je parviens tant bien que mal à le payer, car les dollars dansent devant mes yeux et les chiffres des billets s'emmêlent dans mon esprit. Ma tête tourne de plus en plus, et je sens que mon repas cherche à prendre des vacances. Je grimpe les quelques marches de l'escalier intérieur en m'appuyant sur les murs et ouvre la porte avec toutes les difficultés du monde.

De justesse ! Dès que j'entre dans l'appartement, incapable de tenir debout plus longtemps, je m'effondre sur le sol. Incapable de bouger, toute la maison tourne autour de moi. Je n'en peux plus et je vomis sur le tas difforme autrefois appelé « bouquet de mariage » que je tiens encore dans mes mains.

Épuisée, je m'endors sur la moquette du salon.

Chapitre 2

Gabrielle, Antoine et Laurie
(Juillet)

Un ami, un véritable ami, c'est aussi un témoin, quelqu'un dont le regard permet d'évaluer mieux sa propre vie.

Emmanuel Carrère

— Je crois que je n'aurais pas pu descendre plus bas !

— Voyons, je suis sûr que tu exagères, dit Antoine. Ça aurait pu être encore pire.

— Je ne vois pas comment.

— C'est facile. Si tu avais couché avec Jérémie et qu'il t'avait laissée tomber la journée même, je te garantis que tu te serais sentie encore plus misérable. Veux-tu que je réfléchisse à d'autres scénarios catastrophe ?

— Non, ça va, merci.

Sur ce, Antoine prend une gorgée. Assise en face de lui, je sirote ma vodka jus d'orange en silence. Antoine Roy est mon plus vieil ami, je le connais depuis près de vingt-cinq ans. Antoine et ses parents ont emménagé à côté de chez nous alors que je n'avais que trois ans. Nous avons joué dans la boue et fait de la peinture à doigts ensemble. Depuis tout ce temps, nous avons réussi à garder contact malgré les années. Nous avons commencé l'école la même année et avons traversé l'adolescence côte à côte, en se soutenant l'un l'autre durant cette période à la fois éprouvante et merveilleuse.

C'est à ce moment qu'Antoine a commencé à développer ses dons de séducteur. En fait, puisqu'on se confiait presque tout, je soupçonne de lui avoir révélé, sans le savoir, la manière d'enjôler les femmes. Le fait d'avoir été proche de moi lui a permis de saisir la psyché féminine et d'utiliser cette connaissance à son avantage.

Antoine, c'est ma référence pour tout ce qui est du domaine des hommes. Même si je n'aime pas toujours ce qu'il me conseille, je peux régulièrement me renseigner auprès de lui sur la gent masculine qui continue de me mystifier.

Antoine – qui ne jure que par le Plateau Mont-Royal – reste tout de même un individu assez mystérieux en soi. Représentant pour une grosse imprimerie, il est toujours tiré à quatre épingles. Depuis qu'il a cet emploi, je ne l'ai pas souvent vu autrement qu'en complet, du genre Armani ou Harry Rosen, surtout lorsqu'il vient de faire une bonne vente. Il suit constamment le cours de la Bourse, lit les revues et journaux d'affaires et est continuellement branché sur les chaînes de télévision qui traitent de *business*. Il garde un œil sur tous les bons coups, les fluctuations et les scandales financiers de l'heure.

Ses habits s'harmonisent toujours avec ses yeux bleus. Ses cheveux châtain foncé – nuance *Amande salée* n° 1,8 – sont toujours parfaitement coiffés. Il porte une grosse bague et un bracelet en chaîne d'or. C'est en cet honneur que je l'ai gentiment surnommé « le clinquant ». Il a aussi ce parfum bizarre, trop fort et trop sucré à mon goût, qui ressemble à un mélange de poudre pour bébé et de jasmin. Quand il est près de moi, j'ai l'impression d'être dans un champ de fleurs.

Presque tous ceux qui le rencontrent pour la première fois croient qu'il est gai, parce qu'il est soucieux de son apparence – comme si ce fait pouvait le rendre homosexuel ! – mais surtout parce qu'il se tient avec moi et mes copines, Gabrielle et Laurie. La vérité, c'est qu'il sort avec nous parce que ça drague mieux, paraît-il. Pour une raison que j'ignore, les femmes qu'il aborde se sentent moins menacées par le fait qu'il soit accompagné d'autres femmes. Il les met donc plus facilement dans son lit. En fait, c'est plutôt un ubersexuel typique.

Antoine est coureur de jupons, et il est peu fiable à certains égards, car il a tendance à changer d'idée comme de chemise. Les femmes passent dans sa vie et dans son lit comme des étoiles filantes. La plupart du temps, quand nous entendons parler d'elles, c'est déjà fini. Je ne le prendrais jamais comme conjoint, mais c'est tout de même le meilleur ami qu'on peut avoir. Il a toujours une vision de la réalité beaucoup plus complète que moi et m'amène souvent à regarder une situation sous un angle que je n'avais jamais considéré.

Il parvient également à lire mes pensées d'une manière impressionnante. Peut-être est-ce parce que nous nous connaissons depuis si longtemps. Une simple moue, un mouvement d'hésitation, un rictus, et il arrive à deviner ce qui se passe dans ma tête. La facilité avec laquelle il fait cela m'impressionnera toujours.

Je fais le tour du bar d'un rapide coup d'œil. Une lumière tamisée rouge rend la foule homogène, uniformisant la salle et ses occupants d'une couleur sang. Tous semblent pareils, et même les pires défauts disparaissent dans cette quasi-noirceur. Clairement, les propriétaires de l'établissement ont compris que le rouge est aussi la couleur qui stimule l'appétit, dans tous les sens du terme. Au fond du bar, un groupe rock se démène littéralement sur la scène, jouant une musique assez assourdissante pour fendre les tympans d'une roche. Des clients se déhanchent comme si leur vie en dépendait. Tout est conçu pour fondre les gens en une seule masse parfaitement unie.

— Les hommes, ce sont tous des salauds, de toute façon ! lance fièrement Laurie avant d'avaler sa bière.

27

Fidèle à son habitude, ma copine Laurie Côté sort une boutade antimasculine du genre : à bas l'oppresseur ! Féministe acharnée qui prétend que toute femme qui se respecte devrait vivre sans hommes – ces sales manipulateurs esclavagistes –, c'est tout juste si elle ne revendique pas le droit d'avoir le cancer de la prostate pour être l'égale des hommes. Elle est néanmoins obsédée par l'idée d'avoir un jour des enfants et de répondre à « l'appel glorieux et ancestral de la maternité ». Ça ne l'empêche pas non plus d'être constamment déprimée et de se plaindre du fait qu'elle n'a pas de petit copain. Bref, une personne pleine de contradictions.

Laurie soupire en secouant ses cheveux blonds, clairs comme du blé – nuance *Pain doré* n° 6,5 –, qu'elle porte mi-longs mi-courts. Peu soucieuse de son apparence, elle porte généralement des vêtements décontractés achetés à prix modiques dans des friperies. Elle a fait de longues études et a quantité de diplômes dépareillés derrière elle : un DEC en intégration multimédia, un certificat en informatique et un baccalauréat en littérature. Designer multimédia, elle passe une bonne partie de la journée à travailler devant un écran d'ordinateur et, lorsqu'elle se retrouve avec de véritables êtres humains, elle oublie parfois de filtrer ses paroles et dit tout ce qu'elle pense sans réfléchir.

Laurie, c'est l'esprit de contradiction en personne. Elle moule son opinion sur celle des autres, mais à l'envers. Elle prend un malin plaisir à défier la majorité. Quand tout le monde dit noir, elle dit blanc. Si l'avis des gens change, elle va changer le sien aussi pour ne pas se conformer aux autres. Dès que quelque chose est à la mode, elle le déteste. Elle abhorre le rose, les robes et les cheveux longs parce que, selon elle, c'est « trop féminin ». Si elle était un homme, elle porterait sans doute des minijupes et des boucles dans les cheveux, juste pour embêter le reste de la planète !

Pendant un certain temps, ses prises de bec avec Antoine étaient légendaires. Depuis, elle s'est calmée, mais semble convaincue qu'elle va réussir à purifier Antoine de son attitude de don

Juan. Néanmoins, c'est une copine sensible et dévouée que je n'échangerais pas pour tout l'or du monde. Quand on a besoin d'elle, Laurie se dévoue corps et âme pour aider ses amis. Elle a toujours un proverbe, une maxime ou un adage dans sa manche – préférablement en latin pour faire plus savant –, même si elle oublie souvent d'en faire usage face à ses propres problèmes.

– Tu dis ça uniquement parce que tu n'as pas de conjoint, de rétorquer mon autre copine, Gabrielle.

Adjointe administrative d'une galerie d'art du centre-ville de Montréal, Gabrielle Bouchard est une véritable *workaholic* qui ne vit principalement que pour sa carrière. Elle est également accro du cellulaire, de la cigarette et du Palm Pilot. Elle s'amuse aussi à trouver l'étymologie des noms des personnes qu'elle connaît. Elle s'imagine connaître les gens par ce brillant stratagème, ce qui a tendance à la sécuriser. Mon nom, en grec, signifierait « rusée », Antoine veut dire « inestimable » – ce qui lui faisait d'ailleurs très plaisir –, Laurie signifie « laurier » et Gabrielle veut dire « force de Dieu ». Évidemment, il fallait qu'elle ait le prénom le plus pompeux de nous tous.

Gabrielle est toujours bien mise, maquillée et manucurée. Avec ses yeux légèrement en amande et ses cheveux bouclés brun foncé – nuance *Moka java* n° 1,5 – qui tombent sur ses épaules et bougent comme dans une annonce de shampoing, elle ressemble à une Italienne. On jurerait parfois qu'elle vient d'une région comme la Sicile. Et pourtant, sa famille est originaire du Saguenay–Lac-Saint-Jean.

Sous ses dehors de femme fatale sûre d'elle, Gabrielle cache un prodigieux manque d'assurance. Elle a une peur bleue de l'échec et peut être une véritable *control-freak* quand elle s'y met. Elle tente de maîtriser chaque aspect de sa vie, accorde une attention presque maladive aux apparences et si quelque chose dans son entourage ne va pas selon ses prévisions ou ses désirs, elle grimpe littéralement dans les rideaux.

Cependant, Gabrielle est une fonceuse qui ne s'en laisse pas conter et ne tolère pas que quiconque s'attaque à elle ou à ses proches. Je sais qu'elle me défendrait bec et ongles si c'était nécessaire. Il est vrai que depuis que je la connais, j'ai passé de nombreuses heures à tenter de la sécuriser par toutes sortes de moyens et de discours. J'ai été sa béquille préférée pendant de nombreuses années.

Depuis que son copain l'a demandée en mariage il y a quelques mois, Gabrielle a été surnommée « la fiancée » par notre clan. C'est la seule du groupe qui soit casée pour l'instant. Assez belle et d'apparence sensuelle, il y a cependant des moments où elle a le tact et la diplomatie d'un bulldozer.

Antoine et moi avons rencontré Laurie en sixième année du primaire, alors qu'elle venait d'emménager dans notre quartier. Quant à Gabrielle, elle s'est jointe à notre bande en première secondaire, quand nous avons changé d'école.

Aujourd'hui, c'est le premier vendredi du mois, ce qui veut dire que c'est la soirée de sortie à notre bar préféré : le Sex-Symbol. Nous nous retrouvons là régulièrement, Antoine, Gabrielle, Laurie et moi, pour discuter, sortir et aussi nous défouler. La règle de cette sortie a été instaurée à l'unanimité il y a quelques années, alors que nous étions à l'université. Nous ne devons jamais l'annuler, sauf en cas de force majeure, bien sûr. C'est-à-dire : la mort ou une tempête de neige. D'une certaine façon, cela nous permet aussi de ne pas trop nous éloigner les uns des autres.

Pendant ces années passées aux études supérieures, il y a eu un moment où nous avons bien failli perdre contact. Nous étions tous enlisés dans les travaux et nous étions au bord de l'épuisement ou du *burnout*. Je me démenais pour terminer mon diplôme en journalisme, pendant que Laurie se demandait encore ce qu'elle allait faire de son existence, que Gabrielle se dévouait aveuglément à ses études et qu'Antoine faisait des ravages dans le cœur de ses collègues étudiantes des HEC.

Pour éviter de se noyer dans le tourbillon dans lequel la vie nous enfonçait, nous avons décidé de nous rencontrer, tous les vendredis, dans un bar du centre-ville et de ne jamais dévier de cette tradition. Cela nous permettait de relaxer après une dure semaine et de se défouler sur notre pitoyable existence d'étudiants surmenés et miséreux. C'était aussi une routine rassurante qui nous donnait l'impression de ne pas perdre pied. Si nous empruntions tous des chemins différents dans l'avenir, nous allions au moins conserver un moment et un endroit où nous pourrions être ensemble. Depuis, nous poursuivons la tradition une fois par mois. Pour le principe.

Nous avons aussi établi la loi suivante : pas de conjoints. D'abord, personne n'a de relation en même temps, ce qui fait que quand l'un de nous se présente avec son ami(e), ceux qui sont célibataires finissent toujours par se sentir malheureux ou frustrés. Ensuite, leur présence change la dynamique de nos conversations, négativement, en général. Enfin, les conjoints ne s'entendent pas toujours bien avec les amis, ou entre eux ; alors, autant éviter les problèmes.

Près d'une semaine après mon incident au mariage de ma cousine Sarah – et après m'être goinfrée de sucreries, de crème glacée et de chocolat pour améliorer mon niveau de désespoir qui est à six sur une échelle de dix – mon moral n'est pas bien meilleur. Mes amis tentent tant bien que mal de me le remonter.

– De toute façon, fait Gabrielle, ce n'est pas si grave. Ce Jérémie ne devait être qu'un con pour te laisser ainsi. Dis-toi que c'est un mal pour un bien et que ce n'est pas un drame d'être célibataire.

– C'est facile à dire, ça, quand on est fiancée !

Gabrielle soupire avant d'avaler une gorgée de son **martini**.

– Donc, je n'ai pas droit au chapitre sur cette question.

31

– Exact.

Elle me gonfle un peu avec son attitude du genre « le monde peut bien s'écrouler, moi je suis presque mariée de toute façon ». Il est aisé de dire qu'une chose est inutile quand on l'a en sa possession.

– Je te connais, Amélie, tu as quelque chose derrière la tête quand tu te plains comme ça, avance Antoine.

Il a raison, il me connaît trop bien. Je suis un tantinet gênée de parler à mes amis du projet que j'ai tranquillement construit dans ma tête et que j'ai intitulé « Amélioration de la vie d'Amélie ». Ça semble un peu pathétique et désespéré comme dessein.

– Bon, d'accord, je crache le morceau : j'ai décidé de me donner pour objectif de modifier entièrement mon existence. Je vais transformer ma vie morne et bordélique en bonheur total. Je suis fatiguée de toujours me sentir insatisfaite de ce que j'ai. Bref, je veux bonifier mes conditions de vie. Voilà.

Antoine, Gabrielle et Laurie me regardent un instant, l'air pantois.

– Tu es sûre que tu ne t'es pas aussi cogné la tête ? demande Laurie en rigolant. Ou que tu n'as pas bu trop de vodka ? Qu'est-ce qui t'a poussée à avoir des idées aussi radicales ? Ça ne te ressemble pas, je trouve.

– Je me suis rendu compte que je n'étais pas contente de ma vie, c'est tout. Ça m'a frappée un instant et ça a été comme une révélation, une illumination, ou un réveil brutal, si vous préférez.

– Que désires-tu faire ? s'informe Antoine.

– Ce n'est pas compliqué. Je veux changer différents aspects de mon existence pour améliorer mon sort. Si possible, avant la trentaine. Pour ce, j'ai identifié au moins trois conditions à modifier. D'abord, trouver un homme qui va m'aimer et me respecter. Ensuite, déménager dans un meilleur logement, car j'en ai marre de vivre dans un appartement avec des murs en carton. Finalement, obtenir de meilleures conditions à mon emploi ou alors, je vais foutre le camp et travailler ailleurs.

Antoine émet un sifflement admiratif.

– Tu n'y vas pas avec le dos de la cuillère, rigole Gabrielle.

– J'en ai assez de me sentir comme une moins que rien. Je suis fatiguée de toujours envier les autres parce que j'ai l'impression qu'ils en ont plus que moi. Vous rappelez-vous les projets que vous aviez lorsque vous étiez plus jeunes ? Moi, je n'ai rien accompli de ce que j'avais prévu et si je ne me grouille pas, je finirai par voir ma vie passer sans jamais avoir obtenu ce que je désire. C'est décidé, je vais cesser de m'apitoyer sur mon sort et faire quelque chose pour le régler.

– As-tu des idées sur la manière dont tu vas accomplir ce beau plan ? s'inquiète Laurie.

– Pour être honnête, pas encore. J'y réfléchis, mais si vous avez des suggestions, ne vous gênez pas.

Au même moment, le téléphone portable de Gabrielle sonne. J'ai déjà ma petite idée sur l'identité de l'appelant. C'est sans doute Alexandre, son fiancé. Cet emmerdeur de première est probablement le type le plus jaloux et avide de contrôle que j'ai rencontré de ma vie. Qui plus est, c'est une sorte de « monsieur muscles » débile. Puisqu'il n'a pas le droit de venir aux sorties du vendredi soir, il occupe son temps à harceler Gabrielle lorsqu'elle passe sa soirée avec nous au Sex-Symbol. Il est bien assorti avec Gabrielle, à bien y penser.

– Oui, je suis encore au bar, fait Gabrielle. J'en ai pour à peu près une heure. Oui, je t'appelle avant de partir.

Gabrielle raccroche. Inutile de dire qui était son interlocuteur. Antoine me regarde avant de lever les yeux au plafond. Lui aussi a de la difficulté à tolérer ce type. Le fait qu'Alexandre soit envieux de son amitié avec Gabrielle n'aide pas vraiment. Je ne comprends pas comment elle peut endurer ça et, surtout, ce qu'elle trouve à cet idiot. Mais ce n'est pas de mes affaires, alors je me tais.

– Pour te trouver un copain, as-tu pensé aux agences de rencontres ou aux sites Internet ? propose Laurie.

– Quelle horreur ! s'écrie Gabrielle. La plupart des gens qui vont là sont des laiderons, des imbéciles, des vieux ou des gens tout simplement désespérés !

– Tais-toi, « la fiancée »... rétorque Laurie, piquée au vif.

– Je reconnais qu'une partie des gens qui vont dans les agences ne sont pas toujours le coup du siècle, mais ça vaudrait la peine d'essayer. On ne sait jamais, ajoute Antoine.

– Je ne suis pas sûre d'être motivée à ce point-là. Mais, je vais y songer.

– *Audaces fortuna juvat*, plaide Laurie.

– Ce qui signifie ?

– « La fortune favorise les audacieux. » Et l'avantage des sites de rencontres, c'est que c'est généralement gratuit.

– Ça ne coûte peut-être rien, mais ça vaut parfois ce qu'on paye, c'est-à-dire : zéro, répond Antoine.

Je réfléchis. Est-ce que je désire vraiment passer mes soirées à échanger avec des inconnus ou supporter des sorties qui seront la plupart du temps ennuyeuses, voire désastreuses ? D'un autre côté, ça m'obligera à sortir et à rencontrer des gens nouveaux. Si je reste seule à me morfondre dans mon coin, je suis sûre de demeurer sainte Catherine jusqu'à ma mort.

Je suppose qu'il y a beaucoup d'obstacles à franchir et de mauvais moments à passer avant de rencontrer la bonne personne. Il faut faire un effort si on veut trouver l'amour un jour.

— Ça te permettrait aussi de faire tes expériences sexuelles, si tu en as envie. Je suis certain qu'il y a plein de types dans ces réseaux-là qui sont prêts à faire une partie de jambes en l'air n'importe quand.

— Antoine, bon sang !

— Ben quoi ? Comme ça, tu peux prendre de l'expérience avant de trouver la personne de tes rêves.

— C'est dégoûtant.

— Ne me faites pas croire qu'il n'y a pas des filles dans ces réseaux-là qui n'ont pas pour but de s'envoyer en l'air avec le plus de gars possible. Et la même chose est vraie pour les hommes.

— Alors, tu devrais aller sur ces sites de rencontres, dis-je, moqueuse. Ça serait le terrain d'exercice parfait pour toi.

— Non, c'est trop facile et c'est ennuyeux, les femmes sont déjà toutes prêtes. Je n'ai même pas besoin de les cuisiner. Je préfère un peu de défi, tout de même.

Gabrielle lève les yeux au ciel d'exaspération. Ça se passe de commentaires...

L'idée de Laurie me trotte sérieusement dans la tête. Elle a raison au moins sur ce point : ça ne me coûte rien, sauf du temps. Selon l'adage, la chance sourit aux audacieux. Même si, par moments, elle leur fait aussi d'affreuses grimaces. Et puis, j'ai dit que j'étais décidée, alors je devrais foncer. Si ça s'avère catastrophique, je changerai de tactique, voilà tout.

— Tu n'as pas peur de tomber sur un fou ou un maniaque ? demande Gabrielle.

— Il y a des règles, explique Laurie. Enfin, ce sont plutôt des suggestions. Toujours sortir dans des endroits publics et ne jamais accepter d'aller chez des gens qu'on vient de rencontrer sans être sûr que c'est vraiment ce que l'on veut. Et ne jamais donner ses coordonnées. Et puis, pourquoi ce serait toujours les hommes qui auraient le droit de partir à la chasse ? Les femmes peuvent bien faire ça, elles aussi.

Pendant que Laurie parle et donne ses conseils, je ressasse le souvenir des noces maudites du mois dernier. Ça y est, la tête me tourne un peu. Habituellement, c'est le signal qu'il me faut cesser de boire. Ce que j'aurais dû faire immédiatement au mariage lorsque j'ai senti que je perdais le contrôle. Ça devait bien faire près de dix ans que je ne m'étais pas laissée aller comme ça. C'est mauvais signe.

En fait, depuis le jour de mon bal de fin d'études du secondaire, où j'ai été quelque peu traumatisée, je suis généralement plus prudente. Bien que j'aie un faible pour l'alcool – en particulier pour les boissons fortes comme la vodka – je n'avais pas été malade et je n'avais pas pris de cuite depuis longtemps.

Ma plus grosse remonte à ce fameux bal, pendant lequel je suis partie dans le centre-ville à deux heures du matin avec ma bande de copines de l'époque – dont Gabrielle et Laurie –, et où je me suis soûlée comme jamais. En fait, j'étais si ivre que je ne me souviens de rien. Tout ce que je sais, c'est que je me suis réveillée, le lendemain matin, dans les toilettes d'un Dunkin Donuts, étendue à terre dans une flaque de vomi séché – qui était probablement le mien –, des dessins obscènes dessinés partout sur mon corps et signés par mes amies, avec une cheville foulée et mes petites culottes sur la tête. Et aucune idée de comment j'étais arrivée là.

J'ai su par la suite que j'étais sortie avec mes copines, toutes plus soûles les unes que les autres, et que nous nous étions promenées un peu partout. Nous nous sommes apparemment dessiné mutuellement des trucs cochons sur la peau, comme on écrit des messages à des amis que l'on ne reverra pas de sitôt. Mes amies m'ont oubliée dans les toilettes du restaurant et sont parties, pour se perdre chacune à leur tour. L'une d'entre elles s'est réveillée sur le quai du métro et une autre, aux côtés d'une vieille sans-abri, dans un parc.

Depuis ce jour-là, dès que je ressens des signes m'indiquant que l'ivresse approche, je cesse toute consommation. Car malgré le fait que rien de bien grave ne soit arrivé ce jour-là, je suis restée marquée à vie par cette beuverie. Je n'ai pas envie de me retrouver demain matin dans le lit d'un inconnu ronflant ou un truc du genre.

*   *
*

C'est l'heure de rentrer à la maison. Nous sortons du bar pour nous retrouver dans l'atmosphère étouffante de la rue. Dès que nous sommes à l'extérieur, Gabrielle s'allume une cigarette. Elle devait en avoir drôlement envie. En ce début de juillet, il doit à coup sûr faire entre 25 °C et 30 °C et nos vêtements nous collent à la peau. Mmerde... je crois que j'ai encore pris trop d'alcool, j'ai de la difficulté à marcher droit.

Pour la énième fois, Gabrielle appelle Alexandre pour le prévenir qu'elle part. Laurie monte en voiture avec elle, alors qu'Antoine vient me reconduire chez moi dans sa rutilante voiture de sport rouge. Je lui fais un sourire moqueur.

– Alors ? Ton auto attire-t-elle toujours autant les filles ?

Pour toute réponse, Antoine m'envoie un sourire éloquent.

Chapitre 3
La branche d'Olivier
(Août)

Après avoir longuement mûri la suggestion de Laurie concernant mon projet, j'ai décidé de passer à l'attaque. Pour me convaincre que j'en étais capable, j'ai aussi opté pour une méthode encore plus radicale, d'une certaine façon, que les sites de rencontres. J'ai fait des recherches et découvert le *speed dating*.

En gros, une dizaine de femmes et d'hommes se rencontrent, et ont vingt minutes pour discuter. Il faut payer, et c'est organisé par une agence de rencontres. Il y a plusieurs avantages à cette méthode. D'abord, le bureau fait une présélection, ce qui nous enlève une partie du boulot. Ensuite, si la rencontre est un véritable désastre, ça ne durera pas longtemps et on n'a pas besoin d'excuses ou de plans de secours pour se sauver. D'autant plus que, souvent, on sait dès le début que ça ne marchera pas. Finalement, si la personne ne nous intéresse pas, elle n'a pas nos coordonnées et ne peut pas nous harceler, car l'agence filtre tout.

J'ai donc opté pour le *speed dating*, au moins pour essayer. Ça ne coûte pas trop cher et le concept m'apparaissait tout de même bien, même si c'est tout un défi de susciter un intérêt chez l'autre, s'il nous plaît.

L'ennui, c'est que si une personne nous tape dans l'œil, mais qu'on ne la captive pas, aucune chance de la revoir. Antoine m'a conseillé, pour être certaine d'attirer l'attention, de dire : « Je crosse, je suce et j'avale. » Comme ça, m'a-t-il dit, ils vont tous vouloir de toi, et tu n'auras qu'à choisir celui ou ceux qui te plaisent vraiment.

Passons... Je ne crois pas que j'ai envie de passer pour une cochonne ou une bête de sexe. Je ne suis pas encore rendue à ce niveau de désespoir. Sur une échelle de dix, je ne me considère encore qu'à cinq, tout de même. Cinq, c'est la moitié du niveau maximal, donc la limite du danger.

Les rencontres ont lieu un samedi soir dans un petit resto-bar de la rue Saint-Denis. Je me pointe là une dizaine de minutes à l'avance pour ne rien manquer et, surtout, ne pas faire un mauvais effet. Je ne suis pas souvent ponctuelle, alors il vaut mieux faire un effort. L'endroit a du charme, avec une lumière juste assez tamisée pour créer une sensation d'intimité, mais pas trop, pour ne pas endormir les clients. Les murs de briques foncées donnent un look à la fois rustique et élégant.

Bientôt, les organisateurs installent les femmes à des tables munies de banquettes. Chaque table est séparée par un muret, ainsi personne n'a l'impression que tout le monde l'observe. Les membres du personnel veillent à leur affaire. On dirait qu'ils ont pensé à tout.

Je jette un dernier coup d'œil à mon miroir de poche. Bon, je n'ai pas l'air d'un mannequin, mais ça peut aller. J'ai mis un rouge à lèvres discret et rehaussé mes yeux d'un fard à paupières. Mes cheveux, toujours aussi plats, effleurent mes épaules.

J'ai le trac comme à mon tout premier rendez-vous. J'ignore quel genre de type je vais rencontrer. Après tout, c'est une sorte de blind-date, mais avec un temps de conversation limité. Je regarde ma montre. Plus que quelques instants. À vingt minutes par entrevue, et cinq gars à rencontrer, ça va durer environ une heure et quarante minutes. Tout un marathon.

Je déteste parler de moi. J'ai l'impression de ne rien avoir de fascinant à raconter et j'ignore comment rendre ma vie d'un quelconque intérêt. Je ne sais même pas comment je vais réussir à piquer la curiosité de qui que ce soit. On m'emmène mon premier « candidat » qui s'assoit en face de moi.

– Salut, je m'appelle Guillaume Poulin, dit-il en me tendant la main.

– Tremblay, Amélie Tremblay. Mais, appelez-moi Amélie.

Guillaume a une poigne de fer et m'écrase littéralement la main. Celui-là, je ne serais pas surprise qu'il travaille uniquement avec des hommes. Il a l'air habitué de donner des poignées viriles. Il a les cheveux bruns, coupés courts et les yeux gris. De taille moyenne, il est plutôt mince.

– Alors ? Que faites-vous dans la vie, Guillaume ?

– Ne me dis pas « vous », susurre gentiment Guillaume, je déteste ça.

– D'accord.

– Je suis technicien en comptabilité et en gestion. J'habite dans l'est de Montréal et je conduis une Audi Quattro.

À voir la façon dont ses yeux brillent lorsqu'il prononce la marque et le modèle de sa voiture, je comprends que c'est un maniaque qui doit passer tous ses étés à chouchouter son auto, qui doit rouler à 50 km/h au-dessus de la limite permise en tout

41

temps et qui doit connaître le nom de toutes les pièces qui composent le moteur en français, en anglais et en espagnol pour mieux lire le manuel d'entretien.

C'est sans doute mal de ma part, mais je soupçonne fortement ce pauvre Guillaume de compenser une insécurité sexuelle par une belle voiture. Il y avait une chronique dans la revue pour laquelle je travaille qui parlait de ça. Je ne suis déjà pas sûre de vouloir de ce genre de type comme conjoint. D'un autre côté, je le juge sans doute trop vite. Peut-être est-ce le fait de travailler pour un magazine et de lire trop d'articles sur le sexe qui pollue mon cerveau. Et puis, pour une telle entrevue, on est toujours nerveux, alors je devrais être moins sévère.

— Et toi ? Tu as une voiture ? me demande-t-il.

— Non, je suis encore au métro.

— Alors, je pourrais te reconduire avec mon auto. Avec mon moteur V8 de trois cents chevaux, je pourrais te porter au boulot en moins de temps qu'il ne faut pour le dire !

Finalement, mes premières impressions semblaient justes... Prendre en note : écouter davantage mon instinct.

Après quinze minutes de bavardage, pour ne pas dire de monologue, Guillaume m'a parlé en détail de son Audi Quattro et de son excellence traction, de sa transmission sans pareille, de ses incroyables freins ABS, des quarante valves et d'autres trucs auxquels je n'ai rien compris. Je n'arrive pas à croire que certaines personnes peuvent définir leur être tout entier par rapport à leur automobile, comme si elles étaient le véhicule qu'elles conduisaient.

C'est le temps de changer de partenaire. J'échange une poignée de main avec Guillaume. Cette fois, j'essaie de lui retourner une poignée plus ferme, sans grand succès. Mes doigts sont littéralement écrabouillés et je n'ai déjà plus de force dans la main.

Après quelques minutes, la rotation suit son cours. Un homme aux cheveux poivre et sel et aux yeux bruns s'installe en face de moi. Il doit avoir presque quinze ans de plus que moi. Je me demande s'il y a ici des femmes du même âge que lui. Bien qu'il doive être quelque peu expérimenté sur le plan sexuel, je m'interroge à savoir si je veux d'un copain qui passera son temps à me dire qu'il va me faire bénéficier de sa grande sagesse et me donner des leçons de vie.

Amélie, ça suffit ! Cesse de toujours juger les gens par leur apparence et essaie donc de leur laisser le temps de parler avant de te faire une idée. J'ai vraiment tendance à tirer des conclusions dès la minute où je vois une personne. C'est une fort mauvaise habitude.

— Bonsoir, moi, c'est Émile Bernier.

Émile a une belle voix : chaude et grave. Il dégage une forte impression d'expérience, d'assurance et de connaissance.

— Tremblay, Amélie Tremblay. Mais, appelez-moi Amélie.

Décidément, il va falloir que je change ma phrase d'entrée, un jour. Et ce, même si Antoine le clinquant m'affirme qu'elle est vendeuse et accrocheuse.

— Amélie et Émile, ça serait comique comme couple.

— C'est vrai, ça a un joli son.

— Alors, parle-moi de toi, Amélie.

43

– Bien... j'ai vingt-huit ans, je travaille pour un magazine féminin où je tiens une chronique, disons... de secours, spécialisée sur tout ce qui a trait à la maison et aux produits courants de la vie de tous les jours. Et toi ? Que fais-tu dans la vie ?

– Je suis acheteur pour une imprimerie. C'est-à-dire que c'est moi qui leur procure le matériel dont ils ont besoin. As-tu déjà été mariée, Amélie ?

– Heu... non.

Je me demande où il veut en venir. Veut-il savoir si je suis une personne sérieuse et fiable ? Il veut déjà connaître mes intentions concernant le mariage ? C'est assez rapide, merci. Souhaite-t-il savoir si je paie une pension ?

– Moi si, mais j'ai divorcé l'année dernière.

– Oh !... heu... je suis désolée. C'est triste.

– Oh ! non, ça ne l'est pas. J'ai appris que mon épouse m'avait trompé avec mon frère. C'est fou ce que certaines femmes peuvent être des salopes, des fois.

Là, je suis bouche bée. Même si je savais quoi répondre à cela, je ne suis pas sûre que j'oserais. Quelque chose me dit qu'Émile n'a pas encore digéré son divorce et que l'adultère de son ex-femme n'a pas encore été liquidé. Je sens que dès le départ, les chances d'une relation harmonieuse sont vraiment minces. J'essaie de rire pour détendre l'atmosphère, mais Émile doit voir que je ris jaune.

Candidat suivant : Tristan Gosselin. Il a les cheveux châtain pâle, noués en queue de cheval, les yeux bruns, et il doit faire près de deux mètres. Il a un fort joli sourire, qui montre toutes ses dents d'un blanc vraiment éclatant.

Après quelques minutes de conversation, je comprends vite que Tristan est un passionné des films de Jean-Claude Van Damme. De son dernier film *Wake of Death*, en passant par ses grands succès *Universal Soldier*, *Streetfighter* et *Timecop* jusqu'à *Bloodsport*, j'ai entendu parler de tous ses coups, de toutes ses cascades, de toutes ses *catch up phrases* et autres trucs niaiseux.

Pas moyen de connaître quoi que ce soit de Tristan. Il ne parle de rien, à part des films de Van Damme dont il est un inconditionnel. Il possède une affiche de chacune de ses productions, et il suit sur Internet toutes les nouvelles et les rumeurs sur ses films à venir. J'ai toujours dit que j'aimais les hommes passionnés, mais il y a des limites. Je n'ai pas envie de me tenir avec un type qui parle sans arrêt du même sujet et qui n'a cure de savoir si ça m'intéresse ou non.

Vient ensuite mon quatrième candidat de la soirée : Olivier Pelletier-Lapointe. Je commence à être fatiguée, déçue et quelque peu découragée. Si les gens paraissent bien sur papier lorsqu'ils remplissent des questionnaires, c'est une tout autre histoire en chair et en os. J'aurais presque envie d'aller voir les organisateurs et de leur dire ma façon de penser. Dire que j'ai payé pour cela ! J'aurais pu faire mieux seule sur des sites de rencontres sur le Web.

Si je travaillais pour une agence de rencontres, je monterais des questionnaires de la même façon que les meilleures études de marché. Je ne poserais jamais de questions directes, car les gens mentent toujours quand ils remplissent ce genre de formulaire. Ils veulent s'embellir, alors rien n'est vrai, et toute la procédure est inutile. Il faudrait interroger les gens de manière détournée, de façon à ce qu'ils y répondent honnêtement, sans avoir l'impression de donner une mauvaise image d'eux-mêmes.

Olivier Pelletier-Lapointe a les cheveux noirs – nuance *Charbon frais* n° 2,6 –, les yeux bruns et doit faire lui aussi presque deux mètres. Il a l'air quelque peu timide. Mais après les premières présentations, il me demande aussitôt ce qui ne va pas. Je dois admettre que sa question me surprend.

– Heu... rien. Je... je suis juste légèrement fatiguée.

– Tu es certaine qu'il n'y a rien d'autre ?

Je craque. Bien que je ne me sente pas à l'aise de parler contre les personnes que je viens de rencontrer, d'autant plus qu'elles sont encore dans la même pièce, je crois que j'ai besoin de sortir un peu de méchant.

Alors que je lui fais part de mes impressions personnelles, Olivier se met à rire. Il me confie qu'il a lui-même eu des candidates particulières. L'une d'elles n'a parlé que de son ex-conjoint et a raconté à quel point il était extraordinaire ; une autre lui a dit qu'elle désirait savoir tout de suite s'il voulait des enfants, car elle se donnait encore six mois pour trouver le père de ses futurs petits. Si elle ne le trouvait pas avant un an, elle passait à l'insémination artificielle, car elle voulait être mère avant l'âge de trente ans. Quant à la dernière, elle n'avait parlé que de son emploi et a boudé Olivier lorsqu'il a avoué que sa carrière n'était pas une priorité pour lui.

Décidément, je ne suis pas la seule à avoir des rencontres colorées. J'aime bien la façon qu'Olivier a de m'écouter et de répondre sans m'interrompre sans arrêt. L'entrevue passe rapidement et c'est déjà au tour du prochain candidat. Je crois que je vais essayer de contacter Olivier. J'aime bien sa timidité et son empathie.

Le dernier homme que je dois rencontrer s'assoit en face de moi. Il s'appelle Kevin Lefebvre, est élégamment vêtu et même quelque peu tape-à-l'œil.

– Eh bien, tu peux te considérer chanceuse, ma belle. Toutes les autres femmes ici sont des laiderons, mais toi, tu es belle comme un cœur. Si tous les hommes de Montréal savaient où tu habites, il y aurait une crise du logement dans ton quartier !

Sans commentaires...

*　　*
*

Me voilà de nouveau dans mon superbe appartement. Je suis véritablement éreintée. Je me sens enfin dans mon élément, parmi les coussins fleuris de mon sofa, les tableaux impressionnistes ornant les murs et les couleurs pastel qui me détendent si bien. Dans l'ambiance feutrée que je me suis créée, je peux me sentir à l'aise, même si je laisse traîner des trucs partout, comme des emballages de tablettes de chocolat, de pots de crème glacée vides ou des bouteilles d'alcool à demi achevées. Je l'avoue honteusement, je suis complètement accro du chocolat et de la glace.

Je m'installe devant mon ordinateur pour me changer les idées. Laurie et Antoine sont tous les deux branchés et je les vois apparaître dans ma fenêtre de clavardage. Évidemment, Gabrielle-la-fiancée n'est pas là. Depuis qu'elle est avec Alexandre, elle ne communique plus avec nous aussi souvent.

Antoine et Laurie s'empressent de me demander des nouvelles de mes rendez-vous. Après ma brève description de la soirée, Laurie demande, avec beaucoup d'avidité, de lui décrire la branche d'Olivier quand je l'aurai vue. Elle a toujours eu un curieux sens de l'humour. Épuisée, je souhaite bonne soirée à mes amis.

Sur ce, j'éteins l'ordinateur et me prépare pour aller me coucher.

* *

*

Aïe ! Ma soirée de *speed dating* m'a ruinée ! En fait, elle a rempli ma carte de crédit. Lorsque j'ai tenté de payer mon épicerie, la caissière m'a dit qu'elle ne fonctionnait pas. J'ai dû retirer des articles de mes emplettes pour utiliser ma carte de débit, car le solde de mon compte n'était pas très élevé. Les clients qui attendaient derrière moi me regardaient tous avec des éclairs dans les yeux. Je me suis sentie vraiment ridicule !

Un appel rapide à la compagnie de crédit m'a permis de savoir que j'avais dépassé ma limite de cent cinquante dollars. Zut, alors ! Je vais devoir faire plus attention. Pourquoi ne nous préviennent-ils pas avant qu'on atteigne la limite ? Ça nous éviterait d'être humiliés devant tout le monde, sur la place publique. Hum... Prendre en note pour améliorer mes conditions de vie : vérifier régulièrement le solde de ma carte de crédit et, surtout, avant qu'on m'en avertisse dans un magasin, en face d'une centaine de clients. Comment vais-je faire pour payer tout ça, moi ? Est-ce que je me prive pendant plusieurs semaines pour tout rembourser ou je pile sur mon orgueil pour demander de l'aide financière à mes parents ? Hum... La nuit porte conseil...

* *

*

Alors que je sors mes ordures, ruminant encore la façon dont je vais m'y prendre pour payer mes dettes, je tombe sur la poubelle que je laisse sur le balcon, en arrière. Le contenant est renversé sur le côté, le couvercle gît par terre et le sac est éventré, déversant ses détritus sur le balcon. Une odeur de poisson pourri et de moisissure me saisit. Beurk ! Dégoûtant !

48

Sans doute un chat ou même un sans-abri qui est venu fouiller dans mes déchets. Vraiment, un malheur n'arrive jamais seul. Prise à la gorge financièrement, je vais en plus devoir m'amuser à ramasser ces cochonneries. Sans vomir, de préférence. C'est quoi, la prochaine tuile qui va me tomber sur la tête ? Prendre en note : mettre un poids lourd sur le couvercle la prochaine fois.

Chapitre 4

Féminine.com
(Septembre)

*Si vous avez un travail où il n'y a pas de complications,
vous n'avez pas de travail.*

Malcolm Forbes

Lundi matin. Je ne sais pas trop pourquoi, je me sens
particulièrement démotivée face à mon travail. Mon niveau désespoir doit être passé à cinq et demi, c'est dangereux. Malgré le beau
temps de ce début de septembre, je me sens à plat. Probablement
la déprime du lundi. L'un de mes collègues m'a dit avoir lu une
étude démontrant qu'une majorité de travailleurs éprouvent une
dépression du dimanche soir, accompagnée d'insomnie, de sautes
d'humeur, d'anxiété, alors qu'ils sentent la fin de leur congé arriver à grands pas.

J'ai moi-même parfois l'impression de traverser la cour des
prisonniers pour me rendre dans ma cellule et m'enchaîner à
mon bureau. Dire que j'ai fait exprès, hier soir, d'ingurgiter des
restes de poisson presque verts, des vieux cornichons et un fond
de lait sur le point de cailler pour me donner un empoisonne-
ment alimentaire ! Tout ça rien que pour ne pas venir. Et le pire,
c'est que ça n'a rien donné. Même pas une petite nausée. Maudit
soit ce satané estomac de fer ! Faut dire qu'en l'endurcissant
à l'alcool comme je l'ai fait récemment, je pourrais pratiquement
manger du béton sans broncher.

Je travaille au magazine *Féminine.com*. Puisque nous avons
fêté le dixième anniversaire de l'entreprise cette année, les grands
patrons ont décidé de créer un nouveau slogan : « À l'avant-garde

depuis dix ans ». Nous avons donc affiché cette phrase partout dans les bureaux, l'avons inscrite sur toutes sortes de choses : affiches, aimants, crayons et autres babioles inutiles.

À force de l'utiliser à toutes les sauces, le slogan, qui m'apparaissait innovateur et charmant, commence à sérieusement m'agacer. Le fait de marier deux notions antinomiques : « avant-garde » et « depuis dix ans » me semblait inventif, mais ça me paraît maintenant inepte et simplet.

Voilà cinq ans que je travaille pour le magazine et, à mon arrivée, on m'a donné la seule chronique disponible. Autrement dit, celle dont personne ne voulait. C'est la chronique fourre-tout où, la plupart du temps, je teste des produits. Elle s'intitule « Nous avons testé... ». Quel titre original ! Bref, c'est la chronique qui remplit les vides. Ce n'était que temporaire, pour que je puisse apprendre les rudiments du métier, soi-disant. Seulement, cette situation temporaire est devenue permanente. Alors que les autres journalistes parlent de sujets passionnants et accrocheurs comme les affaires, la carrière, la sexualité, les couples, les restos, les voyages, la décoration et j'en passe, je me tape des articles sur des trucs idiots comme les nettoyants pour lavabo, le papier hygiénique et autres machins médiocres auxquels personne ne s'intéresse.

Je dois donc acheter un million de produits et de trucs débiles, les tester et rédiger des textes. J'ai insisté auprès de notre éditeur pour choisir les marques et la marchandise, histoire de conserver intacte mon intégrité. Comment pourrais-je critiquer un article sans me sentir coupable si ce dernier nous a été donné par la compagnie ? Mon devoir, en tant que testeuse, est d'être aussi neutre que possible. L'ennui, c'est que j'ai le magasinage en horreur, je hais les commerces et tout ce qui y est lié. Depuis que je lis les reportages de Daphné Lessard, responsable de la section « Affaires », les cheveux me dressent sur la tête !

Je suis de plus en plus horrifiée par les politiques des grandes entreprises et par les manières employées pour faire dépenser les consommateurs. Tout est destiné à nous soutirer le plus d'argent possible, et de la façon la plus insidieuse qui soit, à commencer par créer des besoins chez les gens, allant jusqu'à vaporiser un faux arôme de pâte cuite pour inciter les clients à acheter du pain en épicerie.

Non contentes de nous voler notre argent durement gagné à la sueur de notre front – et, dans mon cas, sous la torture – par toutes sortes de moyens subtils, les entreprises veulent nous faire croire que c'est par altruisme et qu'elles ne veulent que notre bonheur. Si ces sociétés commençaient par admettre que tout ce qu'elles désirent, c'est prendre notre blé et s'enrichir sur notre dos, les consommateurs se porteraient bien mieux et on perdrait moins de temps et d'argent à se faire mentir en pleine figure.

C'est pourquoi j'en profite, lorsque je tombe sur de mauvais produits, pour les massacrer dans ma chronique. Moi, la journaliste qui défend la liberté d'expression, je me fais salvatrice des pauvres consommatrices sans défense et les mets en garde contre des produits banals, certes, mais ô combien dangereux !

Hélas, mes thèmes sont souvent suggérés – pour ne pas dire carrément décidés – par la rédactrice en chef, Audrey Morin. Dans la pyramide hiérarchique, elle se trouve juste au-dessous de Justin Simard, l'éditeur de la revue. Âgée de cinquante-quatre ans, épouvantable bosseuse, elle est la parfaite incarnation du *baby-boomer*. Toujours vêtue de morceaux à au moins cinq cents dollars pièce – veste luxueuse en tweed Dior, splendide chemise de soie brodée Armani, magnifique chandail de cachemire Gucci, tailleur ruineux Prada, jupes somptueuses Versace et j'en passe –, elle dégage continuellement un étouffant nuage de parfum Chanel n° 5. Je la soupçonne de se badigeonner de parfum avec un pinceau à pâtisserie de peur de manquer un endroit.

Ambitieuse et tyrannique à l'extrême, sa tête est si enflée qu'elle est probablement aussi grosse que mon bureau. Surnommée « la bosseuse » par les uns, « la vampire » ou « Vampirella » par les autres. Grande et longiligne, elle porte de longs cheveux blond clair cendré – nuance *Thé glacé* n° 6,6 –, noués en un chignon sévère, qui encadrent son visage anguleux d'autocrate binoclarde.

Audrey draine l'énergie de plusieurs employés, impose sa vision à certains et fait régner un climat de terreur chez les chroniqueurs. La plupart d'entre eux ne restent qu'un an ou deux, d'ailleurs. Et, bien entendu, Audrey préfère les faire remplacer par d'autres jeunets, plutôt que de me donner ces reportages bien plus intéressants. Son excuse : ces gens sont des spécialistes dans leur domaine. Même s'ils sortent à peine de l'école...

Bien sûr, je peux choisir le sujet de mes articles, du moins techniquement. Mais si je ne parle pas de ce qu'Audrey me propose, j'ai droit à de véritables litanies qui peuvent durer des jours. Bien qu'elle prétende que ces choix sont dus à la demande des lecteurs, je sais fort bien que c'est faux et qu'elle fait cela pour m'empêcher de monter en grade trop vite.

Tiens, il y a quatre mois, j'ai remis à Audrey mon dernier reportage portant sur les boissons désaltérantes pour les sportifs. Quel sujet emmerdant ! J'ai dû boire ces satanés breuvages artificiels aux couleurs fluo et me taper des heures d'exercices pour les tester. Il me fallait voir si, pendant un effort soutenu, c'était efficace. J'ai dû essayer les trois seules marques offertes sur le marché, avec des saveurs plus fades et semblables les unes que les autres, ce qui ne me laissait pas tellement de choix. D'un ennui mortel...

La seule chose un peu excitante, c'était que le dernier produit, d'une marque qui venait d'apparaître sur le marché, était beaucoup plus efficace que les deux autres. Il m'avait permis de faire de l'exercice trois fois plus longtemps. Remarquez, comme truc palpitant, on peut faire mieux...

Pourtant, j'ai bien essayé de rendre cette chronique intéressante. Je me suis dit : Amélie, pour une fois, tu vas faire du vrai journalisme, du sérieux. J'avais fait venir des détails techniques et des analyses chimiques des entreprises fabriquant ces boissons pour rédiger un article éclairé. J'ai fait de nombreux appels auprès des fabricants, afin d'obtenir le plus de détails possible sur leurs produits. Je leur ai parlé si souvent au cours de ces semaines qu'ils doivent me connaître par mon petit nom, maintenant.

Malheureusement, je ne comprenais rien à ces damnées formules, ces rapports et ces noms scientifiques longs comme une raquette de tennis. Finalement, j'ai laissé tomber, j'ai rangé les documents dans mon classeur et j'ai écrit un papier tout ce qu'il y a de plus ordinaire. Tout comme ma carrière, d'ailleurs.

Pourtant, dès mon entrée au magazine, Justin m'a plus ou moins prise sous son aile, à cause, dit-il, de mon talent pour l'écriture, et il a promis de me donner une meilleure place. Justin ressemble un peu à un chérubin vieilli prématurément, avec ses cheveux bouclés châtain et gris – nuance *Noisette grillée* n° 3,7 – et son visage bon enfant. Sa garde-robe est composée essentiellement de complets-veston bleus ou gris.

Justin adore mes textes. Il me l'a dit à maintes reprises. De plus, il est d'une gentillesse extraordinaire et il m'encourage beaucoup. Cependant, il est un peu mou. Et malheureusement, ce n'est pas à lui qu'appartient le pouvoir de décision, mais au conseil d'administration du magazine – dont les membres sont très mystérieux, car nous, pauvres petits employés, ne les voyons jamais. Nous les avons surnommés « les fantômes » car, à l'exception de Justin, personne ne les a rencontrés. Tout ce que nous savons, c'est qu'ils se trouvent au dernier étage du bâtiment.

L'ennui, c'est que même si Justin aime mes chroniques, Audrey se sent menacée et elle fait tout pour que mon travail soit le plus médiocre et inintéressant possible. Et puisque les fantomatiques supérieurs de *Féminine.com* lui font aveuglément confiance – facile, quand on n'est pas sur le terrain et qu'on ne voit pas ce qui se passe –, elle peut se permettre de me maintenir à un niveau où je ne peux pas trop espérer une promotion.

Lorsque je suis entrée dans cette fichue entreprise, on m'avait promis que je pourrais participer à des colloques, conférences et autres événements. Jusqu'à présent, Audrey me les a toujours refusés. Par contre, elle est allée plus d'une fois à des congrès – auxquels elle participe réellement ou pas – aux frais du magazine.

Je me rends à la salle de conférence pour la réunion du lundi matin. Une table de bois couleur acajou trône au milieu de la pièce. Autour, des tableaux abstraits d'artistes prétendument branchés ornent les murs. Les œuvres, choisies de façon à dégager une impression avant-gardiste – je commence à abhorrer ce mot ! –, me donnent la nausée, mais font la fierté de nos patrons. On voit bien que ce n'est pas eux qui doivent regarder ces horreurs. Tous les chroniqueurs et les photographes sont là, Justin et Audrey aussi. Cette dernière en profite dès qu'elle me voit entrer dans la salle de conférence.

– Oh, Amélie, susurre-t-elle, tu pourrais aller me chercher un café, s'il te plaît ?

La machine à café est à environ une minute de marche. Vraiment, Audrey me prend pour sa servante personnelle ! M'énerve ! Mais j'évite de faire une scène devant les employés pour si peu, ça semblerait démesuré. De plus, il vaut mieux ne pas m'opposer à ma patronne. Je vais chercher le satané café et l'apporte à Audrey.

– Il est sucré, dis donc, se plaint-elle après avoir pris une gorgée.

Si tu n'es pas contente, tu n'as qu'à y aller toi-même ! Ce que j'aimerais pouvoir lui répliquer ça à voix haute... Mais je me ferme la trappe, comme toujours. La réunion commence. Notre éditeur fait un retour rapide sur le magazine du mois dernier. Puis, il nous demande où nous en sommes dans la recherche et la rédaction de nos articles. Comme d'habitude, les sujets ne manquent pas. Le débat de ce mois-ci : pour ou contre le trou dans la couche d'ozone ?

— Amélie, je crois que nous allons avoir besoin d'une de tes chroniques de test, m'annonce Justin.

Avant même que j'aie le temps de placer un seul mot, Audrey s'empresse de prendre la parole.

— Oui, justement, nous avons eu plusieurs demandes pour faire une étude sur les différentes marques de dentifrice. Il serait bien qu'Amélie s'occupe de cela.

Chaque fois qu'Audrey me fait ce coup-là, je sais que si je proteste en public, devant tous les employés, elle va s'imaginer que je conteste son autorité – ce qui est en partie vrai – et je vais avoir droit à une séance de bouderie. Depuis un certain temps, j'ai décidé de faire valoir mon opinion plus souvent. Je commence à être fatiguée de toujours me faire imposer des sujets de cette façon. Qu'Audrey boude, après tout, ne me cause pas vraiment de tort. La seule chose qui me fait peur, c'est qu'elle aille se plaindre à Justin ou même plus haut.

— En fait, j'avais déjà pensé à faire un reportage sur les soutiens-gorge. J'ai remarqué que la revue n'en a jamais parlé jusqu'à présent et pourtant, Dieu sait que c'est important pour les femmes de savoir choisir une bonne brassière !

— C'est une excellente idée, dit Justin.

Déjà, je vois du coin de l'œil la mâchoire d'Audrey qui se crispe et ses doigts qui se contractent de frustration. C'est horrible à endurer. Je m'en veux et je vais probablement le regretter, cependant je décide de créer une trêve et d'acheter la paix. Ça pourrait faire plaisir à Audrey.

– Mais je ferai un article sur le dentifrice le mois prochain, puisque les lecteurs l'ont demandé.

Ça y est ! Je vais encore devoir me creuser le ciboulot afin de trouver une manière un tant soit peu passionnante de parler de cette nullité de dentifrice à la con. Et si je trouvais un titre accrocheur du genre « Dentition à risque » pour attirer l'attention ?

Audrey est un peu moins fâchée, néanmoins, je l'entends tout de même soupirer d'agacement. Elle prend mal le fait que mon idée de reportage soit intéressante aux yeux de Justin ; en plus je n'ai pas fait exactement ce qu'elle voulait. Tant pis pour elle ! Je ne me sentirai pas coupable de prendre ma place.

N'empêche, son attitude est drôlement chiante à supporter. On dirait que seuls ses désirs ont de l'importance et que je suis là pour la servir.

De retour à mon bureau, je tente de me détendre en me massant les tempes. Mon cœur bat à tout rompre. J'ignore si j'ai bien agi. Je ne crois pas avoir jamais remis en question les décisions d'Audrey jusqu'à présent, du moins pas en public. Ce n'est pas trop grave, puisque Justin me soutient pour l'instant. Je vais devoir faire attention tout de même. Si je me mets Audrey à dos, ça pourrait mal tourner pour moi. D'un côté, je risque de ne jamais me faire remarquer si je continue à écrire des chroniques aux sujets aussi soporifiques. D'un autre côté, il vaut mieux être gentille avec mes supérieurs, si je ne veux pas être mise à la porte.

Je regarde les murs gris et ternes de mon cubicule, recouverts d'une sorte de jute grisâtre. Ce que je peux détester ce bureau ! Exigu et ennuyeux, il ne peut que me démotiver davantage... Parfois, je me demande si les supérieurs n'ont pas fait installer ces parois afin d'éviter que les employés se parlent et fomentent une quelconque rébellion.

J'appelle Laurie. Elle adore m'accompagner dans les boutiques lorsque je fais des achats pour mes chroniques. Je lui laisse parfois prendre des articles – remboursés par le magazine, bien sûr – pour elle-même, étant donné qu'elle m'est d'une grande assistance.

– Alors ? Quel est le sujet du mois ? me lance-t-elle.

– Cette fois, c'est moi qui ai choisi, et ce sera les soutiens-gorge.

– Génial !

– La prochaine fois, pour être gentille, je prendrai le sujet qu'Audrey m'a proposé : les dentifrices.

– Toujours aussi emmerdeuse celle-là, hein ? Je ne comprends pas comment tu peux tolérer cette garce. Je lui aurais dit ma façon de penser il y a longtemps.

– Elle peut aussi avoir une influence indirecte sur le fait que j'aie une promotion, ou même que je reste, alors je demeure prudente.

– Ne devrait-elle pas prendre sa retraite bientôt, à son âge ?

– Sûrement pas ! Elle a seulement cinquante-quatre ans et elle s'accroche autant qu'elle peut au pouvoir. Et je te jure qu'elle n'est pas sur le point de lâcher le morceau. Je parie même que quand elle sera morte, elle se fera empailler juste pour rester dans le bureau. Et quand les employés ne seront pas gentils, on leur fera peur en les menaçant de les enfermer avec sa dépouille.

Laurie éclate de rire.

– Un Anglais du nom de Ben Johnson, mais qui n'était pas un *sprinter*, a dit : « L'ambition est comme un torrent et ne regarde pas derrière soi. » Dès qu'Audrey pourra te jeter, elle le fera. Alors, méfie-toi.

– Pas mal pour décrire la situation. Je vais m'en souvenir.

– Philippe Bouvard a aussi dit : « Ambition : nom noble donné aux besoins d'argent. »

Je rigole. Soudain, c'est l'alerte rouge ! Un nuage intempestif de parfum m'annonce la présence de Vampirella, qui doit faire tout en son possible pour espionner ma conversation subtilement en passant près de mon bureau.

– Bon, je te laisse, dis-je à Laurie. À plus tard.

*　*

*

J'ai rendez-vous ce midi avec Olivier. C'est notre quatrième rencontre, et jusqu'à présent, tout se passe à merveille. C'est un type timide, laconique, charmant et intelligent. Bien qu'il soit difficile de faire la conversation avec lui, car il a tendance à peu s'extérioriser, il peut être intéressant. Il me fait penser à un enfant. Maladroit, mais gentil. Et quand je le regarde, j'ai une irrésistible envie de le prendre dans mes bras, de le serrer contre ma poitrine et de le materner en lui caressant les cheveux. Lorsqu'il m'a reconduite chez moi la dernière fois, il m'a embrassée. Il s'est simplement approché de moi, m'a pris le bras, s'est penché et a posé ses lèvres sur les miennes. J'étais si énervée que j'ai eu de la difficulté à dormir. Youpi !

J'ai failli l'inviter à monter chez moi, mais j'avais la vague impression que si je cédais, je passerais pour une fille facile. De plus, il vaut mieux que je lui montre que j'ai mieux à faire que de me laisser baiser par lui, même si c'est totalement faux et que s'il m'avait sauté dessus, je me serais sans doute laissé faire. J'ai donc lutté contre mes hormones qui demandaient désespérément à être soulagées et je suis rentrée seule. Olivier n'a même pas protesté et est reparti sans broncher, comme un gentilhomme. Depuis, je ne cesse de penser à lui, j'ai les jambes molles, les joues rouges et des palpitations.

Et si c'était pour cette raison que j'ai de la difficulté à me concentrer sur mon boulot ? Le début de ma relation avec Olivier me cause tellement de papillons dans l'estomac que mon travail me paraît ennuyeux, voire futile. Comment me concentrer sur une soporifique chronique de tests quand je suis en train d'entamer une relation avec ce qui sera possiblement l'homme de ma vie ?

Je flotte, et je cours presque vers mon rendez-vous, tant j'ai hâte de voir mon cavalier. J'arrive au restaurant convenu, Le palais de jade, et attends impatiemment Olivier. Par chance, il ne met pas trop de temps à arriver à son tour.

Comme moi, c'est un amateur de nourriture asiatique. C'est avec grand plaisir que nous nous retrouvons à cet établissement. Et pour la compagnie de l'autre également, cela va sans dire. Bien que j'adore la bouffe chinoise, je n'ai jamais appris à me servir correctement de baguettes, contrairement à Olivier.

– C'est facile, dit Olivier. Tu en prends une et tu l'appuies sur ton majeur, un peu comme quand tu tiens un crayon. Ensuite, tu poses l'autre baguette le long de ton index et tu les tiens toutes les deux avec ton pouce.

Pour me montrer, il prend les baguettes et les installe entre mes doigts. Le contact de sa main contre la mienne me fait frissonner de plaisir. Je sens des chaleurs me monter à la tête. En regardant Olivier, je me rends compte que je ne suis pas la seule affectée. Il y a un bout de temps que je n'ai rien fait de sexuel et je commence à le ressentir dans tout mon corps.

Nos plats arrivent. Nous mangeons en silence, envahis par un malaise. Mon cœur bat à tout rompre et je sens qu'Olivier est aussi excité que moi. Je n'ai pas envie de retourner au boulot après le dîner, mais plutôt d'emmener mon cavalier chez moi et de faire les pires cochonneries avec lui.

À bien y penser, venir manger ici n'était pas une si bonne idée. Difficile d'avoir l'air élégante quand on ingurgite un gros paquet de vermicelles en aspirant bruyamment. De plus, je n'arrête pas de m'en coller sur le menton et sur les joues en essayant de les avaler. Ouais, c'est vraiment attirant et *sexy*. Prendre en note : ne pas manger de nouilles chinoises lorsque je veux séduire un gars.

Je devrais peut-être faire les premiers pas. J'ignore si Olivier a assez envie de moi pour céder immédiatement à son désir. Devrais-je tâter le terrain avant ? Je me sens un peu maladroite, mais je décide de tenter une approche subtile. Nous sommes dans un lieu public, tout de même. Je ne veux pas que l'on nous remarque. Doucement, je glisse ma jambe contre la sienne. J'ai l'impression d'être une femme fatale dans un film de série B, mais tant pis. La fin justifie les moyens.

Olivier, qui allait prendre une bouchée de chow mein, suspend soudain son geste. Je crois qu'en fin de compte mon mouvement a bel et bien eu de l'effet. Il lève les yeux et me regarde. Je pense que c'est le moment ou jamais de me déclarer.

— Heu... est-ce que ça te dirait de... prendre congé cet après-midi et de... venir prendre le café chez moi ?

Ça sonne la formule toute faite et je me sens un brin idiote. Si ça a l'effet désiré, je ne m'en plaindrai pas.

— Aussitôt le repas fini, j'appelle le bureau pour les prévenir que je serai absent.

Je sursaute. Je suppose que c'est sa façon de dire oui. Je ne m'attendais pas à une réaction aussi positive et je ne pensais pas que je pouvais avoir autant d'effet sur un homme. Ça me rassure, car depuis l'épisode « Jérémie », je me sentais maladroite avec la gent masculine. Olivier et moi avalons le reste du dîner en vitesse. Pendant qu'il règle la facture, je joins la réceptionniste du magazine au téléphone.

— Camille, c'est Amélie. Je ne rentrerai pas au bureau, je ne me sens pas bien. Je crois avoir mangé un truc pas frais.

— Je préviendrai Audrey et Justin. Prends soin de toi, ma petite.

Je souris. Camille Fortin, une dame de soixante ans travaillant à la réception de *Féminine.com*, m'a toujours appelée « la petite ». Elle est très attentionnée pour moi. Après avoir raccroché, je regarde autour de moi. J'ai l'impression que tout le monde peut voir ce qui se passe dans mon for intérieur ! Peut-être que ça se lit sur nos visages, à Olivier et à moi, que nous allons sécher le boulot juste pour s'envoyer en l'air ? Rien que d'y songer, je me sens intimidée et dénudée. En regardant bien, les gens poursuivent leurs activités comme si de rien n'était. Je crois que si nous faisions l'amour sur le comptoir au milieu du riz collant et du poulet du général Tao, personne ne s'en soucierait.

Olivier a lui aussi parlé à son patron. Nous nous dirigeons vers mon appartement. Le trajet en métro me semble interminable. En chemin, j'essaie de me rappeler s'il n'y a rien de compromettant qui traîne chez moi, comme une paire de culottes sales ou une vieille pointe de pizza à moitié mangée par des mouches. Il n'y a rien de moins excitant et d'antiromantique qu'une maison à l'envers. Mais non, autant que je puisse me souvenir, tout est relativement en ordre.

Nous arrivons chez moi. Alors que je cherche mes clés, Olivier me prend par la taille et commence à m'embrasser dans le cou. Je commence à perdre mes moyens. Il faut que je puisse entrer à la maison, avant de me retrouver toute nue. J'arrive à ouvrir la porte. Enfin !

Je me jette littéralement dans les bras de mon amoureux. Il était temps, je n'en pouvais plus et ma culotte commençait à être mouillée. Nous nous arrachons mutuellement nos vêtements en riant, sans cesser de nous embrasser et de nous caresser. Nous avons fait l'amour deux fois, cette journée-là. Une première fois en entrant, sur le tapis du salon. Puis, une seconde fois, en soirée, sur la table de cuisine.

Finalement, Olivier est retourné dormir chez lui, car il a une réunion tôt demain matin, et il a besoin de nouveaux habits, les autres étant fripés. Quant à moi, je n'ai pas aussi bien dormi depuis longtemps. Sur l'échelle de désespoir, je suis maintenant à deux sur dix.

* *
*

Le téléphone sonne, à vingt-trois heures trente. Il y a au moins une heure qu'Olivier et moi sommes couchés et le bruit nous réveille en sursaut. Qui ça peut bien être à une heure pareille ?

Je me lève péniblement pendant qu'Olivier bougonne en tirant les couvertures sur son nez. Après m'être cognée sur au moins trois meubles, le cœur battant, je finis par trouver le combiné du téléphone sans fil. J'espère que ce n'est pas une mauvaise nouvelle.

— Amélie ? C'est toi ?

Je cligne des yeux, essayant de me réveiller complètement. À travers le brouillard de mon sommeil, je crois reconnaître la voix d'Audrey.

— Heu... Audrey ?

— J'aurais besoin d'un service, annonce-t-elle sans préambule.

Pas de « est-ce que je te dérange ? » ou « désolée pour l'heure tardive ». Elle se fout complètement du fait qu'il est tard et que je roupillais.

— Coralie est malade et nous avons un *shooting* demain matin pour la chronique de gastronomie. Je veux que tu ailles chercher le matériel qu'elle a acheté à la première heure et que tu l'apportes au studio. Je suis trop occupée pour y aller.

Coralie, c'est l'une de nos stylistes. Elle a sans doute acheté de quoi décorer pour la prise de photo de demain matin. Mon cerveau est toujours endormi, mais si j'ai bien compris, il faut que je me rende chez elle et que je rapporte les babioles décoratives pour le photographe.

— Normalement, j'aurais demandé à Léa parce qu'elle est plus près de chez Coralie, mais je ne voulais pas la réveiller, explique Audrey.

Et qu'est-ce qu'elle s'imagine que je faisais moi, alors ? Que je cueillais des marguerites à la pleine lune ?

— Alors, tu n'as qu'à passer chez Coralie demain à six heures et demie et arriver au bureau à sept heures. À demain.

Et sur ce, elle me raccroche au nez. Je reste un instant avec le combiné dans la main, abasourdie de m'être fait piéger ainsi. Je me recouche, encore assommée par la requête d'Audrey. Je devrais me rendormir, je dois me lever tôt demain. Prendre en note : apprendre à réagir plus vite quand on me demande de telles absurdités.

*   *

*

65

Le lendemain matin, j'arrive à la course au studio de photo. J'ai dû me lever à cinq heures et demie pour avoir suffisamment de temps pour m'habiller, me rendre chez Coralie et aller ensuite au *shooting*. Quand j'arrive, à la course il va sans dire, Audrey et Julien, le photographe, m'attendent de pied ferme.

– Dépêche-toi ! Tu es en retard ! me lance sèchement Audrey.

Je regarde ma monte, atterrée. Pourtant, il est sept heures moins cinq. Je ne comprends rien, je suis censée être à l'heure.

– Je me suis trompée d'heure hier, explique Vampirella, tu aurais dû arriver ici à six heures et demie.

– Ce n'est pas ma faute ! Tu m'avais dit...

– J'ai essayé de te rappeler ce matin pour te prévenir, mais tu étais déjà partie. Tu devrais t'acheter un téléphone cellulaire, sinon ça va finir par te nuire un jour.

Je reste figée un instant, face à cette réplique, pendant que Julien prend les objets décoratifs pour commencer son installation. Qu'entend-elle par là ? Est-ce une menace voilée ? Il va peut-être falloir que je me méfie à l'avenir.

Chapitre 5

Le clan Beaulieu-Tremblay
(Octobre)

En amour, il est plus facile de renoncer à un sentiment que de perdre une habitude.

Marcel Proust

Lundi matin. Beurk ! Si ma situation amoureuse s'est améliorée, le diagnostic sur le plan professionnel est toujours aussi pourri. Je crois que je suis à trois sur l'échelle du désespoir. Dire que je vais devoir faire cette saleté de reportage sur le dentifrice. Qu'est-ce qui m'a pris, aussi, de promettre d'en parler ! J'ai vraiment été cruche. Prendre en note pour améliorer mes conditions de vie : ne plus accepter de sujet d'article débile pour faire plaisir à Audrey. J'ai la sensation d'étouffer dans ce bureau, d'être dans un trou noir, avec un travail sans même une possibilité d'avancement. Je me sens comme dans un tunnel sans issue. Allons, Amélie, ressaisis-toi ! Il ne faut pas se laisser aller ainsi, sois positive. Bon, je devrais cesser de me plaindre et me mettre au travail sans plus tarder.

* *
*

Début de journée pluvieux et terne. Je me suis levée seule, ce matin. Olivier est parti hier soir en voyage d'affaires pour un client et il reviendra dans deux jours. Il me semble que je m'ennuie déjà. Je soupire et m'habille après m'être extirpée du lit. J'ai veillé tard pour essayer en vain d'écrire quelque chose d'inspirant sur le dentifrice. Je hais ce boulot. Moi qui croyais être promise à une carrière brillante de journaliste, la chute est douloureuse.

Il est déjà dix heures. Audrey va sûrement m'étrangler. Devrais-je me prétendre malade ? Ah ! Et puis, non ! Elle ne m'empêchera pas de travailler, tout de même !

Je me dépêche de m'habiller pour partir au bureau au pas de course. Il faudra que j'apprenne à ne plus appuyer sur le bouton *snooze* dix fois de suite avant de me lever. Je n'aurais pas à courir comme une folle et à endurer les foudres de ma patronne quand je rentre à une heure si tardive. Et ce, même si je quitte le bureau plus tard que tous les autres employés.

Je pénètre dans le hall d'entrée presque en courant. Dix heures trente ! Aïe ! Je vais me faire décapiter. Je vois les portes de l'ascenseur qui commencent à se refermer. Si je ne l'attrape pas, il pourrait ne revenir que dans cinq minutes. Cette boîte de conserve est une véritable antiquité et se déplace à un mètre à l'heure. C'est ça ou me taper neuf étages d'escalier.

Je pique un sprint... pour me tordre la cheville sur une flaque de liquide et m'étendre de tout mon long sur le dos !

Je mets quelques instants à reprendre mes esprits. Je suis couchée sur la tuile et j'essaie de comprendre ce qui vient de m'arriver. J'entends des voix autour de moi, je suis étourdie et je sens une terrible douleur à la cheville gauche.

Je distingue le visage du gérant du café du rez-de-chaussée ainsi que des gens que je croise dans notre tour à bureaux. Il y a également Léa, une de mes collègues. Il n'y a qu'un homme, parmi la foule qui m'entoure, que je ne reconnais pas. Je vois qu'il me parle, mais ses mots se mélangent dans ma tête. Je finis par saisir qu'il me demande si ça va. Je réussis vaguement à articuler quelques mots.

— Écartez-vous ! dit-il aux autres. Je vais l'emmener à l'hôpital ! Vous avez mal quelque part ?

C'est le bel inconnu qui a parlé. Malgré mon accident, je suis encore assez lucide pour reconnaître qu'il est plutôt beau bonhomme. Si je suis capable de m'attarder à quelque chose d'aussi superficiel, c'est bon signe, je présume.

L'homme m'aide à me relever, sous le regard inquiet des autres qui n'osent rien faire. Il faut dire que le type a l'air sûr de lui, alors tout le monde le laisse agir. Même moi, je n'ose pas tellement protester, trop heureuse que quelqu'un prenne les devants et s'occupe de moi. Je suis encore sonnée et je n'arrive pas à mettre mes idées en place. Ma cheville me fait si mal que je ne parviens pas à mettre du poids dessus.

— Venez avec moi, je vais vous emmener à l'hôpital dans ma voiture, propose l'étranger en me soutenant. Avez-vous quelqu'un à prévenir que vous ne pourrez pas entrer au travail aujourd'hui ?

— Oui, Justin Simard, mon patron au magazine *Féminine.com*, au 9e étage.

— Est-ce que quelqu'un peut s'en occuper ? demande mon sauveur.

— Je vais le faire, annonce Léa.

— Vous avez quelqu'un d'autre à prévenir ?

— Non, pas pour le moment. Mon conjoint est en voyage d'affaires. Je lui dirai quand il reviendra.

Rassurée, je pars pour l'hôpital. Quelle journée !

*   *

*

69

Mon bon samaritain m'aide à grimper dans son véhicule, stationné tout près. Puis, il prend place derrière le volant. Aussitôt, il met les gaz.

– Merci pour votre aide.

L'inconnu se tourne vers moi et me sourit.

– Ça me fait plaisir. Après tout, c'est un peu de ma faute si vous êtes tombée, avoue-t-il piteusement. J'avais renversé un peu de café par terre tout à l'heure. Le type du kiosque l'a essuyé ; alors, le plancher était encore mouillé. Je crois que vous alliez trop vite et que vous avez glissé là où c'était humide. Je suis vraiment désolé. En passant, je m'appelle Laurent Savard.

– Tremblay, Amélie Tremblay.

J'apprécie la franchise de Laurent. Il n'était pas obligé de m'avouer cela. Il faut quand même du courage, il me semble. Je l'observe à la dérobée pendant qu'il conduit. Assez grand et mince, début de la trentaine, des cheveux cuivrés qui ondulent comme des vagues, de grands yeux verts. Il est vêtu d'un complet et d'un *trench-coat*. Son attitude est sereine, il dégage de l'assurance. En fait, il me rappelle un peu Antoine. Je décide de lui poser quelques questions, pour en connaître un peu plus sur mon serviteur improvisé et pour être polie.

– Et que faites-vous dans la vie ? demandé-je.

– Je travaille dans le milieu de la nutrition. Et vous... toi ?

– Je suis journaliste.

Si je n'avais pas si mal et si je n'étais pas avec Olivier en ce moment, je me ferais un plaisir de l'inviter prendre un verre après,

70

histoire de l'entraîner dans mon lit. Qu'est-ce qui m'arrive ? Ça doit être le choc. Pas plus tard que ce matin, je m'ennuyais d'Olivier. J'ai les idées embrouillées.

* *
*

Nous arrivons à l'urgence. Puisque ma blessure n'est pas grave, je vais certainement attendre longtemps. Avec Laurent qui me soutient toujours, je passe au poste de triage. Évidemment, mon cas n'est pas prioritaire. Laurent me demande si je désire quelque chose à boire ou à manger ; je lui fais signe que non. Je me sens si stupide ! Comment peut-on se casser la figure sur une flaque d'eau comme ça ? Laurent doit me trouver idiote. J'ai envie d'aller cacher ma honte. Tout à coup, j'ai bien envie d'être laissée à moi-même.

— Tu peux partir, Laurent, si tu veux. Tu en as assez fait comme ça. Je vais me débrouiller toute seule maintenant. Tu ne devrais pas être au boulot en ce moment ? Tu ne vas pas avoir des problèmes ?

Sans m'en rendre compte, je me suis mise à le tutoyer.

— Ne t'en fais pas avec cela, me répond Laurent. Mon horaire de travail est très flexible. Et puis, c'est la moindre des choses. Je me sens un peu coupable pour ce qui est arrivé, alors ça me fait plaisir de t'aider. Ne bouge pas, je reviens dans quelques minutes.

Je vois Laurent parler à l'infirmière du triage, mais je n'arrive pas à comprendre ce qu'ils se disent. Celle-ci appelle un médecin qui entame une discussion avec Laurent. Quelques instants plus tard, il revient me voir, le sourire aux lèvres. Qu'est-ce qu'il mijote ? Près de trente minutes plus tard, le même médecin avec qui Laurent a discuté m'appelle. Je suis ébahie. Comment se fait-il que je passe aussi rapidement ? Laurent me jette un regard complice. Il me suit dans la salle d'examen.

71

– Bonjour, je suis le docteur Desjardins. Laurent Savard est un de mes amis, m'annonce-t-il d'emblée avec un grand sourire. Il m'a demandé de vous faire passer plus rapidement. Apparemment, il s'amuse à faire tomber les jolies jeunes filles.

Je réussis à esquisser un sourire. Je comprends maintenant pourquoi Laurent tenait à m'emmener à cet hôpital. Je suis étonnée par sa gentillesse et sa générosité. Non seulement il me conduit jusqu'ici, mais en plus, il réussit à me faire voir rapidement un médecin. Il doit se sentir vraiment coupable ! À moins qu'il ne désire m'amadouer pour coucher avec moi...

– Alors, on va regarder cette cheville, poursuit le docteur Desjardins. En tout cas, Laurent, tu devrais te trouver une meilleure méthode pour *cruiser*, ajoute-t-il moqueur.

Au moment où le médecin va commencer son examen, il me regarde, l'air perplexe. Que se passe-t-il ? J'ai le pied coupé et je ne m'en suis pas rendu compte ?

– Ça vous arrive souvent de porter deux chaussures différentes ? me demande-t-il.

Au secours ! J'étais si pressée ce matin que j'ai enfilé deux souliers différents ! Laurent se retient pour ne pas éclater de rire. Je me demande si je peux avoir l'air encore plus idiote.

*   *

*

Trois jours ont passé depuis mon accident. Rien de cassé, en fin de compte, juste quelques microdéchirures dans les muscles. Je me déplace avec des béquilles, et on m'a prescrit des anti-inflammatoires. Laurent m'a souhaité bonne chance et m'a laissé son adresse courriel en me faisant promettre de lui redonner des nouvelles. J'ai presque hâte de le contacter à nouveau.

En attendant, je fais bien attention et je regarde toujours où je mets les pieds, maintenant. J'ai eu ma leçon. À un point tel que j'en oublie parfois de regarder devant moi et que j'ai déjà failli foncer deux fois dans un poteau.

*   *
*

— Alors ? As-tu hâte de voir les petits ?

Merde ! Les enfants de Noémie ! J'avais complètement oublié que je lui avais promis de les garder pour leur soirée d'Halloween. Ma sœur et son mari, Jacob Beaulieu, vont à une fête costumée pour adultes et je lui avais proposé de faire la gardienne d'enfants. C'est une chance qu'elle me l'ait rappelé à l'avance, j'aurais pu faire une gaffe et prévoir autre chose.

— Heu... oui, ça fait un bail que je ne les ai pas vus, réponds-je en tentant de cacher mon embarras. Ils m'ont vraiment manqué. Vous pensez les amener à quelle heure ?

— Nous serons là vers dix-neuf heures. Jacob va se promener avec les enfants pour ramasser les bonbons en début de soirée, et nous viendrons ensuite.

— Parfait, alors à la semaine prochaine.

Je raccroche. J'entends déjà la musique de *Psycho* dans ma tête juste à l'idée de voir les enfants de ma sœur. Ils ne sont pas vraiment méchants, mais quelque peu indisciplinés, car ils ont pas mal de liberté à la maison. Malgré le fait que j'aime les enfants, je me sens toujours un peu inadéquate avec eux. Je n'ai vraiment que peu d'expérience avec eux. Je suppose que les garder constitue un bon exercice de formation pour l'avenir, quand j'en aurai à mon tour.

Il faut dire aussi que, depuis quelques années, les relations entre Noémie et moi sont peu harmonieuses. Depuis qu'elle s'est casée, j'ai l'impression que ma parfaite sœur me fait toujours sentir moins bonne qu'elle. Ses moues et ses hochements de tête sont parlants. Elle me reproche silencieusement d'être une capricieuse incapable de garder un homme, de prendre mes responsabilités et d'assurer la reproduction de mon espèce. Grande Sœur semble vraiment la femme idéale, qui a tout ce qu'elle veut dans la vie, alors que moi...

Enfin, peut-être suis-je paranoïaque ou jalouse. Mais Noémie déclenche chez moi un désagréable sentiment d'infériorité, avec ses conseils et sa façon de toujours vouloir m'aider lorsque je n'en ai pas besoin, comme si j'étais inapte dans tout ce que j'entreprends et que je ne pouvais me débrouiller seule.

Déjà, lorsque nous étions jeunes, tous les projets de Grande Sœur étaient des succès. Même lorsque je réussissais à accomplir quelque chose, on aurait dit que mes réalisations étaient amoindries parce que Noémie l'avait déjà fait avant, ou avait fait mieux. Je suppose que je me laisse emporter par ma paranoïa de cadette.

*   *
*

Ouf ! Je commence à avancer dans cet article à la con sur les dentifrices. C'est fou comme ce sujet n'est pas motivant. Je jette un coup d'œil à ma pendule, il est vingt-trois heures trente. Bien, c'est le meilleur moment de la journée pour moi pour travailler. J'écris beaucoup mieux tard, le soir, lorsque les gens normaux dorment à poings fermés. Un peu comme Ernest Hemingway qui créait pendant la nuit. Bien sûr, je ne peux pas espérer pouvoir comparer mes talents littéraires aux siens.

Tout ce que je sais, c'est que c'est au tréfonds de la nuit obscure – et de mon cerveau fatigué qui relâche mes mécanismes de censure – que je puise ce que j'appelle humblement ma fureur créatrice, qui me permet d'insuffler un brin de fantaisie et de couleur à mes chroniques. Allez, au dodo !

* *

*

Journée de pluie et de grisaille. C'est une matinée terne, comme l'a été le reste du mois, d'ailleurs. Vendredi, fin d'après-midi. Je me précipite à toute vitesse dans le bureau d'Audrey. Enfin, autant que ma nouvelle canne et ma cheville me le permettent. Je viens de lui envoyer, par courrier interne, les textes qu'elle m'avait demandés. Vampirella lève à peine la tête lorsque j'entre. Elle n'a pas un seul geste de gratitude, pas de « merci », aucune forme de reconnaissance.

Pourtant, je viens de passer une semaine entière à lui rendre service en corrigeant un paquet entier de reportages qu'elle aurait dû réviser elle-même et qui urgeait ! J'ai cessé entièrement la rédaction de mon dernier reportage pour venir à son secours, car Madame était trop débordée ! Je n'arrive pas à croire qu'après avoir répondu à son appel à l'aide, après avoir mis sur la glace un article entier, après m'être démenée en quatrième vitesse avec tous les papiers du numéro à venir, après lui avoir rendu cet incroyable service, elle ne me remercie même pas et me traite encore comme une moins que rien. J'essaie d'attirer son attention et un peu de gratitude.

– Audrey, je t'ai envoyé les reportages corrigés.

– Hum ? Oui, bon, ça va, tu peux t'en aller.

Ingrate ! Égoïste ! Elle se fout bien des efforts que j'ai faits et de la peine que je me suis donnée. Elle considère que, de toute façon,

75

je suis là pour la servir, alors pourquoi me remercierait-elle ?
Je retourne à mon bureau, honteuse, jurant qu'on ne m'y repren-
dra plus.

* *

*

Le 31 octobre, peu avant dix-neuf heures, la sonnette retentit.
Voilà le clan Beaulieu-Tremblay – ou la tornade, c'est selon – qui
arrive. Mathieu et Chloé, trois ans et cinq ans, arrivent tous les deux
en courant et me sautent dans les bras. En m'enlaçant, Mathieu
m'écrase un pied et Chloé me donne un coup de tête dans le
ventre. Voilà qui commence bien. Je me demande si je ne serai
pas couverte d'ecchymoses à la fin de la soirée.

– Qu'est-ce qui t'est arrivé ? demande Chloé en voyant ma
canne.

– Je suis tombée et je me suis fait mal au pied.

– Attention, sirènes de la mer ! tonne soudain une voix.
Néréides des océans ! Sonnez les conques ! Voilà Neptune, votre
maître, qui arrive !

Je remarque Jacob, dans un accoutrement bizarre, grimpant
les escaliers tant bien que mal. Avec une longue perruque grise, une
barbe postiche, une couronne de plastique, une longue tunique
bleue et un faux trident, il a l'air mûr pour l'asile psychiatrique.
Noémie, quant à elle, porte une jupe bleue en forme de queue
de poisson, ainsi qu'un chandail couleur chair, orné d'un haut
de bikini fait de faux coquillages et d'une potiche verte. Une perruque turquoise recouvre ses cheveux châtains – nuance *Avoine
rôtie* n° 4,5. Pas besoin d'être membre de Mensa pour comprendre
le thème de leur déguisement.

76

J'adore l'Halloween. C'est le moment rêvé pour se déguiser, pour prendre une nouvelle personnalité et lâcher son fou. C'est aussi un excellent prétexte pour se procurer des sacs entiers de chocolats et de bonbons, sans se sentir coupable ou avoir l'air d'une épouvantable cochonne.

– Joli, ces vêtements. Entrez. Vous avez quelques minutes pour jaser ?

– Oui, nous avons de l'avance, répond Noémie.

Contrairement à moi qui suis en retard dans presque tout, Grande Sœur est parfaitement ponctuelle et bien souvent en avance. J'embrasse Noémie et Jacob, alors que les enfants s'installent sur mon sofa.

Jacob est un drôle de type, sympathique, grand et maigre, qui ressemble à Giligan dans *Les joyeux naufragés*. Il a un sens de l'humour imparable et parvient à charmer tout le monde dès qu'il entre dans une pièce.

– Amélie, crois-tu que l'on pourrait installer les enfants devant un film ? Nous leur avons emmené des DVD.

– Heu... malheureusement, je n'ai pas de lecteur DVD. Je n'ai qu'un vieux lecteur vidéo.

– Quoi ? s'écrie Noémie. Mais tu devrais en avoir un. Presque plus personne n'utilise de cassette vidéo maintenant. Bientôt, tu passeras pour un dinosaure avec cette antiquité.

Je me retiens de soupirer. Avec Grande Sœur, les nombreux « tu devrais » prennent l'allure de commandements militaires à ne pas éviter sous peine de châtiment corporel. Grrr... j'exècre les gens qui s'imaginent que tous devraient être comme eux. Je dois déployer des efforts surhumains pour me contenir et ne pas exploser devant son attitude infantilisante.

– Que veux-tu que je fasse d'un lecteur DVD ? Je ne loue déjà rien avec mon lecteur vidéo, et je ne le ferai pas plus avec une machine qui lit les DVD. Et je déteste emprunter des films. S'ils sont bons, je vais les voir au cinéma, ou je les regarde quand ils sont diffusés à la télévision.

– Ne t'en fais pas, déclare Jacob. Nous avons aussi des cassettes vidéo. Les enfants vont visionner cela, et une fois le film terminé, ils iront se coucher.

Pendant qu'il fouille dans la valise des enfants, aussi remplie qu'un sac de l'armée, Noémie me fait part des règles à connaître pour Mathieu et Chloé. Ils doivent être couchés au plus tard à vingt et une heures. Ils ont déjà pris leur bain, les pyjamas sont dans le sac, pas le droit de grignoter avant le dodo, il faut qu'ils se brossent les dents, etc.

Après le long monologue pendant lequel je reçois le mode d'emploi des petits, Jacob doit d'abord se battre avec Mathieu et Chloé qui se plaignent de ne pouvoir écouter leur film préféré, puis avec ma télévision qui refuse de lui donner les bonnes images. À court d'options, il demande mon aide. J'en profite pour lui lancer une pointe amicale.

– On a beau être experts avec les enfants, on est encore mystifés par les vieux mystères de la technologie, hein ?

Le dieu de la mer, toujours aussi bonasse, éclate de rire. Ce n'est pas le cas de sa sirène qui me fusille du regard. Franchement, le sens de l'humour de Grande Sœur laisse à désirer. Ce qu'elle peut être coincée, tout de même !

– Tu n'as pas mis de citrouille dans ta fenêtre ? remarque Noémie. Ça manque un peu d'ambiance...

Ça y est, encore une critique... Je serre les dents pour me retenir d'exploser.

– Non, je n'ai pas de citrouille. Je suis contre cette exploitation éhontée des gens, qui dépensent des millions de dollars simplement pour orner temporairement leur domicile pour une fête commerciale et qui engraissent des entreprises déjà richissimes. Et je suis aussi contre l'utilisation de ces courges qui, la plupart du temps, sont jetées sans être utilisées à leur juste valeur, alors qu'elles devraient nourrir les gens plutôt que de décorer leur maison.

En fait, c'est surtout parce que je suis nulle pour décorer une citrouille et parce que, malgré la promesse que je me fais chaque fois de tout récupérer pour me faire des plats à la citrouille, je finis toujours par la laisser pourrir et tout jeter. Mais si je peux en boucher un coin à Grande Sœur, tant mieux. D'ailleurs, c'est réussi, car elle est sans voix.

Juste à ce moment-là, la sonnette retentit de nouveau. Sans doute est-ce Olivier. Je laisse le couple de créatures marines et ouvre la porte à mon amoureux. En deux mois de relation, Olivier s'est installé chez moi de façon incroyablement rapide. Il vient pratiquement tous les soirs et fait comme s'il était chez lui. Aussitôt entré dans le salon, il va se cacher dans ma chambre après avoir marmonné un faible « bonsoir » à ma sœur et à son mari. Sans doute va-t-il s'amuser sur le X-Box qu'il a apporté et a branché sur la petite télévision qui se trouve dans ma chambre, en attendant que mes invités s'en aillent.

Je commence à me demander si la timidité d'Olivier n'est pas une forme de misanthropie camouflée. Il n'aime pas mes amis, n'a jamais voulu rencontrer ma famille et déteste s'entretenir avec des inconnus, quels qu'ils soient. Je veux bien être compréhensive et admettre qu'il est gêné, mais j'aimerais qu'il fasse un effort, du moins quand d'autres personnes sont là, pour être aimable. Olivier a autant de bonnes manières qu'un grizzli.

79

– Bon, bien... je crois que nous allons y aller, dit Jacob.

Après m'avoir embrassée, les deux poissons partent.

*   *
*

Pendant les deux heures qu'a duré le film des enfants, Olivier n'est sorti de la chambre qu'une seule fois, pour aller se chercher un verre de boisson gazeuse. Par chance, Mathieu et Chloé n'en font pas de cas. Mais je suis certaine que Grande Sœur ne manquera pas l'occasion de souligner le manque de civilité d'Olivier à qui veut l'entendre.

Alors que j'ouvre le sofa-lit pour y installer les enfants pour la nuit, Chloé se plaint d'avoir faim. Pendant que je tente de négocier avec elle pour lui faire comprendre que les règles sur le grignotage sont claires, Mathieu part furtivement aux toilettes. Soudain, je l'entends hurler et pleurer. Olivier, quant à lui, reste toujours enfermé dans ma chambre sans donner signe de vie. Je me rends à toute vitesse dans la salle de bains avec ma canne, suivie de Chloé. Mathieu est trempé et baigne dans une mare jaunâtre.

– Mathieu, qu'est-ce qui s'est passé ?

– J'ai voulu aller aux toilettes, mais je n'arrivais pas à monter sur la cuvette, elle est trop haute, pleurniche-t-il.

Mon Dieu, quelle horreur ! Ma soirée de gardiennage se transforme en véritable catastrophe ! À quand la prochaine tuile ?

– Mathieu a fait pipi dans ses culottes ! s'écrie Chloé.

– Chloé ! Ce n'est pas drôle, tu ne devrais pas te moquer de ton frère.

80

– Ce n'est même pas la première fois, il fait ça souvent.

Évidemment, Noémie et Jacob ont oublié de me mentionner ce petit détail...

Je déshabille Mathieu pour lui donner un bain. Il ne peut pas se coucher tout trempé et sale. J'ai beau le réconforter, lui dire que ce n'est pas grave, que ce sont des choses qui arrivent, qu'il n'y a pas de honte à ça, le pauvre ne cesse de pleurer. Tout à coup, j'entends Chloé qui en a profité pour se rendre à la cuisine et qui fouille dans les armoires. Et Olivier qui ne se pointe toujours pas pour m'aider. Je n'en peux plus, je ne peux pas m'occuper de deux enfants toute seule.

– Olivier ! Veux-tu m'aider, s'il te plaît !

Il consent finalement à sortir.

– Occupe-toi de Chloé, veux-tu ? Elle ne doit pas manger avant d'aller se coucher. Aide-la à se brosser les dents et couche-la, d'accord ?

– Pourquoi tu ne la laisses tout simplement pas manger comme elle le veut ?

Bien entendu, toute excuse est bonne pour se désister.

– Parce que si je le fais, je vais en entendre parler pendant longtemps par ma sœur. Maintenant, va t'occuper d'elle, je t'en prie !

Olivier soupire et va chercher Chloé. Il l'amène se laver les dents, puis va la porter dans le lit. Il retourne immédiatement se cacher. Je parviens enfin à nettoyer et à calmer le petit Mathieu. Je l'envoie rejoindre sa sœur qui me boude, puis je leur souhaite une bonne nuit, leur donne toutous et douillettes, puis éteins les lumières et pars dans ma chambre. Comme je m'y attendais, Olivier est toujours rivé à sa console Xbox, en train de s'amuser à des jeux de guerre.

Je suis vraiment déçue. La passion dévorante et les douces attentions n'ont pas duré très longtemps. Après mon accident, Olivier s'est montré plus attentif, mais pas pour une longue période. Il a même fait preuve d'un peu de jalousie quand il a appris qu'un autre homme m'avait amenée à l'hôpital. Ce qui m'a rassurée un peu sur ses sentiments. Au bout de quelques jours, la routine refaisait déjà surface. Je m'ennuie presque de Laurent et de sa gentillesse. Zut ! À peine ai-je eu cette pensée que je me sens déjà mal.

J'ai envie de dire à Olivier qu'il aurait pu sortir de sa misanthropie et me donner un coup de main, mais je sens que ça va commencer une chicane. Ces dernières semaines, le côté gentilhomme d'Olivier a disparu avec une rapidité surprenante pour faire place au côté *couch potato* de la maison. Je ravale mon exaspération et vais m'étendre sur le lit pour lire.

— Dis, tu pourrais m'apporter une bière ? me demande Olivier au moment précis où je m'installe.

Cette fois, c'en est trop ! Il m'énerve à me traiter comme une servante !

— Olivier, tu étais dans la cuisine il n'y a même pas dix minutes ! Tu pouvais t'en prendre une toi-même ! J'étais déjà débordée tout à l'heure, avec les deux enfants, et tu ne voulais même pas m'assister. En plus, j'ai encore mal à la cheville.

— C'est toi qui as accepté de garder les enfants de ta sœur, pas moi. Je n'avais pas pris ces engagements-là et je n'avais aucune obligation. Je t'ai aidée malgré tout, alors tu pourrais être gentille avec moi.

Il touche une corde sensible. C'est vrai que, techniquement, il n'avait rien promis à ma sœur. Bravo, voilà que je me sens coupable, maintenant !

– Bon, je vais te chercher ta maudite bière. Mais je ne te servirai pas tout le temps comme cela, je te préviens.

J'ai l'impression d'être une mère parlant à son enfant, qui l'avertit tout le temps, sans jamais sévir. Je vais chercher la canette dans le réfrigérateur pour l'apporter à Olivier. J'aurais presque envie de la secouer pour que la broue lui explose en pleine figure. Il se doutera que je l'ai fait exprès et va sans doute se plaindre.

Après lui avoir quasiment lancé la canette par la tête, je me réinstalle sur le lit, non sans avoir eu droit à quelques cajoleries de la part d'Olivier, qui veut se faire pardonner en usant de flagornerie. Peu de temps après, il se couche, me tourne le dos et s'endort après un simple « Bonne nuit ».

Vers une heure, Noémie et Jacob viennent prendre les enfants. Après leur départ, je me recouche enfin. Olivier et moi n'avons pas échangé de la soirée et mes talents de gardienne sont catastrophiques. Il faut que j'améliore mes conditions de vie. Mon niveau de désespoir commence à remonter...

Chapitre 6

Ambiance toxique

(Novembre)

*La mode est la méthode la plus irrésistible et la plus efficace
de manipuler de grandes collectivités humaines.*

Konrad Lorenz

Ce matin, je reçois une énorme boîte de produits, de brochures d'information et de dossiers de presse de la société Carbu-Drink au bureau. Je crois que je n'ai jamais reçu autant de trucs d'une même entreprise. C'est l'entreprise qui avait fait l'une des boissons désaltérantes ; la plus performante, en fait. On dirait qu'on essaie de m'impressionner avec un gigantesque dossier rempli de graphiques et de statistiques encourageantes.

J'ai également reçu d'autres breuvages, d'une toute nouvelle marque. Décidément, ils mettent le paquet pour séduire les gens. Ils espèrent certainement que je leur ferai une aussi bonne publicité que la fois précédente. Je vais explorer cela et rappeler mes petits copains de Carbu-Drink avec qui j'avais eu de si bons contacts il y a quelques mois. Je vais faire un effort et produire un article aussi poussé que possible. Si je n'ai pas réussi la première fois, peut-être que là, je vais faire quelque chose de plus sérieux. Ils ont intérêt à attacher leur tuque, car je vais littéralement les harceler de questions.

*   *

*

– Ah non ! Tu ne vas pas encore au Sex-Symbol ! Pourquoi tu ne restes pas avec moi, plutôt ? Et, en plus, on ne s'est pas vus pendant deux jours !

Premier vendredi du mois. C'est la sortie prévue au bar, avec ma bande de copains. Olivier proteste avec véhémence. Il préférerait que je reste à la maison. Voilà près de dix minutes que j'essaie de raccrocher le téléphone pour quitter le bureau, mais il ne m'en laisse pas l'occasion.

D'autant plus qu'il ne me reste que quelques minutes pour remettre mon article du mois. J'étais si peu motivée à faire mon reportage sur les dentifrices, le mois dernier, que j'ai laissé traîner le projet. Paniquée lorsque je me suis rendu compte que l'échéance arrivait à grands pas, j'ai dû me précipiter et demander un délai supplémentaire – que j'ai obtenu grâce au soutien de Camille. Si je ne le donne pas aujourd'hui, je vais en entendre parler... Il faut vraiment que je me discipline à ne plus être toujours en retard. Prendre en note : me foutre un coup de pied au cul lorsque je traîne en longueur !

– Olivier, je t'en ai déjà parlé. Je ne manque jamais une réunion du vendredi soir. Pour moi, c'est sacré. Et c'est juste une fois par mois, tout de même.

– Oui, mais tu devrais préférer passer la soirée avec moi, non ?

– Olivier, je t'aime, mais je tiens à voir mes amis. C'est important pour moi. Et pour eux aussi. La preuve : Gabrielle est fiancée, et ça ne l'empêche pas de venir.

– Oui, mais moi, je voudrais que tu t'occupes de moi.

Bon sang, n'a-t-il aucun amour-propre ? Aucune indépendance ? On croirait entendre un enfant de trois ans qui ne veut entendre aucun argument. C'est fou ce qu'il peut se révéler égoïste et puéril parfois. En tout cas, on peut dire que mon besoin de le materner est servi, et fort bien en plus ! Je fais une indigestion de maternage.

– Écoute, Olivier. Je sais bien que ça peut paraître un peu dur à comprendre, mais la sortie du vendredi soir est sacrée et je n'y toucherai pas. Si je voulais que tu modifies quelque chose à quoi tu tiens vraiment, tu refuserais. Alors, j'aimerais que tu sois compréhensif. Après tout, c'est rare que je te le demande.

Silence au bout de la ligne...

– Olivier ?

– Je suis là. C'est bon, va les voir, tes amis, puisque c'est ce que tu préfères, marmonne Olivier, une expression boudeuse dans la voix.

Ça y est ! Voilà qu'il me fait sentir fautive, encore une fois ! Quelle ambiance de merde vais-je avoir ce soir ? Olivier me fait penser à Alexandre, qui veut venir à tout prix à nos soirées. Quand je pense que certains se plaignent que les femmes sont trop possessives, on voit bien qu'ils ne connaissent rien à la vraie vie.

– De toute façon, tu n'aimes pas mes copains. Tu trouves Antoine trop envahissant comme ami et tu penses qu'il veut coucher avec moi.

– Ce qui est sûrement vrai. Un type n'est jamais purement ami avec une fille. Il va toujours vouloir s'envoyer en l'air avec elle.

– Quant à Laurie, tu la trouves trop féministe et pleine de principes. Et Gabrielle est trop froide à ton goût.

– Tes copains semblent débarqués d'une autre planète, ils n'ont aucun lien avec la réalité.

– Au moins, je ne t'oblige pas à les voir, alors tu peux rester tranquillement dans ton coin et jouer à l'ordinateur ou regarder la télévision toute la soirée. Bonne nuit. Je te téléphonerai demain.

– Ouais, salut.

Je me lance à toute vitesse vers le service de la production. Il est seize heures cinquante minutes. La responsable est déjà en train de ranger ses affaires.

– Eh bien, on peut dire que tu arrives à temps ! s'exclame-t-elle avec un sourire cynique. Je ne donnais pas cher de ta peau si tu ne rendais pas ton matériel aujourd'hui. On t'aurait donnée en pâtée aux chiens.

J'aurais envie de lui répondre que la sale chouette qu'elle est ne me verra pas devenir une victime pour satisfaire sa frustration de vieille incompétente attendant que les autres échouent pour rire dans leur dos et que, par ailleurs, étant payée pendant encore dix minutes, elle devrait au moins faire en sorte de valoir le salaire qu'elle reçoit. Mais puisqu'elle a accepté de me donner un délai supplémentaire et que ce serait méchant, je me tais et lui donne mon papier.

*   *

*

Je sors sous un ciel nuageux pour partir en direction du bar. C'est vraiment surprenant comme Olivier peut se montrer généreux et compréhensif à certains moments, et égocentrique et immature à d'autres. Par exemple, il n'a pas hésité à venir m'aider à installer des pièges chez moi contre les fourmis. Il n'a eu aucun problème à m'assister pour acheter et transporter en autobus un meuble démonté. Olivier est véritablement un être bizarre : il va d'un extrême à l'autre.

Il n'hésite pas à jouer avec mes émotions et à déclencher chez moi des sentiments de culpabilité sans arrêt. Je me sens mal à propos de tout, y compris de ne pas être avec lui ce soir. Le pire, c'est que je parie que ça va me poursuivre toute la soirée. Aussi bien me soûler la gueule pour ne pas broyer du noir. Quelques verres de vodka me feraient sans doute le plus grand bien. Olivier réussit même à gâcher mes sorties au Sex-Symbol. Il faut le faire, tout de même...

Je dois avouer une chose : j'aimerais qu'Olivier accepte de rencontrer mes amis et ma famille plus souvent ; toutefois quelque chose au fond de moi m'en empêche. J'ai carrément honte de l'attitude d'Olivier, parfois. Lorsque je l'ai présenté à Laurie, Gabrielle et Antoine, il n'a presque pas parlé et a paru s'emmerder toute la soirée.

Bien qu'il puisse parfois être une véritable soie avec moi – mais de moins en moins souvent, il faut le dire –, il peut s'avérer froid et asocial avec les autres. Par contre, dans la vie privée, il est particulièrement chaleureux et affectueux. Et il a souvent tendance à me surprendre agréablement, tout spécialement au lit.

Pourtant, je ressens presque de la honte à l'idée de le présenter à mes relations. Est-ce moi qui lui en demande trop ? Après tout, c'est mon conjoint, pas celui de mes amis, ni de ma famille. D'un autre côté, nous souhaiterions tous que nos copains apprécient nos amoureux autant que nous. On dirait que lorsque mon entourage ne raffole pas de mes conjoints, je m'en sens diminuée. Suis-je trop dépendante de l'opinion des autres ? Nos amours sont-ils influencés à ce point par le regard de notre entourage ? Après tout, l'amour véritable n'est-il pas au-dessus de ces considérations ?

J'ai parfois le sentiment que nous avons hérité notre perception de l'amour des romantiques du XIXe siècle qui prônaient le Grand Amour, celui se poursuivant au-delà de la mort. Si la muse du poète Lamartine n'était pas morte jeune, il aurait probablement vécu avec elle. Il l'aurait mieux connue, avec ses défauts, ses mauvaises habitudes, ses lubies, son sale caractère... Peut-être aurait-il compris qu'elle n'était qu'une conasse dégénérée et qu'elle ne valait pas la peine qu'il lui consacre son œuvre.

Peut-être qu'avec *Roméo et Juliette*, Shakespeare nous prévenait des tourments de l'acceptation de notre amoureux par notre entourage, d'une certaine façon. « Attention, si vous voulez vraiment vous aimer à tout jamais, sans être corrompus par vos proches, mettez fin à vos jours tout de suite ! » Beuh... Déprimant... Je vais m'acheter un demi-litre de crème glacée pour me consoler. Et un peu de vodka aussi...

De dépit, je flanque un coup de pied dans un tas de feuilles orange et brunes. Aïe ! Il n'y a pas à dire, j'ai pris du poids, je commence à être serrée dans mes pantalons. Chaque fois que j'ai une relation avec un gars, je prends du poids. Va falloir que je fasse attention...

D'un autre côté, on dit aussi que le véritable bonheur, ce sont les petits plaisirs de la vie. Alors, comment être heureux si on doit se couper entièrement de ses amis et de sa famille pour vivre pleinement sa relation amoureuse ? Comment être épanouis si on ne peut pas partager nos joies et nos peines avec nos proches ?

Devrais-je en glisser un mot à ma bande d'inséparables ? Comme pour me répondre, un éclair déchire le ciel et une averse se met à tomber...

*   *
*

Je me suis remise à marcher normalement. Après avoir hésité, j'envoie un petit courriel à Laurent, pour lui faire savoir que tout va bien. J'avoue que je me sens un peu coupable de lui écrire. Comme si mes émotions à son égard n'étaient pas tout à fait chastes. C'est un peu comme si je trompais Olivier en pensée.

Est-ce que je me fais des illusions ? Peut-être est-ce simplement parce qu'il a été gentil avec moi que j'ai l'impression d'avoir le béguin pour lui.

Deux jours plus tard, Laurent m'envoie un court message, courtois, mais laconique, pour me remercier de l'avoir rassuré sur mon état de santé. Rien de plus. Son attitude chaleureuse semble s'être estompée. Je ne sais pas trop pourquoi, mais je suis un peu déçue.

*   *

*

Journée pluvieuse en ce mardi, début de journée. Le débat du mois me semble totalement insignifiant. Quand les réponses des lectrices ne sont pas assez nombreuses, les employés participent. Ce mois-ci : pour ou contre le lait de soya au chocolat ? Léa arrive au bureau alors que je suis en train de dévorer une boîte entière de chocolats fourrés au caramel, aux noix et aux pacanes.

— Tu ne devrais pas manger ça en matinée, ma chouette, me dit-elle. C'est mauvais pour ta santé.

— Tu rigoles ? C'est la seule chose qui me garde en vie en ce moment.

Léa en profite pour changer de sujet.

— Ma chère James Bond, je crois qu'Audrey a un nouveau sujet de reportage pour toi.

Je me tourne vers elle, peu surprise, mais choquée, une fois de plus. Léa Boucher, chroniqueuse spécialisée en musique, est sans doute l'une de celles avec qui je m'entends le mieux chez *Féminine.com*. À l'exception de Camille Fortin, la réceptionniste.

91

Léa est une superbe rouquine de trente ans qui semble sortie tout droit de l'émission *Alerte à Malibu*. Elle a un corps superbe, elle est à la fois mince et musclée et chacun de ses mouvements dégage grâce, force et souplesse. Ses cheveux – nuance *Cordial à la cerise* n° 4,1 – brillent comme un océan de feu. Depuis que j'ai fait ma chronique sur les teintures à cheveux, je parviens à identifier presque toutes les couleurs selon le canevas des compagnies de cosmétique. Ce qui est quelque peu effrayant...

Bien qu'elle ait l'air d'une vamp en chaleur, Léa est mariée et fort heureuse en ménage. Par contre, ça ne l'empêche pas de porter des tenues provocantes, juste pour se prouver qu'elle peut encore être *sexy*. Elle est aussi la nièce par alliance d'Audrey, qui l'a fait entrer dans notre magazine. Puisque Léa avait fait des études en musique au secondaire et n'avait pas d'emploi, elle a été acceptée comme chroniqueuse, grâce à quelques pressions de la part de sa tante. De ce fait, Audrey estime qu'elle lui doit dévotion et reconnaissance éternelles. Léa a donc subi sa tyrannie à plus d'une occasion et s'est finalement révélée, avec le temps, une alliée fort utile pour moi.

À la merveilleuse nouvelle que Léa vient de m'annoncer, je ne peux m'empêcher de serrer les dents et de me venger à coups de poing sur mon propre bureau. Si ça continue, je vais devoir consulter un psy pour suivre une thérapie du comportement et faire du *anger management*. Ou m'acheter une boule antistress ? J'accumule trop de frustrations et ça va devenir mauvais. Je vais aller me chercher une barre de chocolat pour me défouler.

Je tourne le regard vers l'extérieur, où le temps est plus morne que jamais. Il pleut sous un ciel gris et des feuilles mortes virevoltent dans la rue, au gré du vent. Des rideaux de pluie ondulent devant la fenêtre, comme de grands morceaux de tulle sombre s'abattant sur la ville. Novembre est toujours un mois déprimant. L'été est définitivement terminé, il n'y a pas de congé férié, et c'est trop tôt pour entrer dans l'ambiance du temps des fêtes. C'est une forme d'entre-deux, quoi.

— Et à quoi a-t-elle pensé, cette chère Audrey ?

— Je peux me tromper, mais je l'ai entendue parler de thermomètres à Justin, et dire que les gens n'en connaissaient pas assez en la matière et que c'était l'un des thèmes de la dernière conférence à laquelle elle a participé, bla-bla-bla...

— Donc, il y a bien des chances qu'elle me demande d'en parler dans le prochain numéro. Et puisqu'elle en a déjà glissé un mot à Justin, ça peut lui servir à la fois de soutien moral et d'excuse pour m'empêcher de protester.

— On peut dire que ça ressemble à cela, conclut Léa.

— Comment se fait-il qu'elle ne tente jamais de t'imposer de thème, à toi ?

— Parce qu'elle ne connaît rien à la musique. Alors, c'est plus difficile de me dicter ses trucs. Et parce que je ne suis pas aussi dangereuse que toi, je n'ai ni ton talent littéraire ni une telle admiration de la part de Justin. Tu ne le vois pas, mais tu es une menace pour Audrey, Amélie. Elle a tout intérêt à ce que tes chroniques soient médiocres.

À ce moment précis, un nuage de Chanel n° 5 m'annonce l'arrivée d'Audrey-la-vampire, qui entre tout sourire dans le cubicule que Léa et moi partageons. Je m'attends à entendre des nouvelles déplaisantes. Léa prétexte d'aller se chercher un café pour quitter les lieux en vitesse. Elle doit sentir une tension dans l'air.

— Amélie, je vais te rendre service, car tu n'as pas besoin de trouver de sujet pour ton article, m'annonce fièrement Audrey. J'ai déjà pensé que tu pourrais faire ça sur les thermomètres. D'autant plus qu'en ce moment, étant donné que l'automne est une saison instable et changeante, les ventes de thermomètres seraient à la hausse. J'en ai déjà parlé à Justin, et il trouve que c'est une bonne idée.

Audrey parle très vite, en enfilant les phrases comme les grains d'un chapelet, sans reprendre son souffle et, surtout, sans me laisser la chance de m'insurger. Elle a bien fait attention de sortir tous ses arguments rapidement, comme pour me couper le sifflet et m'empêcher de l'interrompre.

Je dois, encore une fois, déployer des efforts monumentaux pour ne pas lui dire ma façon de penser, car je sais fort bien qu'elle a encore un certain pouvoir dans cette entreprise. Par ailleurs, il y a aussi des abus devant lesquels je refuse de plier. Surtout que je suis la seule à qui elle impose aussi souvent ses idées de reportages et que j'ai fait son truc absurde sur les dentifrices dans le dernier numéro. Rappelle-toi la promesse que tu t'étais faite, Amélie. Si je m'élève contre les excès, aussi bien le faire de manière profession- nelle. Je sors mon plus beau sourire pour me convaincre moi- même que je peux lui parler gentiment. Je tente d'employer un ton aimable, pour dissimuler la fureur qui m'habite et me donne envie de pousser Audrey par la fenêtre.

— Désolée, Audrey, j'ai déjà commencé à travailler sur un autre projet. Je n'aurai pas le temps de faire celui que tu me pro- poses. Si ça vaut la peine, j'en parlerai peut-être dans un autre numéro...

Audrey est bouche bée. Elle n'arrive pas à croire que je refuse encore ses bonnes idées et ce qu'elle considère faire partie de son rôle de mentor. J'ose refuser l'assistance qu'elle m'apporte avec tant de générosité ! Comme si je n'étais pas assez vieille et expéri- mentée – surtout après cinq ans passés dans cette fichue revue ! – pour faire mes reportages moi-même...

— Mais, il paraîtrait que c'est recherché, ces temps-ci...

Audrey sent déjà qu'elle a perdu cette bataille. Il ne faut pas que je me laisse abattre et je dois lui tenir tête.

– Audrey, je sais que tu es une excellente rédactrice en chef. La chronique de produits pour la maison, c'est ma spécialité, et j'ai d'excellentes sources qui m'informent des sujets populaires en ce moment. Ne t'en fais pas, fais-moi confiance...

– Bon..., fait-elle en soupirant. Oh, en passant, tu pourrais m'apporter des enveloppes ? Je n'en ai plus.

Je jette un coup d'œil dans sa direction. La pile d'enveloppes se trouve à la réception, juste à côté de son bureau. C'est sur son chemin et elle n'aurait qu'à étirer le bras en passant pour en prendre. Clairement, elle fait cela pour se venger et me rappeler que je ne suis qu'une petite employée de rien du tout. Sur ce, elle part à la cafétéria, blessée dans son orgueil de grande profes- sionnelle incomprise de la méchante et ingrate relève. Je me lève pour prendre ces fichues enveloppes à la con et les déposer sur son pupitre.

* *
*

Ouf ! Après deux semaines d'appels et d'envois de courriels intensifs auprès de Carbu-Drink, je commence à me faire une bonne idée de leur produit. Il semble presque aussi intéressant que le premier. Les employés, cependant, ne semblaient plus aussi heu- reux de me parler. Peut-être ai-je exagéré avec mes nombreuses questions sur la composition et les effets de leur nouvelle boisson.

En tout cas, je suis fort bien renseignée pour faire un article tout ce qu'il y a de plus sérieux sur leur marchandise. Tous ces efforts vont sûrement valoir la peine.

* *
*

95

En arrivant chez moi, le soir même, j'ai découvert quelqu'un qui se tenait juste sous mon perron et qui examinait les barreaux de la clôture. J'étais encore loin et je ne voyais qu'une sombre silhouette. Impossible de reconnaître la personne.

Hélas, je n'ai pas réfléchi et j'ai eu une réaction parfaitement stupide. J'aurais dû me cacher entre les voitures stationnées dans la rue et m'approcher discrètement pour tenter de voir l'individu de plus près. À la place, j'ai lâché un cri de mort et lui ai demandé de s'identifier. Évidemment, il a pris ses jambes à son cou immédiatement. Qui était-ce ? Impossible à dire.

Je devrais peut-être en parler à la police. Que voulait ce type ? Désirait-il entrer chez moi par effraction et me cambrioler ? C'est rassurant !

*   *

*

– Dis donc, tu joues avec le feu, à traiter ainsi Audrey, me prévient Laurie.

– C'est toi qui me dis ça ? Toi qui me confiais que tu lui aurais fait savoir ta façon de penser depuis longtemps ?

– Je disais ça de façon hypothétique, bien sûr...

– Ben, voyons, évidemment... Tu te contredis, ma chère Laurie.

– *In medio stat virtus...*, rétorque-t-elle, impassible.

– Quoi ?

– Ça veut dire : la vertu est aussi éloignée d'un extrême que de l'autre.

96

– Je ne vois pas en quoi ça s'applique à mon cas.

– C'est pourtant clair : le premier extrême, c'est de te faire manger la laine sur le dos par ta patronne. L'autre extrême, c'est de t'en prendre directement à son autorité. Aucune des deux options n'est souhaitable. La vertu, c'est de savoir quand et comment il faut réagir.

– C'est tiré par les cheveux, ton affaire.

– Bon, alors, on pourrait dire *Veritas odium parit*, si tu préfères. Ça signifie que la vérité engendre la haine. Elle indispose parfois ceux à qui elle s'adresse.

– Toi et tes proverbes ! Une vraie casse-couilles...

Comment Laurie fait-elle pour se souvenir de tous ces adages ? On dirait qu'il y a un tiroir spécial dans son cerveau juste pour ça. Prendre en note : faire le plein de proverbes et de maximes de manière à pouvoir comprendre ce que Laurie raconte et, surtout, être en mesure de lui répondre quand elle me sort un de ces satanés aphorismes.

Laurie hausse les épaules, elle n'a pas envie de discuter davantage. Je suis en pleine séance de magasinage avec elle, et je dévore une petite boîte de chocolats assortis. Rien de tel pour se remonter le moral. J'ai décidé, encore une fois, de plier l'échine pour acheter la paix et de faire ce stupide article à la con sur les thermomètres. Mauvaise décision. Je me déteste tellement lorsque je jette l'éponge ainsi ! Je ne suis qu'une lâche ! À long terme, je sais bien que ça ne peut qu'empirer la situation, car Audrey va comprendre que même lorsque je proteste, je me soumets à ses exigences. Et ce, malgré le fait qu'elles soient nettement abusives. Il faut absolument que je cesse d'obéir aux désirs d'Audrey.

– De toute façon, dis-je à Laurie, j'ai encore abandonné. Alors, elle doit être satisfaite d'elle-même. Je lui ai encore permis d'asseoir son autorité.

Une musique kitsch relaxante résonne dans tout le magasin. Déjà, les décorations d'Halloween ont fait place à celles de Noël. Nous traversons les rangées d'outils, de pots, de planches, pour nous diriger vers notre but ultime. Laurie et moi entrons dans la section des thermomètres de la quincaillerie. Devant nous s'alignent des étagères pleines de thermomètres de toutes les sortes : au mercure, électroniques, etc. Nous les examinons pour avoir une idée de l'échantillonnage à faire. Il faut essayer autant de marques et de modèles que possible. J'aime bien aller dans les commerces avec Laurie. D'abord, elle me tient compagnie en meublant la conversation, ce qui me désennuie singulièrement. De plus, Laurie détecte les rabais plus vite que son ombre. Elle a un véritable œil de lynx pour ces trucs.

Je m'aperçois soudain que Laurie et moi marchons au rythme langoureux de la musique. Je me rappelle tout à coup avoir lu un article disant que les commerces faisaient jouer de la musique douce, ce qui détendait les clients et les faisait marcher plus lentement ; ce qui permet, bien sûr, de les faire rester plus longtemps dans les boutiques et de les faire dépenser davantage. Surprise et un peu dégoûtée par ce maudit stratagème, je décide d'accélérer le pas, afin d'éviter de relâcher ma vigilance. Je ne veux pas entrer dans cette saleté de machine commerciale et me faire avoir par cette mélodie en apparence douce, mais ô combien dangereuse ! Mon petit côté rebelle, sans doute.

Je n'arrive pas à croire que je me suis encore fait manipuler par Audrey. Dire que je vais me farcir un de ces thèmes ineptes et que je vais devoir me casser la tête en pirouettes de style pour rendre le tout intéressant. À force de faire de l'acrobatie littéraire, je vais finir par être assez douée et expérimentée pour parler de n'importe quel tas de merde comme si c'était la huitième merveille du monde.

– Bon sang, ces chaussures me tuent, dit soudain Laurie en se massant les pieds.

Je regarde ses godasses. Fait historique, Laurie, pour accompagner des pantalons rouges et une chemise ample genre « hippie des années 1970 », s'est procuré des souliers qui ne semblent pas sortis tout droit d'un dépotoir du Mexique ! L'ennui, c'est que ce sont des escarpins qui ont un talon aiguille de dix centimètres de hauteur et d'un demi-centimètre de largeur, et qui torture le pied de façon horrible.

– Sans vouloir t'offenser, c'est de ta faute. Tu as voulu porter ces souliers pointus à talons hauts. Tu aurais dû mettre des chaussures plates comme les miennes. Je les ai choisies exprès pour faire les emplettes. Tu as opté pour l'esthétique plutôt que pour le confort, alors ne te plains pas.

– Tu es sexiste, Amélie.

– Moi, sexiste !? J'admets que j'ai des défauts, mais pas celui-là.

– Tu fais une application indirecte des adages « Sois belle et tais-toi » et « Il faut souffrir pour être belle ». En faisant la combinaison des deux, on montre aux femmes à rechercher la beauté physique – pour le plaisir des hommes, la plupart du temps –, mais également à endurer la douleur qui peut être provoquée par l'atteinte de cet objectif. Mieux encore, on leur dit de se taire et de subir la souffrance sans jamais protester. Autrement dit : sois belle pour ton homme, même si c'est douloureux, et ferme-la ! Si ça fait mal, on ne veut pas le savoir !

– C'est peut-être vrai ce que tu racontes, Laurie, mais tu te trompes sur mon compte. Ce que je te dis, c'est que tu as fait un choix. Peu importe les raisons qui te poussent, tu dois assumer tes décisions. Tu savais que nous allions magasiner et tu as choisi le *look* plutôt que le confort pour quelque chose pourtant essentiel à ta santé. La finalité véritable des chaussures, c'est d'être confortables. C'est ça qui devrait être important pour tes pieds, pas la beauté. Certaines choses sont tout simplement incompatibles. C'est un peu... je ne sais pas moi... comme si tu choisissais un médicament qui a bon goût et qui est inefficace, plutôt que l'infect qui va vraiment te guérir.

— Et pourquoi ne pourrais-je pas avoir la beauté et le confort en même temps ? Pourquoi faudrait-il que ça n'aille pas ensemble ? Après tout, on dit bien : *De gustibus et coloribus, non disputandum.* Des goûts et des couleurs, il ne faut pas discuter.

— Parce que la mode est l'ennemie du confort. C'est triste, mais c'est comme ça. Il faudrait changer les designers actuels pour d'autres qui concilient les deux. Et surtout, il faudrait changer la mentalité des consommateurs.

Laurie sourcille sans dire un mot. Je crois qu'elle digère mon argument. Sur ce, nous poursuivons notre route dans l'allée et demandons l'aide d'un vendeur.

*   *
*

Je franchis la porte du hall pour me rendre au bureau. Comme toujours, depuis quelques semaines, j'essaie de garder un œil à la fois sur le plancher et devant moi, histoire de ne pas tomber ou de ne pas foncer dans un cadre de porte. C'est alors que j'entends une voix familière m'interpeller.

Je me retourne alors pour voir... Laurent Savard ! Il est assis à une des tables du petit café à l'entrée du bureau et lit le journal. Heureuse surprise ! Et quelle drôle de coïncidence ! Dire que je lui ai envoyé un courriel il y a quelques semaines.

– Comment vas-tu, jolie Amélie ?

Je sursaute ! Il m'a appelée « jolie Amélie » ? Ça me fait chaud à l'intérieur. Même Olivier ne m'a jamais dit ça. Oui, je sais, je m'émeus pour pas grand-chose.

– Heu... beaucoup mieux. Je marche à nouveau normalement. Les anti-inflammatoires de ton ami médecin m'ont bien aidée aussi.

– Bien, ça me soulage. J'avoue que je me sentais encore mal après ce qui s'était passé. Désolé si je n'ai pas pris de tes nouvelles, je suis un peu débordé au travail, ces temps-ci.

– Bah, je comprends ça. Tu n'as pas à t'excuser.

– As-tu besoin de revoir le médecin pour ta cheville ? On ne sait jamais, un examen supplémentaire, pour s'assurer que tout va bien, ne serait pas de trop.

– Non, non, c'est correct. Tout va bien, maintenant.

– J'espère que ton copain a bien pris soin de toi pendant ce temps-là...

J'ai un mouvement d'hésitation. Je ne peux pas dire qu'Olivier s'est montré extrêmement compréhensif et serviable à mon égard. Pendant quelques jours, il m'a accordé un peu plus d'attention, mais c'est tout. Laurent a remarqué mon incertitude. Il lui a suffi d'une seconde pour comprendre mes pensées. Plus j'y songe, plus il me rappelle Antoine. Il peut deviner mes émotions grâce à un simple battement de cils de ma part.

– Il ne t'a pas aidée ? demande Laurent. C'est épouvantable, tu étais blessée ! Il aurait dû s'occuper de toi ! Moi, si j'avais été à sa place, je t'aurais traitée mieux que ça.

Je me sens soudain mal à l'aise. Je suis injuste envers Olivier. Pourquoi est-ce que je me sens coupable alors qu'il me traite en servante ? Quel genre de pouvoir exerce-t-il sur moi pour qu'une simple conversation me rende mal ? Peut-être que je me sens gênée d'avouer que je suis incapable de trouver quelqu'un de mieux que ça. Encore une fois, Laurent réussit à lire dans ma tête.

— Bon, ce n'est pas si grave, dit-il. Il avait peut-être ses raisons. En tout cas, si tu as besoin de quoi que ce soit, n'hésite pas à me contacter. Ça me fera plaisir de t'aider. Prends soin de toi, Amélie.

— Toi aussi, Laurent. Au revoir.

Un peu honteuse et confuse, je monte finalement à mon bureau.

Chapitre 7

Toi que Noël planta chez nous
(Décembre)

Les femmes sont plus difficiles à manipuler que les hommes.
C'est dans leurs esprits.

Peter Sellers

Une mince couche de neige recouvre le sol. Les journées sont de plus en plus courtes et la lumière, de plus en plus rare. Mais les vacances approchent à grands pas. Enfin ! Je commence vraiment à avoir hâte. Plus que quelques jours de supplice au bureau. J'ai presque le cœur à aller travailler.

J'arrive au bureau, presque à l'heure. À peine quelques minutes de retard. Je suis fière de moi. Dès que j'entre, Camille se précipite vers moi.

– Amélie ! Enfin, te voilà ! Qu'est-ce que tu faisais ? Audrey est d'une humeur massacrante !

– Quoi ? Qu'est-ce qu'il y a ? J'ai fait quelque chose de mal ?

– Mais... et la réunion de ce matin à huit heures et demie ? Tu l'as oubliée ?

Mon cœur se met battre à toute vitesse. Je n'ai jamais entendu parler de ça ! Je proteste et me défends.

– Alors, ça, c'est bizarre..., murmure Camille. Pourtant, Audrey a envoyé un message à l'interne à tout le monde il y a deux jours.

Enfin, dépêche-toi, la réunion est déjà commencée et tu as intérêt à ne pas trop en manquer.

Suivie de Camille, j'entre dans la salle de réunion en me faisant aussi petite que possible. Comment se fait-il que je n'aie rien reçu ? Audrey aurait-elle fait exprès ?

— Ah ! Te voilà ! s'exclame Vampirella en m'apercevant. Il était temps ! Quand on a une réunion, j'aimerais bien que tout le monde se présente à l'heure.

— Désolée, mais je n'ai jamais reçu ce message. Si c'était le cas, je serais arrivée à temps.

— C'est impossible, tout le monde l'a eu.

— On peut vérifier dans le système si Amélie l'a bien reçu, intervient Camille. Il se peut qu'il y ait des problèmes de courriel à l'interne.

— Non, ça va aller, répond Audrey. Je vais passer l'éponge là-dessus pour cette fois.

Je m'assois, contrite. Je n'ai rien reçu, mais je me sens mal quand même. L'aurait-elle fait volontairement ? Je vais devoir resserrer ma surveillance...

*   *
*

Ce matin, je reçois une lettre par courrier recommandé de Carbu-Drink. On me demande de ne pas écrire d'article sur les produits qui m'ont été envoyés, et ce, malgré le fait que ce sont eux qui me les ont fait parvenir.

104

Carbu-Drink prétend qu'elle doit momentanément retirer sa nouvelle boisson du marché, en raison de problèmes juridiques avec Santé Canada. Voilà qui est plutôt étrange. Pourtant, au téléphone, mes interlocuteurs semblaient optimistes, même s'ils avaient l'air de trouver que je posais trop de questions.

Je suis franchement intriguée. Pourquoi ce recul soudain ? C'est étrange. Je crois que je vais investiguer pour en savoir plus.

*   *
*

Je suis allée fouiller sur le Web à propos de Santé Canada, afin de comprendre ce qui se passe. Hélas, c'est une véritable jungle ! Entre l'étiquetage des aliments, les multiples rapports, les recherches sur les médicaments, la douzaine de branches et de bureaux de Santé Canada ou les multiples lois administrées par cet organisme, je n'y comprends rien !

En fouillant dans les documents reçus de Carbu-Drink, je tombe sur les détails techniques et les analyses chimiques reçus pour mon article sur leur boisson pour les sportifs, le Vectorade. Je n'avais rien saisi à toutes ces données et ça ne m'avait jamais vraiment servi. En fin de compte, j'avais gardé tout ça pour rien.

Gabrielle m'avait déjà parlé d'un oncle pharmacologiste il y a des années de cela, alors que je venais de rentrer chez *Féminine.com* et me disait que je pourrais le contacter en cas de besoin. Peut-être pourra-t-il m'éclairer sur ces scientifiques ? Je décide de lui téléphoner et de lui faire parvenir les dossiers. On ne sait jamais, la réponse y est peut-être.

*   *
*

Je reçois une petite enveloppe au travail à mon nom. Qu'est-ce que ça peut bien être ? Je déchire le papier.

C'est une carte de vœux... de Laurent ! Je suis abasourdie. Alors, on dirait qu'il pense à moi après tout ! Il me souhaite joyeuses fêtes et bonne chance dans ma vie sentimentale et m'envoie un petit cadeau : un coupon de cent dollars... pour m'acheter des chaussures !

* *
*

La neige tombe à gros flocons. Assise sur le bord de la fenêtre du bureau, je regarde les taches blanches descendre du ciel, passer devant la vitre, puis s'écraser au sol dans la masse grise qui couvre déjà le trottoir. Je sirote lentement un verre de punch alcoolisé. Derrière moi, la plupart des employés dansent et s'agitent comme des poissons pris dans un filet, au son d'une musique de Noël enregistrée par un artiste pop et un orchestre de Malgaches homosexuels. On a retiré une partie des cloisons autour du coin cafétéria pour le *party* des fêtes. Des décorations de Noël brillent un peu partout et forment une harmonie de couleurs.

Je tire sur les bretelles de mon soutien-gorge – l'un de ceux que j'ai achetés et essayés pour mon reportage – et ajuste discrètement les bonnets rembourrés pour m'assurer que tout est en place, et surtout bien remonté. Il n'y a pas à dire, il me donne une belle poitrine, tout de même. Je soupire. Je ne supporte plus le bruit, la nervosité et l'effervescence de ce *party* de Noël de bureau.

Cette année, Noël m'est sérieusement pénible. Il y a une semaine, Olivier et moi nous nous sommes disputés. J'ai tenté de le convaincre de passer la veille de Noël dans ma famille, et le réveillon dans la sienne. Rien à faire. Il ne veut strictement rien savoir. Il prétend qu'il tient à ce que nous passions les vacances chacun de notre côté. Ça ressemble à un truc pour me laisser tomber, du genre : « Je crois que nous devrions prendre une période de congé, pour voir où nous sommes dans notre relation. Ne t'en fais pas, c'est juste pour réfléchir, bla-bla-bla. »

C'est ça, ou alors il ne me trouve pas assez bien et il a carrément honte de me présenter à ses proches. Est-ce encore moi qui m'en fais trop ? Suis-je paranoïaque ? Après tout, c'est juste une fête, mais c'est censé être celle où tout le monde est uni et heureux ou, du moins, fait semblant de l'être. Si je ne peux même pas convaincre Olivier d'être avec moi lors de cette célébration-là, c'est de mauvais augure.

Bon sang, pourquoi ne puis-je jamais avoir ce que je veux des hommes ?! Suis-je si moche et si stupide ? Certaines femmes n'ont qu'à claquer des doigts et une dizaine de mecs se précipitent à leurs pieds, prêts à exaucer leurs moindres désirs. Je n'arrive même pas à convaincre mon copain d'être avec moi à Noël, ou de sortir et d'aller voir un film, c'est du joli. Et à bien y songer, le seul compliment qu'il m'ait jamais fait est : « Ce que tu peux avoir de gros seins ! » Je crois que mon niveau de désespoir remonte à quatre et demi. Zut ! Ça va mal...

Je suis peut-être trop exigeante ou, pire encore, trop dépendante ? Je ne devrais pas calquer toute ma vie sur celle d'Olivier. J'avais une existence avant de le connaître, bien que morne et grise. Pourquoi devrais-je être à sa merci ? Je suis en train de lui envoyer un fort mauvais message, en fin de compte. Je lui montre à quel point je dépends de lui. Pas étonnant qu'il veuille me fuir ! Dès que je cours après un gars, il s'éloigne, et dès que je me détache de lui, il me suit comme un chien de poche... Un *pattern* bien connu chez les hommes...

Je devrais cesser de m'en faire pour quelque chose d'aussi futile. Ce n'est qu'une fête en famille. Et puis, je devrais cesser de lui montrer un tel attachement. Qu'est-ce que ça peut bien faire qu'Olivier ne veuille pas me voir pour Noël ? Je peux fort bien me passer de lui. Je me suffis à moi-même et je peux très bien être heureuse toute seule ! Bon, prendre en note pour améliorer mes conditions de vie : savoir me passer des hommes ! Ai-je tort ou raison ? Encore un sujet à soumettre à ma bande d'inséparables, au retour du congé des fêtes...

Tout à coup, Léa et Justin, complètement givrés tous les deux, viennent me voir en riant, un verre à la main. Léa porte une robe rouge moulante avec un décolleté plongeant qui dévoile sa généreuse poitrine et ses nombreux attributs physiques. Quant à Justin, il a carrément de la difficulté à marcher en ligne droite.

Certains disent que les *partys* de bureau sont un bon indicateur de l'ambiance générale d'une entreprise. Comme d'habitude, Audrey la bosseuse a tout organisé, et rien ne s'est fait sans son accord. Justin, toujours aussi mou, l'a laissée agir à sa guise, bien heureux de ne pas avoir de responsabilités, pour une fois. De plus, les grands patrons de *Féminine.com* – à l'avant-garde depuis dix ans ! – ont décidé d'être généreux cette année. Nous avons eu droit à un traiteur plutôt qu'au sempiternel buffet de piètre qualité où tous apportaient de la nourriture...

La plupart du temps, nous nous retrouvions avec des plats cuisinés par les employés, comme du pâté chinois, ou des trucs achetés, genre des sandwiches préparés au supermarché, de la poutine et en guise de dessert, du pouding chômeur.

Les collaborateurs du magazine ont fourni encore plus de cadeaux que les années précédentes. Clairement, la direction tente par tous les moyens de diffuser l'image d'une entreprise qui fonctionne bien...

– Amélie, qu'est-ce que tu fais toute seule ? s'inquiète Léa. Tu devrais venir avec nous.

— Léa a raison, Amélie. Ne reste pas dans ton coin. Allez, viens.

Sur ce, Justin me prend par les épaules et m'entraîne vers le buffet où tous les employés se sont réunis. Il sent l'alcool à plein nez et je dois détourner mon visage pour éviter d'avoir son haleine chaude sur mon visage, tant il est collé sur moi. Dès l'instant où j'arrive au buffet, mes deux compagnons me laissent tomber pour aller chercher un autre employé solitaire. Jessica Couture, la chroniqueuse de la section « Couple et Sexualité » s'approche, soûle, elle aussi. Jessica est une vieille sexologue approchant la soixantaine et elle devrait prendre sa retraite bientôt. Mais elle est une véritable référence pour tous les gens du milieu. Je remarque – événement inusité ! – que, contrairement à l'habitude, presque tout le monde est ivre ici, sauf moi.

— Comment vas-tu, chère James Bond ? me demande Jessica.

— Pas trop mal. Et toi, Jessica, ça va bien ? De quel sujet vas-tu nous parler, l'année prochaine ?

Jessica se met à rire, m'entoure les épaules de son bras et s'approche de mon oreille avec un sourire. Elle sent le vin à plein nez. Hum... j'espère que je n'ai pas l'air de ça lorsque je suis éméchée. Je vais devoir demander à ma bande de copains. Ouais ! Ils ont intérêt à me dire que je n'ai pas l'air d'une vraie folle parce que si je ressemble effectivement à une alcoolique débile, ils vont regretter de ne pas me l'avoir dit plus tôt et de m'avoir laissée agir en parfaite imbécile !

— Ma chère, me susurre Jessica à l'oreille, tout ceci reste entre nous. J'ai mis la main sur des études très sérieuses du Canada et des États-Unis qui démontrent que les hommes, en général, agissent de façon irrationnelle, particulièrement concernant des projets, lorsqu'ils se trouvent en présence de superbes femmes.

Je suis un tantinet sceptique.

– Tu es sérieuse ? Alors, malgré tout ce que les hommes disent, les femmes ne sont pas paranoïaques lorsqu'elles prétendent que les hommes sont à genoux devant les belles femmes ?

– Absolument. Les études prouvent que les hommes font des choix bien plus irrationnels et nuls à long terme face à de belles femmes qu'avec celles qui sont ordinaires. De plus, le comportement masculin varierait selon l'humeur sexuelle.

Et si c'était l'une des raisons pour lesquelles je n'arrive jamais à obtenir ce que je veux des hommes ? Il faut être physiquement attirante pour cela. Ce n'est vraiment pas juste... Les belles femmes ont toujours tout ! Merde ! Le pire, c'est que ma mère avait raison : pour amadouer la gent masculine, il vaut mieux se maquiller, s'habiller *sexy* et être gentille. Moi qui avais toujours considéré cela comme une théorie rétrograde et sexiste, j'avais peut-être tort...

Je ne suis pas sûre de vouloir me retrouver avec un gars qui prend des décisions selon ce que lui dicte son pénis. Ça risque de créer une relation malsaine et, surtout, incertaine. Qu'est-ce qui me dit qu'il ne changera pas d'idée dès que sa bite pointera en direction d'une autre fille ?

Ma réflexion est interrompue par l'un des dirigeants du magazine qui termine le tirage des cadeaux que nous avons reçus de certains de nos fournisseurs. Événement à marquer au calendrier, car c'est la première fois que nous, pauvres petits travailleurs, avons la permission de voir l'un des fantômes. Vraiment, tout est extraordinaire, cette année. Les trois derniers prix seront donnés aux chroniqueurs dont les reportages ont été les plus populaires, les plus lus et les mieux écrits cette année, selon nos lectrices. Sous le regard à la fois amusé et étonné des employés, Justin, la chemise à moitié ouverte et une couronne de sapin sur la tête, grimpe sur la table du buffet, en plein milieu de la bouffe, pour annoncer les grands gagnants. À sa place, je crois que je voudrais me cacher une fois dégrisée. Je sens qu'il y en a un qui va être gêné au retour des vacances...

Pour ce qui est du palmarès annuel, ce sont quasiment toujours les mêmes qui remportent le morceau. Les reportages sur la sexualité, la décoration et la gastronomie sont générale-ment les mieux cotés. Je me prépare à partir secrètement, car j'en ai assez de cette fête à la con. Ça doit bien faire quatre heures que je suis assise contre le mur, jusqu'à me confondre avec la tapis-serie. Je me glisse discrètement vers les vestiaires pour prendre mon manteau, tout en écoutant Justin cracher dans son micro-phone : « Pour la première fois, pour son style captivant qui rend n'importe quel sujet parfaitement irrésistible et original, la troi-sième place pour la meilleure chroniqueuse de cette année va à : Amélie Tremblay ! »

Je reste interdite un moment. Je suis dans le palmarès ?! Je n'arrive pas à y croire ! Après toutes ces années à écrire des repor-tages idiots et insignifiants sur des produits débiles, j'aurais réussi à me hisser parmi les chroniques les plus populaires ? À quoi dois-je ce succès soudain ? Au fait que je me suis trituré les méninges pour trouver un style intéressant, ou au fait que j'ai toujours essayé d'avoir un esprit critique face à la marchandise que je testais ?

L'espace d'un instant, j'hésite entre me précipiter pour aller chercher mon prix et me pavaner devant tout le monde, y compris Audrey, ou me sauver en courant pour faire ce que je réussis le mieux : disparaître à tout jamais. Justin ne me laisse pas le choix. Dès qu'il m'aperçoit prostrée dans le fond de la salle, il hurle en me pointant du doigt. « Elle est là-bas ! Attrapez-la avant qu'elle ne s'enfuie ! » Toutes les têtes se tournent dans ma direction et l'on court vers moi pour m'emmener de force jusqu'à l'estrade improvisée. Camille m'embrasse fougueusement et me serre dans ses bras.

– Félicitations, ma belle Amélie ! dit Justin. Tu vois, je te l'avais bien dit que tu avais un talent extraordinaire. Qui sait, tu pourrais devenir rédactrice en chef un jour.

Si le regard pouvait tuer, Audrey, restée dans son coin, m'aurait déjà assassinée. Elle doit certainement prendre les paroles de Justin comme un affront personnel, et ma réussite, en dépit de ses efforts pour m'abaisser, doit la troubler terriblement. L'année prochaine s'annonce géniale...

Prendre en note tout de même : cesser de sous-estimer mes capacités littéraires.

*   *

*

Pour Olivier, j'ai décidé de tenter le tout pour le tout : dans une tentative pitoyable pour regagner son cœur, je suis allée chez un fleuriste, et je me suis achetée des fleurs et une boîte de chocolats, le tout accompagné d'une carte, que je fais livrer chez moi. Peut-être ai-je été influencée par ce cadeau que j'ai reçu de Laurent. En modifiant mon écriture pour éviter qu'Olivier la reconnaisse, j'ai inscrit sur le carton : « Anonymement vôtre ». Juste assez pour déclencher une petite jalousie – je sais, c'est minable –, mais pas pour faire croire que je suis infidèle, tout de même. Le but est de le rapprocher de moi, pas de nous séparer.

La livraison devrait arriver bientôt. Juste à temps, car Olivier doit partir sous peu retrouver sa famille à Trois-Rivières. La sonnette retentit. C'est mon paquet-cadeau ! Alors qu'Olivier reste assis devant la télévision, je feins la surprise de celle qui n'attend personne et vais ouvrir. Je reviens dans le salon, portant mon superbe bouquet de roses rouges – mes préférées – et la boîte de chocolats belges. Je simule l'émerveillement. Je vais voir Olivier, tout sourire, et le remercie du cadeau.

– Ce n'est pas moi qui t'ai envoyé cela, proteste-t-il.

Je feins l'étonnement.

– Quoi ! Ce n'est pas toi ! Alors qui ?

Olivier et moi regardons la carte. J'ai du mal à déterminer son état d'esprit, car il a le visage fermé. À quoi pense-t-il ? Après avoir lu le contenu de la carte, il fronce les sourcils et plisse les yeux. Il fait ensuite un son indéfinissable avec sa bouche, une sorte de « han ! » empreint de cynisme et de méfiance, et me regarde.

– Et tu n'as aucune idée de la personne qui t'a envoyé cela ?

– Non, je ne sais vraiment pas, réponds-je d'un air aussi innocent que possible.

Olivier me regarde d'un air suspect, hausse les épaules et va se rasseoir devant la télévision. Je n'arrive pas à dire s'il boude, s'il a reconnu mon écriture ou s'il s'en fout carrément. Ce maudit paquet m'a pratiquement coûté une fortune et c'est à peine s'il réagit. Je suis tellement inapte que je n'arrive même pas à provoquer de l'effet avec un tel cadeau ! Bon, au moins, j'ai une belle boîte de chocolats et mes fleurs favorites. Peut-être la réaction escomptée arrivera-t-elle à retardement, après les fêtes ? En attendant, pour pratiquer mon semblant d'indépendance et semer le doute dans son esprit, je feins l'indifférence lorsque Olivier se décide à partir. On va bien voir si ça marchera au retour...

*   *

*

Je passe enfin les vacances de Noël chez mes parents. Bien que nous vivions sur la même île – j'habite dans l'est de Montréal, et mes parents dans l'ouest, à Saint-Laurent – il m'arrive souvent de dormir chez eux plusieurs jours pendant la période des fêtes. Ça m'évite d'être toute seule, et je peux accepter de me faire gâter, pour une fois. Ma mère met toujours de la musique de Noël à tue-tête, en cuisinant mille et une gâteries que je me fais un devoir de dévorer tout aussi vite. Parfois, je l'aide à préparer des plats, une activité qu'elle trouve très « traditionnellement féminine ». Laurie hurlerait sûrement au scandale, en prétendant que c'est une subordination de la femme que de se plier à cette coutume infâme.

Maman, c'est la tendresse et la générosité incarnée mélangées à une très grande sensibilité. Elle s'émeut de tout et se dévouerait jusqu'à la mort pour ses enfants. Je sais qu'elle se saignerait aux quatre veines pour moi, s'il le fallait. L'ennui, c'est qu'elle est un peu trop motivée. En essayant de me protéger de tout – y compris de choses aussi banales que la pluie –, elle a tendance à oublier que je suis une adulte et que je n'ai pas besoin de me faire rappeler à quelle heure je dois me brosser les dents.

Papa, quant à lui, c'est une eau tranquille. Le calme et la sagesse sont ses principales qualités. Jamais un mot de plus que nécessaire ou de réaction impulsive. Je sais qu'il est aussi attentionné que maman, mais il est plus retenu et met davantage en pratique la notion de dosage. Il s'adapte à toutes les situations sans se plaindre et s'accommode de presque tout. Papa, c'est un rocher dans la tourmente, celui auquel on peut s'accrocher quand on en a besoin.

Noël, c'est bien l'une des seules périodes de l'année où j'apprécie la tradition et où je ressens un vague sentiment de nostalgie du passé, de mon enfance et des congés de l'école, que je passais à jouer dans la neige ou assise devant un bon chocolat chaud. Je peux me vautrer sur les sofas fleuris, les deux pieds sur un pouf, au milieu des tapisseries couleur crème, des boules colorées et des guirlandes argentées, en regardant des films abrutissants du temps des fêtes à la télévision. Le tout, en m'empiffrant et en observant l'étourdissant jeu de lumière du sapin de Noël de caoutchouc.

Il y a aussi ma grand-mère paternelle, Catherine Tremblay, qui quitte sa campagne dorée et idyllique et vient squatter la maison de mes parents, au grand désespoir de ma mère. Je ne sais pas trop pourquoi, mais j'ai fini par associer la phrase « Toi que Noël planta chez nous » de la chanson *Mon beau sapin* à grand-maman. Cela s'est fait sans même qui j'y réfléchisse. Un jour, mon subconscient a fini par lier grand-mère à cette étrange phrase. Sans doute parce qu'effectivement Noël la fait s'incruster dans la maison parentale pour se faire chouchouter, tout comme moi, d'ailleurs.

La différence, c'est que quand je m'enracine au domicile familial, je ne passe pas mon temps à me plaindre que ça sent mauvais, qu'il fait trop clair, qu'il fait trop froid, qu'il y a trop de gras et de sucre dans la nourriture de nos jours, que les jeunes n'ont plus de valeurs, et tout le tralala... et je ne tente pas de donner des leçons à tout le monde. Chaque année, c'est la même chose. Maman et grand-mère se chicanent pour décider quelle nourriture préparer, dans quelle proportion utiliser tel ou tel ingrédient, comment décorer le salon, et j'en passe. Mon père doit agir avant qu'une guerre civile éclate et promène grand-maman Tremblay dans la ville, au musée, au cinéma, à la patinoire, au centre commercial, et partout où elle peut être occupée. Papa a donc tendance à disparaître du domicile lors du temps des fêtes.

Catherine Tremblay, c'est aussi la grand-mère « granola », devenue hippie sur le tard, qui se nourrit essentiellement de caroube, de fruits secs et de graines de tournesol et hurle à la mort, telle une louve, pendant la pleine lune. Elle a été surnommée *Grano granny* par Sabrina, une cousine anglophone. C'est aussi – au grand dam de tous – grand-maman Tremblay qui tient mordicus à faire des desserts « santé » lors de toutes les fêtes de famille, pour éviter que nous mangions trop de sucre, gros cochons irresponsables que nous sommes. Et puisque personne n'ose lui dire en pleine figure que ses plats sont infects, nous en mangeons chaque année.

Nous avons généralement droit à des trucs comme des galettes de céréales au miel – sèches et cassantes –, du fromage aux fruits fait maison – fade et sans goût – et autres trucs bizarres. Nous compensons généralement la frustration gastronomique en achetant des gâteries par la suite. Malheureusement, grand-maman ne voit pas qu'en nous privant ainsi de ce que nous aimons, elle ne fait que nous encourager au péché de gourmandise.

Quant à Noémie et à son clan de morveux, ils passent le plus clair de leur temps en Gaspésie, dans la famille de Jacob. Ce qui me permet de ne pas avoir Grande Sœur et sa progéniture dans les pattes. En fin de compte, maman et moi, nous nous retrouvons la plupart du temps seules à la maison, ce qui est génial car je peux accaparer l'attention maternelle à ma guise. Ma mère en profite également, car c'est la seule période où j'accepte d'être encore traitée comme si j'avais cinq ans.

— Amélie, mon petit bébé, veux-tu des biscuits aux épices et des brioches ? me demande maman.

Bien que je déteste me faire interpeller ainsi, j'accepte l'offre avec joie et me précipite sur les desserts pour les dévorer ensuite devant la télévision.

— Tu manges trop de glucose et de gras, tu vas finir par exploser, un jour, dit grand-maman en me regardant me goinfrer.

Et voilà, ça recommence... Cholestérol, gras trans, cannelle transgénique, tout y passe... J'ai appris, avec grand-maman Tremblay, à éteindre partiellement mon cerveau, et à laisser filtrer juste assez d'informations pour savoir le moment précis où il faut hocher la tête et dire « han han » pour simuler l'écoute. Cette méthode s'est avérée fort utile dans mes relations avec Audrey.

— Nicolas ! Tu ne devais pas emmener ta mère en visite au Jardin botanique ?! hurle ma mère, pour tenter de me rescaper.

Mon père, qui pressent aussitôt la crise, s'habille prestement et entraîne sa mère à l'extérieur pour nous libérer.

— Si tu veux, Amélie, tu peux manger le délicieux dessert que j'ai fait tout à l'heure au lieu de cette cochonnerie, glisse grand-maman dans l'embrasure de la porte.

— Ah bon ? Qu'as-tu fait ?

— De bons biscuits au tofu et aux graines de tournesol.

Beurk ! J'ai une aversion terrible pour le tofu ! Je vois déjà ma mère qui profite de l'absence de grand-mère pour jeter le tout à la poubelle, et prétendre que nous avons tout mangé. Tout de suite après, maman m'apporte mon cadeau de Noël. Lorsque c'est possible, nous faisons toujours les échanges de cadeaux lorsque grand-maman Tremblay est absente, car elle est également contre cette tradition, qui est « le symbole de l'impérialisme et du matérialisme à outrance ».

J'ouvre mon paquet. Un appareil photo numérique ! Moi qui trimballe le même vieux truc depuis près de dix ans, ça va faire tout un changement. De quoi faire de nouvelles expériences...

*   *

*

J'ai décidé, pendant les vacances, de pâlir un peu mes cheveux. Peut-être vais-je avoir l'air moins quelconque avec les cheveux blonds ? Peut-être Olivier me trouvera-t-il plus séduisante avec ce nouveau look ? Et, après tout, je ne suis pas la première à le faire. Nombre de vedettes le font, et elles ne ressemblent pas à des laiderons, au contraire... Alors, j'ai décidé d'essayer. Je ne peux pas avoir l'air pire qu'une autre !

Maman a badigeonné la couleur sur mes cheveux. *Grano granny* a protesté, prétendu que la teinture est cancérigène, que mes cheveux vont sûrement tomber après ; je m'en balance. Je ne suis plus une enfant, quand même. Je peux prendre des décisions moi-même.

Pour ne pas être en reste, je me suis aussi tartiné les sourcils de décolorant. Seulement, je crois que je n'ai pas lu les instructions correctement. Quand maman m'a enlevé la teinture, j'avais les

117

cheveux presque aussi blonds que Marilyn Monroe ! Je n'en demandais pas tant ! Quant aux sourcils, on n'en parle même pas : ils étaient si blancs qu'ils avaient l'air d'avoir été rasés !

Papa et maman ont eu beau me dire que j'étais superbe, je ressemble à un épi de maïs ! J'ai tenté de cacher ma déception à grand-maman en exagérant mon optimiste, pour éviter de lui donner raison de m'avoir critiquée et d'avoir à entendre : « Je te l'avais bien dit. »

Maman m'a suggéré d'attendre un peu, que je devais m'habituer à ma nouvelle couleur. Elle m'a aussi donné un crayon pour foncer mes sourcils et éviter de ressembler à une extraterrestre. Je dois attendre avant de refaire une autre teinture, car une seconde couleur risque de ne pas adhérer à mes cheveux et peut gâcher davantage le résultat. Au secours ! Moi qui pensais améliorer mon look et reconquérir Olivier. Ça commence bien la nouvelle année...

Chapitre 8

La paresse
est la mère de tous les vices
(Janvier)

L'amitié est toujours profitable, l'amour est parfois nuisible.

Sénèque

À mon retour des vacances, les fleurs et la boîte de chocolats que je m'étais donnés à Noël avaient eu un certain effet sur Olivier, à moins que ce ne soit notre séjour chacun de notre côté ou même la teinture. Peu importe la cause, sa gentillesse et son empressement envers moi s'étaient un peu améliorés lors des premiers jours. Ce fut encore de courte durée.

J'ai même l'impression que notre relation s'est dégradée encore plus. Les premières semaines où nous sortions ensemble, Olivier venait toujours me rejoindre dans la douche, soit pour me laver, me caresser ou encore me faire l'amour. Voilà un certain temps qu'il ne vient même plus me rendre visite dans la salle de bains. C'est mauvais signe. Je sais bien que ça ne peut pas toujours être la lune de miel et qu'une certaine routine finit inévitablement par s'installer, mais c'est plus que ça. Olivier me tient pour acquise. Pour une raison que j'ignore, tous les copains que j'ai eus qui se laissaient aller ainsi ont fini par me délaisser, comme si c'était le signe certain d'une perte d'intérêt. Un seuil, en quelque sorte.

Bon d'accord, j'ai pris quelques livres ces dernières semaines – à peine une quinzaine, mais c'est une mauvaise habitude que je finis toujours par développer lorsque je suis en couple –, mais tout de même, je m'explique mal une perte d'intérêt aussi soudaine.

On dirait qu'Olivier ne s'intéresse à moi que lorsqu'il est temps de me demander de lui apporter ses pantoufles, ou de lui faire à manger. Comme si j'étais devenue sa nounou personnelle... sans le sexe.

Quant à solliciter son aide, c'est, la plupart du temps, un véritable défi. Cette année, je déménage. J'en ai marre de cet appartement de merde où j'entends mes voisins baiser ou s'engueuler à trois heures du matin. Lorsque j'ai demandé à Olivier un coup de main pour faire mes recherches, alors là, c'était comme si je lui demandais la lune !

Quand j'ai voulu qu'il m'aide à trouver les meilleures annonces sur Internet : « Ah ! Tu sais, je suis occupé par le dernier projet de la compagnie... » Traduction : je ne veux pas prendre le temps ! Quand je lui ai demandé de me consacrer une heure pour appeler des propriétaires de logement : « Je suis très fatigué, aujourd'hui... » Traduction : je n'ai pas le goût, je préfère regarder la télévision !

Je cherche des logements et, jusqu'à présent, je n'ai eu aucun retour d'appel. Et je dois confirmer le renouvellement de mon bail dans deux mois ! Avec la crise du logement actuelle, je ne suis pas certaine de trouver, même si je m'y prends d'avance.

*　　*
*

Nouveau vendredi au Sex-Symbol. Ce soir, je n'ai pas vraiment la tête à m'amuser, même si mes amis m'ont complimentée sur ma nouvelle couleur de cheveux.

– Je commence à en avoir ras le bol !

– À quel propos ? me demande Gabrielle.

– Marre d'Olivier !

– Ben, dis donc, tu te fatigues rapidement d'un gars, toi ! commente Antoine.

Il peut bien parler, lui ! Il n'est jamais plus d'une semaine avec la même fille !

– Avec quelqu'un comme ça, il y a de quoi s'écœurer vite !

– C'est quoi, le problème ? interroge Laurie.

– L'ennui, c'est que ce n'est qu'un paresseux, pantouflard et égoïste, qui ne pense qu'à venir s'installer dans mon appartement pour que je le nourrisse et que je l'entretienne comme si j'étais sa servante ou sa mère !

Gabrielle, Antoine et Laurie me regardent sans dire un mot. Ça fait un bout de temps que j'ai commencé à leur confier mes récriminations à propos de mon copain. Est-ce que je ne suis qu'une chialeuse égocentrique et trop exigeante ? Je sais bien qu'en couple, nous n'avons pas de contrat sur nos agissements, ni de comptes à rendre, mais je crois que je serais en droit de m'attendre à une relation égalitaire où les deux fournissent des efforts ! Depuis des semaines, j'ai l'impression que je suis la seule à en faire.

– *A bove ante, ab asino retro, a stulto undique caveto*, lance Laurie. Prends garde au bœuf par-devant, à l'âne par-derrière, à l'imbécile par tous les côtés.

Là, je ne suis pas tout à fait sûre de ce qu'elle veut dire, mais je préfère ne pas poser la question. Parfois, je ne suis pas certaine que tous ces proverbes peuvent m'être utiles. Je me demande même si Laurie comprend réellement ce qu'elle raconte. J'essaie de changer de sujet avant de devoir disserter sur les ânes, les bœufs et les imbéciles.

— Le pire, c'est probablement sa paresse. Il est impossible de lui demander quoi que ce soit. Suis-je trop difficile ?

— Bien sûr que non, répond Antoine, ce qui me soulage tout de suite. Je ne dis pas si tu lui demandais de baisser le couvercle de la toilette...

— Très drôle...

— La paresse est la mère de tous les vices, affirme Laurie. N'avoir rien à faire, c'est s'exposer à toutes les tentations.

— Dans une relation, les deux doivent y mettre des efforts, sinon tu te retrouves avec un parasite, renchérit Gabrielle.

— C'est un peu cru, non ?

Miss Fiancée hausse les épaules.

— Il faut ce qu'il faut. Si tu restes avec lui en sachant pertinemment que la relation n'a pas d'avenir et qu'en plus, tu t'y investis à fond pour rien, tu risques de passer à côté d'une belle occasion. Si tu penses ne pas avoir un avenir prometteur avec Olivier, alors jette-le.

Je suis sans voix. Gabrielle possède toujours autant de délicatesse. Elle parle d'un être humain comme d'un mouchoir. J'ai un certain attachement pour Olivier, tout de même. J'apprécie encore sa discrétion et ses conseils souvent judicieux. Je peux dire qu'en général, il me laisse respirer, ce qui n'est pas le cas de bien des conjoints que j'ai eus. Et, étrangement, je me suis habituée à sa présence chez moi.

Curieux. On dirait que je suis trop fière pour tolérer que les gens parlent contre Olivier, alors que je passe mon temps à me plaindre de ses agissements. Suis-je trop orgueilleuse pour admettre que j'ai mal choisi mon copain et incapable d'avoir un homme avec un minimum de bon sens ? Je me rends compte à quel point les gens – moi y compris – se glorifient de leurs conjoints. On ressent de la fierté à avoir un gars extraordinaire, superbe, riche, sensuel, intelligent, bon au lit et tout le tintouin.

C'est fou comme les gens peuvent ressentir de la dignité et s'attendent à voir la gloire personnelle rejaillir sur eux selon la qualité de leur copain. C'est comme si ses qualités rejaillissaient sur nous, qu'elles se transmettaient à nous, par osmose, et que notre prestige s'en trouvait amélioré. Et, à l'inverse, on souffre de voir que les autres ne les aiment pas, car on a l'impression de baisser du même coup dans leur estime.

– C'était quoi, déjà, tes résolutions, cette année ? m'interrompt Antoine.

– Ne pas me laisser piétiner, ni au travail ni dans ma vie amoureuse...

– C'est à toi de décider de ce que tu veux faire, ajoute Laurie. *Consuetudinis vis magna est.* La force de l'habitude est grande. Il n'y a rien de pire que ça.

Je regarde mes trois compagnons. Leur message est clair : si ça ne marche pas avec Olivier, je dois le laisser et passer à autre chose. Pourtant, je n'arrive pas à m'y résoudre. Quelque chose me retient. Je n'ai pas envie de jeter l'éponge à la moindre difficulté. On ne parle pas d'un vieux jouet, mais de mon amoureux, après tout.

Vraiment, il me semble que tout va mal, ces temps-ci. Ma carrière, mes amours. C'est une chance que mes amis soient là pour me soutenir.

— Vous savez quoi ? lance Gabrielle pour changer de sujet. Pendant les vacances, j'ai fait du ski alpin. C'est très *in* en ce moment.

— Qu'est-ce que ça change que ce soit *in* ou non ? demande Laurie. Tu ne vas quand même pas faire du ski uniquement parce que c'est à la mode ? Et d'abord, c'est quoi, cette idée des modes ? On ne devrait pas aimer quelque chose parce que c'est à la mode, mais parce qu'on l'apprécie vraiment. Quand ce sera *out*, on devrait continuer de l'aimer quand même. Aimer un truc uniquement parce qu'il est à la mode, c'est superficiel !

Je reconnais bien là notre Laurie nationale. Je me rappelle que, plus jeune, elle portait un chandail sur lequel il était inscrit en grosses lettres « *Fuck* la mode ». Tout à fait typique de Laurie. En fait, je la soupçonne d'être contre la mode, non par conviction, mais simplement parce qu'elle est réactionnaire. Quand Laurie et Gabrielle se mettent à se chamailler, il ne reste plus qu'à tirer sa chaise et à regarder le spectacle.

— D'abord, je ne fais pas cela parce que c'est *in*, rétorque Gabrielle. J'ai découvert cette activité parce que tout le monde en parle, c'est tout. Ensuite, détester une chose parce que tout le monde l'aime, c'est aussi pire que de suivre la mode. Réagir ainsi signifie que tu es incapable de te faire une opinion par toi-même.

— C'est faux ! Moi, je ne suis pas la masse.

— Bien sûr, et le fait que tu haïsses systématiquement tout ce que le reste de la planète apprécie, ça n'a rien à voir...

Et ce fut ainsi pour le reste de la soirée.

*   *

*

— Bien sûr que nous allons t'aider à te trouver un nouveau logement, ma chérie ! s'exclame ma mère au téléphone.

De dépit, j'ai décidé d'appeler mes parents à l'aide pour trouver mon futur logis, car je n'aurai pas assez de temps et d'énergie pour faire toute la recherche d'un appartement toute seule. D'autant plus que les résultats sont décourageants. Il faut vraiment que les circonstances soient désespérées pour piler sur mon orgueil et demander l'assistance de mes parents. J'ai l'impression de m'abaisser au rang de petite fille, incapable de prendre ses responsabilités, et d'abandonner ma précieuse indépendance.

Ça peut paraître idiot, mais chaque fois que je demande leur aide, ils se transforment en monstres et finissent par tout contrôler et décider pour moi. Comme si le fait de demander de l'assistance m'aliénait tout pouvoir décisionnel. On dirait que dans la phrase « Pouvez-vous m'aider ? » mes parents comprennent : « Pouvez-vous le faire à ma place ? »

— Sans vouloir être indiscrète, n'as-tu pas demandé un coup de main à Olivier ? demande maman.

La question à cent piastres...

— Heu... oui, mais il est très occupé ces temps-ci. Tu sais, son travail...

C'est incroyable, je suis en train de le défendre. J'entends aussitôt ma mère émettre un son qui ressemble à un grognement. De toute évidence, c'est la mauvaise réponse. Selon elle, Olivier devrait sans doute ramper, comme le misérable ver de terre qu'il est, devant sa gentille petite princesse adorée et répondre à tous ses désirs sans poser de question. Je pressens déjà ses commentaires : « Tu devrais le laisser, ce bon à rien ! Il n'est pas assez bon pour toi ! » Pour une raison que j'ignore, je suis incapable d'accepter que quiconque, à part moi, puisse dire ou penser du mal d'Olivier.

125

Il vaut mieux que je dévie le sujet de la conversation au plus vite, si je ne veux pas avoir droit à une avalanche de conseils inutiles et emmerdants.

– Maman, j'aurais besoin de tous les journaux de la fin de semaine, s'il te plaît. Penses-tu pouvoir me les procurer ? On se partagera les appels téléphoniques, si tu veux.

– Bien entendu ! Ça va être amusant !

Amusant... Maman doit être tellement heureuse et comblée que je lui demande de l'aide et qu'elle joue à nouveau un rôle dans ma vie qu'elle irait probablement danser toute nue dans la rue Sainte-Catherine avec moi si je le lui demandais, juste pour faire quelque chose en ma compagnie.

Tout de même, je me demande parfois pourquoi j'ai écarté mes parents de ma vie. Je ne les vois pas assez souvent et je ne leur donne pas de mes nouvelles fréquemment. Pourtant, ils sont toujours prêts à toutes les folies pour moi. L'ennui, c'est qu'ils ont aussi tendance à en faire trop et à empiéter sur mes affaires. Prendre en note : tenter de trouver un équilibre dans ma relation avec mes parents.

*   *

*

J'ai aussi décidé de chercher un nouvel emploi, de cesser de faire du déni et de trouver un meilleur poste ailleurs, une fois pour toutes. Cependant, en regardant les petites annonces, j'ai vite compris que l'herbe n'était pas plus verte ailleurs.

Si les conditions semblent prometteuses au premier coup d'œil, un appel à l'employeur remet les choses en place. Dans le meilleur des cas, je travaillerais comme pigiste, je ferais le tiers de mon salaire actuel et je n'aurais aucune sécurité d'emploi. Franchement, les annonces sont incroyablement trompeuses.

Dans « Travail stimulant, horaire flexible, salaire à discuter selon expérience », on devrait plutôt lire « Travail épuisant et stressant avec un million de responsabilités pour lesquelles vous n'aurez pas un sou, horaire merdique de pigiste aux heures insuffisantes pour se payer un bout de pain, salaire à peine au-dessus du minimum, uniquement pour vous convaincre de vous fermer la gueule parce que c'est déjà bien assez, puisque vous avez moins de quarante ans de toute façon et que vous ne valez pas plus ».

Mais où sont les syndicats de vieux schnocks et les organismes de protection des travailleurs quand vient le temps pour des jeunes de se trouver un emploi décent sans se faire exploiter, hein, je vous le demande ? On voit bien que certains ont oublié ce que c'était que de commencer sur le marché du travail et que si on ne donne pas sa chance au coureur, il restera indéfiniment à la ligne de départ...

Après quelques semaines de recherche, j'ai arrêté, démotivée. Je suis déprimée. Je crois que je vais rester toute ma vie chez *Féminime.com* à rédiger des articles ridicules sur des nettoyants pour lavabo et autres conneries. Beuh...

*   *
*

En arrivant au bureau ce lundi matin, j'ai une surprise de taille : tous les papiers qui se trouvaient sur mon bureau ont disparu ! Il ne reste plus que ma brocheuse, mes stylos et mes trombones ! Qui a osé faire ça ? Tous les communiqués et dossiers de presse qu'on m'avait envoyés, tout le matériel que j'ai reçu pour mes articles – balais, brosses à dents, rouges à lèvres, crèmes de nuit, teintures à cheveux, lavettes, nettoyants à tapis, etc. – sont introuvables !

– Léa ? Est-ce que tu as vu quelqu'un prendre des choses sur mon bureau ? demandé-je.

– Mais... tu ne savais pas ? On a reçu un message par courriel interne d'Audrey pour nous avertir qu'une entreprise venait faire le ménage cette fin de semaine. On a reçu la consigne de tout ranger ce qu'on voulait garder. Tout ce qui traînerait sur les bureaux serait jeté. Tu n'as vraiment rien reçu ?

– Non ! Rien du tout !

Je suis consternée. J'avais des piles de papiers dont j'avais besoin pour mes reportages. Sans compter les objets qui devaient me servir. J'en ai pour des heures à racheter du matériel, le commander auprès de certaines compagnies et demander des dossiers de presse. Je n'en reviens tout simplement pas ! Comment Audrey a-t-elle pu me faire une pareille vacherie ?

– C'est étrange que tu n'aies rien reçu, commente Léa. Il doit y avoir encore des problèmes de courriel interne. Il faudrait que tu avertisses Camille pour qu'elle jette un coup d'œil là-dessus.

Ouais, tu parles ! C'est aussi étrange que le soleil qui se lève chaque matin... Je suis convaincue qu'Audrey m'a volontairement oubliée. Elle veut m'emmerder, c'est sûr. Je dois vraiment me surveiller ou, tôt ou tard, il va finir par m'arriver un événement réellement fâcheux.

Prendre en note tout de même : faire le ménage dans mes affaires avant de quitter le bureau le soir.

* *
*

128

Me voilà encore au magasin avec Laurie, celle qui détecte les rabais plus vite que son ombre. Sujet du mois au magazine : les siphons de toilette ! Génial, non ? J'ignore pourquoi je fais exactement le contraire de ce que j'avais pris comme résolution au début de l'année. Je suis nulle.

J'ai passé les derniers jours à rappeler les entreprises qui m'avaient envoyé des documents et du matériel pour les recevoir une nouvelle fois. Les gens de Carbu-Drink semblaient plus exaspérés que jamais d'avoir de mes nouvelles. Pourquoi cette agressivité soudaine ? Autant ils étaient affables au départ, autant ils sont devenus irritables. Peut-être ont-ils plus de problèmes qu'ils ne le montrent avec Santé Canada et leur nouvelle boisson. Prendre en note : être plus curieuse et étudier davantage les produits que je teste.

Hélas, depuis janvier, je n'ai fait aucune objection aux sujets ineptes qu'Audrey Vampirella tente à tout prix de m'imposer, et mieux encore, je les traite sans même broncher. Peut-être que je me sens coupable d'avoir eu du succès au palmarès de Noël et que, dans un accès injustifié de honte, je me rabaisse pour racheter l'affront qu'Audrey a subi. Totalement idiot ! C'est son comportement qui est répréhensible, pas le mien ! Je devrais cesser d'être aussi manipulable. De plus, Olivier ne m'est d'aucune aide dans ma recherche de logement, et en plus, je fais sa lessive et prépare tous les repas. Ai-je ne serait-ce qu'un merci pour cela ? Bien sûr que non ! Suis-je devenue une lavette, ou quoi ?

À moins que ce ne soit la peur qu'Audrey m'inspire chaque jour. Plus le temps passe, plus elle m'effraie, je l'avoue. J'ai l'impression qu'elle ne va reculer devant aucun obstacle pour me nuire. Ou alors, je suis parano. Et ma petite enquête sur Carbu-Drink et ses problèmes juridiques qui n'a pas avancé d'un pouce. Comme journaliste, je suis vraiment pourrie.

Je sens une colère sourde gronder en moi. Olivier me me respecte pas et ça m'enrage. Je réprime sans arrêt les accès de fureur

129

qui me montent à la gorge. C'est malsain de laisser s'accumuler la frustration. Mais je ne veux pas paraître méchante. J'ai peur d'exiger quoi que ce soit et d'avoir l'air d'une mégère trop exigeante. C'est insensé, car je sens bien que, tôt ou tard, je vais éclater. Je suis clairement d'une indulgence coupable.

– Laurie, pour l'amour du ciel, sors-moi un proverbe qui va m'inciter à ne pas tout balancer et quitter mon boulot sur-le-champ !

Je dois être vraiment déprimée pour demander à Laurie de me réciter un de ces fichus adages. En temps normal, ils me hérissent le poil plutôt que de m'aider.

– Heu... *Sine labore non erit panis in ore.* Sans travail, il n'y aura pas de pain dans ta bouche. Ça t'irait, ça ?

– Ouais, je crois que ça peut aller.

– Regarde ce siphon-là ! Tu penses qu'il est efficace ?

J'observe le siphon qu'elle tient dans ses mains. Il y a une sorte de suce spéciale de caoutchouc au bout de l'instrument. Je hausse les épaules. Le sujet me semble incroyablement superficiel et inutile. Pourquoi me soucierais-je de savoir qu'un siphon de toilette fonctionne bien, alors que ma relation avec mon copain va tout de travers ? Le niveau de désespoir commence à grimper sérieusement les échelons. Je dois bien être à six, maintenant. Niveau au-dessus de la moitié, dangereux !

J'aurais envie de grimper sur une étagère de la boutique et de hurler à tous les clients du magasin : « Qu'est-ce que vous faites tous ici, bande de cons ! Vous n'avez rien de mieux à faire que de vous amuser avec des outils imbéciles dont vous ne vous servirez pas, de toute façon ? Retournez chez vous et occupez-vous de votre conjoint et de votre famille ! Ça sera un meilleur investissement ! »

Je secoue la tête. À quoi bon ? Il faut que je me concentre. D'abord, terminer mon étude niaiseuse, car c'est tout de même ce qui me donne un salaire. Ensuite, je dois mettre le dernier paquet sur Olivier. Si ça ne marche pas, il faut que je m'en sépare. Triste constat...

* *
*

Pour tester les siphons que j'ai achetés, j'ai bouché ma toilette intentionnellement, pour pouvoir comparer et tester les marchandises. Mauvaise idée... Ça fait une bonne heure que je m'éreinte à tenter de la déboucher et que ça ne fonctionne pas. Je suis trempée, l'eau sale m'éclabousse la figure, je suis épuisée et essoufflée, et j'en ai marre ! Pourquoi, pourquoi ai-je accepté de traiter de ce sujet absurde ?

Et en plus, je n'arrive pas à déboucher cette saloperie de toilette. Que vais-je faire si elle reste bouchée ? Je vais demander l'aide de papa, puisqu'Olivier ne veut pas intervenir. En tout cas, ces siphons vont passer à la moulinette dans ma chronique ! Il faut absolument que je trouve un moyen de dire non à Audrey, une fois pour toutes, quand elle me demandera de traiter l'un de ses thèmes débiles !

* *
*

Après avoir ragé avec les siphons et avoir passé une nuit blanche à déboucher ma toilette, je rentre tard au bureau. Il est déjà dix heures et demie. Si Audrey a le malheur de me faire remarquer mon retard, je n'hésiterai pas à lui faire savoir que c'est en partie de sa faute !

Alors que je pousse la porte d'entrée du hall en maugréant un chapelet de mots pas catholiques, je tombe nez à nez... avec Laurent ! C'est étrange comme il m'arrive de le croiser régulièrement, alors que je ne l'avais jamais remarqué avant. Surtout qu'il est beau bonhomme !

— Amélie ! J'ai failli ne pas te reconnaître avec cette nouvelle couleur de cheveux ! Tu es superbe !

En voilà au moins un qui parvient à me faire des compliments de temps en temps...

— Ça va bien, et toi ? Qu'est-ce que tu fais là ?

— J'aime bien prendre mon café ici de temps en temps. Il est meilleur qu'ailleurs. Alors, quoi de neuf ? Es-tu gâtée par la vie, au moins ? Comment va le travail ? Et ton copain, il va bien ?

Laurent me pose tellement de questions que j'ai presque de la difficulté à le suivre. Il a réellement l'air curieux de savoir comment je me porte. Est-ce là un signe d'intérêt autre que de la simple amitié ? Je m'interroge sérieusement.

— Ça va bien – pfff... tu parles ! pur mensonge... –, je continue d'écrire mes articles comme avant. Disons que ma relation amoureuse, c'est... heu... ça va.

J'hésite entre avouer à Laurent ma déception à propos Olivier et laisser la porte ouverte à une occasion entre lui et moi ou prétendre que tout va bien pour protéger mon *ego*. D'un côté, je songe à aller voir ailleurs, mais d'un autre côté, je n'ai pas envie d'avouer mon échec amoureux.

— Bon, je dois me sauver, j'ai un rendez-vous, m'annonce Laurent. N'oublie pas, si jamais tu as besoin de quoi que ce soit, n'hésite pas à me rejoindre. Si tu cherches des gens à interroger pour tes chroniques, pense à moi, hein ? Bonne chance !

Sur ce, il me donne un petit baiser sur la joue, juste le temps de l'effleurer, et part en courant vers sa voiture. Je reste abasourdie un instant. Il vient de m'embrasser ! D'accord, c'est sur la joue et il m'a à peine frôlée, mais ça me met tout à l'envers. Son intérêt à mon égard dépasse le simple intérêt amical...

Encore sous le choc et frottant ma joue, je sens une main qui tire soudain la manche de mon manteau. Je tombe sur Léa, qui vient de s'acheter un café.

— Eh, Amélie ! Ça fait au moins trois fois que je t'appelle ! C'est ce gars qui te fait cet effet ? dit-elle, visiblement amusée.

— Hein ? Quoi ? Heu... je... j'étais dans la lune...

— Ça, c'est évident. Qu'est-ce qu'il te voulait encore, ton beau monsieur ?

— Oh... rien de particulier, il prenait de mes nouvelles, c'est tout...

En parlant, Léa et moi nous nous dirigeons vers l'ascenseur. Elle appuie sur le bouton pendant que j'essaie encore de me remettre de mes émotions.

— En tout cas, il est là depuis neuf heures ce matin, poursuit-elle. Quand je suis descendue tout à l'heure, il n'arrêtait pas de regarder sa montre. Il avait l'air anxieux. Je ne suis pas sûre de ce que j'avance, mais je crois qu'il t'attendait.

Je me retourne vers elle, ahurie.

— Quoi ? Tu le penses vraiment ?

Léa hausse les épaules pendant que nous franchissons les portes métalliques de l'ascenseur.

– Je ne peux jurer de rien, cependant je soupçonne qu'il a un œil sur toi. Je descends prendre mon café tous les jours depuis des années et, avant cette fois où tu t'es cassé la figure, je suis pas mal certaine de ne jamais l'avoir vu. Maintenant, il est là régulièrement. Je peux te dire que c'est une drôle de coïncidence.

En effet, c'est plutôt étrange. Est-ce notre imagination qui nous joue des tours ? Si je ne suis pas la seule à penser cela, il y a de bonnes chances que mes impressions soient justes, non ? Prendre en note : écouter davantage mon instinct.

Chapitre 9

Down the drain !
(Février)

On se plaît, on se prend. On se lasse, on se quitte.

Crébillon fils

14 février. J'ai réussi à convaincre Olivier de venir avec moi au restaurant pour la Saint-Valentin. Après tout, si un couple ne fait rien de spécial lors de la fête des amoureux, quand le fera-t-il ? D'une certaine façon, ça augure bien. Olivier est si casanier, le simple fait que je parvienne à le faire sortir de la maison pour aller dans un resto chic relève presque du miracle. Et si je n'étais pas si nulle, en fin de compte ?

Je tergiverse encore à propos de Laurent. Je ne sais plus trop quoi penser à son sujet. Et si je me trompais ? Peut-être que je projette simplement sur lui les attentes que j'ai envers Olivier ? Peut-être qu'il réussit à combler certains de mes désirs et qu'à cause de cela, je me convaincs que j'éprouve des sentiments à son égard. Après tout, je ne l'ai rencontré que quelques fois et je ne sais rien de lui. Peut-être que je m'accroche à Olivier et que je me fais des illusions pour compenser pour la culpabilité que je ressens chaque fois que je songe à Laurent. Je ne sais plus où j'en suis ! Une vraie girouette !

Nous voilà dans un restaurant italien du centre-ville, rue Maisonneuve. J'aime bien, l'ambiance y est douce et feutrée, la décoration superbe, et il y a une charmante odeur d'épices. Mon copain regarde autour de lui et semble déjà s'emmerder au point de souhaiter n'être jamais venu ici et de se sauver en courant. Hum... ça commence mal. Quant à moi, j'ai employé les grands moyens pour séduire mon conjoint. J'ai enfilé une courte robe rouge, moulante, décolletée et *sexy*, qui dévoile pas mal de peau, au point que je suis mortellement gelée en ce merveilleux mois de février.

« On n'attrape pas des mouches avec du vinaigre », dirait Laurie. Je suis bien prête à tolérer le froid mordant, et même plus, pour reconquérir Olivier et retrouver cette étincelle qu'il y avait dans ses yeux lorsque nous nous sommes connus, et qui est partie si vite. Mon copain, par contre, est venu me chercher vêtu d'un simple jean et d'un t-shirt. Nous sommes complètement dépareillés. Un autre mauvais signe, probablement...

Bon sang, Amélie ! Tais-toi et cesse d'être paranoïaque ! La manière dont nous sommes habillés ne veut strictement rien dire. Tu as plus de bon sens que ça, d'habitude. La véritable passion se fout de la façon dont les gens sont vêtus ! Enfin, si ça existe vraiment, ce genre d'amour...

Nous nous assoyons à la table que nous désigne le serveur. Je prie pour que cette soirée ne soit pas une catastrophe. Je jette un coup d'œil au menu. Les plats ont l'air appétissants. Pendant ce temps, je sens Olivier qui s'agite sur sa chaise. Je lui demande ce qui se passe.

– Tu as vu les prix de ces repas ? C'est incroyablement cher !

– T'en fais pas, je paierai ma partie, voyons. Je n'ai pas envie que tu me fasses vivre, tout de même. Je ne te demande pas d'être un *sugar daddy*.

S'il y a une chose que je déteste, ce sont les femmes qui se targuent d'être féministes et de ne pas se plier à de vieilles traditions dégradantes, et qui changent leur fusil d'épaule lorsque ça les arrange. Je refuse de faire partie de ces cocottes qui n'attendent que l'occasion de se faire payer un repas par un homme, ou même plus. J'ai plus d'indépendance que ça, tout de même !

– Bon, tant mieux, répond Olivier. C'est déjà ça.

Les prix sont un tantinet élevés, d'accord, mais il n'y a pas de quoi s'énerver. Je ne gagne même pas autant qu'Olivier, et je n'ai aucun problème à payer le gros prix de temps en temps. Pourvu que ça n'arrive pas trop souvent. Il s'en fait pour rien. Après tout, c'est la première fois que je lui demande de venir au resto depuis que nous sommes ensemble, sapristi !

Après avoir parcouru la table d'hôte, je me décide à prendre des tagliatelles à la sauce bolognaise. Olivier examine encore son menu, les sourcils froncés, l'expression grave, comme s'il décidait du sort de l'univers tout entier.

– As-tu une idée de ce que tu veux ?

– Pas vraiment. Je ne sais pas quoi choisir. Je ne connais même pas la moitié des plats décrits là-dedans, et ils ont tous l'air bizarres. J'ignore encore ce que c'est que des *conchiglias*, des *farfalles* ou des *rotelles*. Il n'y aurait pas des trucs plus simples, comme des ailes de poulet ?

– Eh bien, essaye quelque chose de nouveau. Tu peux faire des expériences culinaires, pour une fois.

Olivier grimace. Décidément, le goût de l'aventure ne se trouve pas dans son assiette. Bon, calme-toi, Amélie. Ce n'est pas grave si vous êtes dépareillés et qu'Olivier démontre clairement qu'il aimerait mieux se faire enfoncer un tournevis dans le cul plutôt que d'être là. Ça ne dérange pas non plus qu'il soit incapable d'apprécier la cuisine raffinée. Personne n'est parfait. Il ne faut pas être trop exigeante. Soit zen, tu es au-dessus de tout ça.

Un peu ragaillardie par ma séance de yoga intérieure, j'attends patiemment qu'Olivier fixe son choix sur quelque chose. Il décide finalement de prendre un spaghetti. Le serveur nous apporte nos assiettes après que nous nous sommes empiffrés de pain, chaud et délicieux, par ailleurs. Olivier fait la moue en s'apercevant qu'il n'y a pas de viande dans la sauce de son spaghetti. Je lui explique gentiment que la plupart des mets italiens n'en contiennent pas. Olivier soupire et commence à manger. Pendant un bref instant, mes pensées s'envolent vers Laurent...

Nous n'avons pratiquement pas échangé une parole, et mon copain a eu le nez dans son plat tout au long du repas. C'est à mon tour de soupirer. Pas très romantique, tout ça. Les serveurs nous pointent du doigt en souriant. Ils doivent avoir l'habitude de voir des couples où les gars s'ennuient royalement et doivent maintenant être des experts dans l'art de déterminer quels sont les ménages, à la Saint-Valentin, qui vont bien, et ceux qui vont mal. Lorsqu'ils se rendent compte que je les observe, ils cessent leur manège et font semblant de travailler.

C'est déjà suffisamment gênant de rater ma soirée, il faut en plus que je subisse cet échec en public. Me réfugier dans les toilettes et me noyer dans la cuvette serait une bonne idée... Je ne suis même pas sûre de pouvoir réussir ça non plus.

Olivier est un éternel mécontent. Je ne fais jamais sa lessive correctement – ce n'est pas assez blanc, ça a déteint un peu, il reste une tache –, les plats ne sont jamais au point – trop épicés, pas assez cuits, trop bizarres, pas assez de viande, etc. Bref, rien n'est à son goût. Et maintenant, le restaurant ne fait pas son affaire. Est-ce qu'un jour j'arriverai à combler ses attentes ? J'en ai marre de me taper ses éternelles récriminations. Tiens, je serais mieux toute seule. Je peux satisfaire mon appétit pour l'autoapitoiement par moi-même ; je n'ai pas besoin de lui en plus qui me tombe sur le dos continuellement pour en rajouter.

Au dessert, Olivier sort de sa poche une enveloppe, pliée en deux. Je le regarde, surprise. Il me la tend.

– Qu'est-ce que c'est ?

– Regarde à l'intérieur, tu vas voir.

Incroyable ! M'aurait-il acheté un cadeau de Saint-Valentin ? Ce serait vraiment inouï. La soirée ne sera pas aussi désastreuse que je ne l'avais craint. Qu'est-ce qu'il peut bien y avoir dans cette enveloppe ? Deux billets pour une escapade à Cuba ?

J'ouvre, toute excitée. Stupéfaite, j'y aperçois deux billets. Mon cœur s'arrête. Quelle merveilleuse surprise Olivier m'a-t-il réservée ? Je les prends et les regarde plus attentivement. Ce sont... deux billets de hockey !

– Qu'est-ce que c'est que ça ?

– Bien, ce sont des billets pour la partie des Canadiens contre les Bruins, la semaine prochaine. Je t'invite à venir avec moi au Centre Bell.

J'affiche une mine déconfite. Je dois avoir la tête d'une morte qui a passé trop de temps sous l'eau. J'ai horreur du hockey ! L'idée de voir une bande de gorilles habillés comme des gladiateurs se poursuivre sur la glace en poussant un morceau de caoutchouc qu'ils tentent d'envoyer dans une imitation de filet de pêche m'est vraiment horripilante !

– Tu sais bien que je déteste le hockey ! Je ne supporte même pas de le voir en peinture !

– Oui, mais aucun de mes amis ne pouvait m'accompagner, et je ne voulais pas y aller seul. Alors, je me suis dit que tu pourrais venir avec moi.

Je n'en reviens tout simplement pas ! Non seulement ce cadeau n'en est pas un, en plus, il ne sert que les intérêts d'Olivier ! La seule chose qu'il désire, c'est ne pas se rendre seul à cette satanée partie, et il me donne des billets uniquement pour que je lui tienne compagnie. Peu lui importe que ça m'emmerde, pour autant que je puisse lui apporter les hot-dogs et la bière !

Je ne sais même pas ce qui me met le plus en colère : le fait qu'Olivier m'offre des laissez-passer pour aller à une activité en sachant pertinemment que je l'abomine, ou qu'il tente de me faire croire que c'est un magnifique présent ?

– Décidément, Olivier, tu as du front ! Tu t'en fiches complètement que je haïsse ce sport, n'est-ce pas ? Tout ce que tu veux, c'est que je sois là, comme une gourde, à te tenir compagnie, pendant que tu regardes la partie en... en me tripotant les cuisses ! Ce n'est pas un cadeau pour moi, c'est un cadeau pour toi !

C'en est trop ! J'en ai marre ! C'est la goutte qui fait déborder le vase. Il me prend pour un bouche-trou, ou quoi ? Que suis-je, pour lui, sa petite esclave personnelle ? Je ne le croyais pas d'un égoïsme aussi flagrant. Aurait-il pu, au moins une seule fois, faire un effort et me faire un tant soit peu plaisir ? Apparemment, non ! Excédée, je me lève. J'enfile mon manteau aussi sec. Olivier me regarde, pantois.

– Qu'est-ce qui te prend ? Tu ne vas pas me faire une scène pour ça ?

– Non, Olivier, je vais t'épargner ça. Je vais même faire mieux : je te quitte. Tu as compris ? J'en ai plus qu'assez de toi et de ton égocentrisme ! C'est fini, je ne suis plus ta servante !

J'attrape mon sac, puis mon portefeuille. J'en sors une quarantaine de dollars que je lance sur la table.

– Tiens, ça paiera mon repas, et sans doute une partie du tien. Et surtout, ne me rends pas la monnaie !

Et, d'un air théâtral, ignorant les regards étonnés des autres clients et du personnel, je plante Olivier là et sors en trombe du restaurant.

*   *

*

Voilà au moins une heure que j'erre sans but dans le centre-ville. Tout ce temps, je n'ai pas arrêté de me répéter : « Je l'ai fait, j'ai finalement fait le pas et j'ai franchi le seuil. J'ai mis fin à ma relation avec Olivier. »

Des sentiments mixtes se heurtent et s'entrechoquent en moi. D'un côté, je me sens soulagée et libérée. J'avais l'impression de traîner mon copain comme un boulet. Je vais enfin pouvoir faire ce que je veux, quand je le veux et comme je le veux. Je n'aurai plus à me sentir comme une gourde chaque fois que je me trompe ou que je fais une erreur. Je n'aurai plus de « Pourquoi tu ne restes pas avec moi plutôt que d'aller au Sex-Symbol ? » Et surtout, je n'aurai pas toujours un parasite accroché à moi qui ne pense qu'à abuser de ma générosité et se plaint sans arrêt.

D'un autre côté, je me sens triste et misérable. Me voici de retour à la case départ. Toujours seule au monde. Merde, je déteste l'univers entier. Pourquoi dois-je me retrouver à nouveau céliba-taire ? Combien de temps cela va-t-il prendre avant que je me trouve un garçon qui a de l'allure et qui va m'aimer pour ce que je suis, plutôt que d'essayer de me modeler selon ses fantasmes ? La certitude que j'avais acquise de m'être enfin casée vient de partir en fumée.

Malgré mes récriminations, je m'étais étrangement habituée à la présence d'Olivier chez moi. Le fait d'avoir quelqu'un à la maison remplissait ma solitude. De plus, sa présence me rassurait. J'étais quasiment à l'aise dans cette situation. Je vais à nouveau être seule dans mon appartement, dans ma vie, avec personne à qui parler, ou même sur qui me coller lorsque j'en ai besoin. Personne pour me protéger non plus. Je ressens un grand vide, malgré mon contentement d'avoir laissé Olivier.

Une fois éjecté de sa routine, on se met à la regretter. Je me sens comme si toutes mes certitudes et le cocon de sécurité dans lequel je m'étais enrobée venaient de m'être arrachés. L'avenir m'apparaît de plus en plus incertain. J'ai l'impression d'être prise dans une spirale tournoyante qui va m'emmener je ne sais trop où. J'ignore où ma vie va aboutir. Et je me sens bête de n'avoir pu obtenir ne serait-ce qu'un peu d'amour et de respect. Ce n'est pas si compliqué, pourtant ! Je suis incapable d'attirer de l'affection, de l'attachement. Pourquoi est-ce si difficile d'obtenir ne serait-ce qu'un brin de dignité ?

Dans quelle situation vais-je me retrouver, à l'avenir, et avec qui ? Comment me sentir sereine lorsque j'ignore tout de ce que l'avenir me réserve et que je ne maîtrise rien ? Je ne subis que défaite après défaite dans une partie d'échecs maudite contre le destin. Heureusement que mes amis sont là pour me consoler et me soutenir, sinon je serais drôlement déprimée. Le projet « Amélioration de la vie d'Amélie » ne va pas bon train.

Je me promène en regardant les vitrines. Tout est éteint et semble mort.

Seule chose vraiment positive : je peux dire que je me suis bien défoulée en jetant mon fiel à la figure d'Olivier, même si c'est peu honorable. Ma façon de le laisser m'a cependant permis de me vider le cœur. Bon, je crois que je vais rentrer à la maison, je suis gelée.

*　　*

*

À la maison, je regarde mon répondeur : aucun message. Olivier doit être de retour chez lui, maintenant. S'il l'avait voulu, il m'aurait appelée. Soit il a compris que je ne voulais pas le revoir, soit son orgueil a été blessé. Je vais faire un tour sur Internet pour voir si je peux me consoler un peu. Pour me faire plaisir, je dévore également la gigantesque boîte de chocolats que j'avais achetée pour Olivier, car j'en ai bien besoin.

La mort dans l'âme, j'efface toute trace d'Olivier de mon ordinateur, de mon appartement et de ma vie. Je suppose que demain est un nouveau jour.

* *

*

Voilà près d'une semaine que j'ai laissé Olivier et qu'il ne m'a pas redonné signe de vie. C'est pour le mieux, je suppose. En attendant, pour me changer les idées, je me suis transformée en véritable bourreau de travail et j'ai atteint un niveau d'efficacité qui me surprend moi-même. Je reste souvent au bureau jusqu'à très tard le soir. Et quand je me résous à sortir, je me promène longuement pour éviter de rentrer chez moi où je me sens terriblement seule.

Malgré ma rupture avec Olivier, je n'ai pas osé donner de nouvelles à Laurent. Une forme raffinée d'autopunition, peut-être. Et je crois que j'ai besoin d'être seule pour un petit bout de temps. Le temps de réfléchir un peu sur la façon dont je vais m'y prendre pour mettre mon plan « Amélioration de la vie d'Amélie » réellement à exécution. Alors que je me promène au froid dans les rues presque désertes du centre-ville, une voix mielleuse m'interrompt.

— Tiens, tiens, tiens, mais n'est-ce pas cette chère Amélie Tremblay que je vois là !

Je me retourne, médusée. Je reconnais cette voix, je sais qu'elle déchaîne des frissons d'horreur partout dans mon corps, me fait dresser le poil des jambes et provoque des arythmies cardiaques. Malheur ! Pourquoi faut-il que je tombe sur elle à un moment pareil !

J'identifie la silhouette qui s'approche de moi à pas feutrés. C'est mon cauchemar, ma bête noire, mon ennemie jurée : Élizabeth Saint-Georges ! Cette fille a étudié avec moi à l'université, en communications, il y a plusieurs années. Dotée d'un corps de déesse, de longs cheveux blonds et soyeux – nuance *Noix grillées* n° 5,5 – tombant en cascade sur ses épaules, yeux bleu ciel, allure grande et mince, poitrine démesurée et artificielle, elle est l'incarnation parfaite du mal, c'est-à-dire : la superbe greluche. Élizabeth – qui a de la difficulté à écrire une phrase de plus de dix mots – a toujours eu des notes passables dans nos cours et a obtenu son diplôme de justesse.

Mais mademoiselle Saint-Georges – Seins-Gorge, comme je me plaisais à l'appeler – a une maman propriétaire d'un des magazines les plus *in* au Québec, qui s'appelle *Au féminin* – notre principal concurrent, en fait. La chère petite Élizabeth, même pas sortie de l'université, avait déjà hérité d'une prestigieuse et lucrative chronique de mode au magazine de maman. À peine quelques années plus tard, toujours grâce à maman Saint-Georges, Élizabeth est devenue rédactrice en chef de *Au féminin*. Elle n'avait même pas trente ans qu'elle avait déjà l'un des postes clés les plus importants du milieu. Bien sûr, elle est née dans une famille riche qui lui a toujours tout donné et elle sort avec le P.-D.G. d'une richissime entreprise d'électronique.

Arrgghhh... cette salope incarne tout ce que je déteste. Pourquoi tomber à nouveau sur son chemin ?

– Alors, comment vas-tu, chère Amélie ? me demande la sublime apparition.

144

Grrr... j'ai toujours détesté qu'elle m'appelle ainsi ! J'aurais envie de lui enfoncer mes doigts dans ses jolis yeux. Je l'observe avec appréhension. Elle me dépasse certainement d'un bon demi-pied et je dois lever la tête pour la regarder dans les yeux. La manière parfaite pour avoir une vue en contre-plongée dans ses trous de nez. Charmant...

— Bof, ça va... marmonné-je, furieuse de ne rien avoir de mieux à lui dire pour lui clouer le bec.

— Ah, moi, ça va superbement, comme d'habitude, se vante-t-elle. Tu sais, les ventes de notre magazine ont augmenté de 22 % le mois dernier. Et les affaires de Jordan vont bien aussi, il doit exporter des produits vers la Chine... Ouf ! On est débordés, c'est l'enfer, être rédactrice en chef, tu sais. Parfois, je donnerais n'importe quoi pour avoir un boulot plus simple.

Et bla-bla-bla... Qu'est-ce que je m'en fous ! Elle m'énerve, cette fichue miss parfaite ! Pourquoi doit-elle venir me saper le moral encore davantage ? Je me sens déjà assez mal comme ça, je n'ai pas besoin qu'elle vienne me frotter son succès en pleine figure en plus !

Je n'ai rien contre les gens qui réussissent. Non. Je trouve ça génial quand une personne réussit à force de persévérance. J'admire ceux qui obtiennent du succès par le travail. Ce qui m'exaspère, c'est quand le succès tombe sur les gens sans même qu'ils aient à lever le petit doigt. Le succès non mérité m'énerve. Ce qui est le cas de la duchesse de Seins-Gorge.

— Dis donc, tu es sûre que ça va ? me demande la Seins-Gorge. Tu es dans une forme minable.

Aussi douce qu'un porc-épic, comme d'habitude !

— Ouais, ouais, ça va. Moi aussi, tu vois, je suis débordée au travail. Je te laisse, je dois rentrer chez moi.

145

– Bon, ça faisait plaisir de te voir, chère Amélie. À bientôt !

Plutôt crever ! Je me retourne pour la regarder s'éloigner et la haïr encore quelques instants. Qu'est-ce qu'elle pouvait bien faire dans le coin ? Si je me rappelle bien, elle habitait et travaillait à Outremont. Alors, qu'est-ce qu'elle fait à se promener dans une rue du centre-ville à une heure pareille ?

* *

*

Alors que je travaille encore tard le soir au bureau, pour éviter de rentrer dans un appartement trop vide, je reçois un coup de fil.

– Bonjour, mademoiselle Tremblay, c'est Fernand Lachance, dit une voix masculine dans le combiné.

Ce nom ne me dit rien. Comment me connaît-il ? Soudain, je me rappelle : c'est l'oncle maternel de Gabrielle, le pharmacologiste ! Ça faisait si longtemps que je lui avais donné les documents sur les produits de ma chronique – près de deux mois, en fait – que je l'avais oublié ! N'ayant rien trouvé à propos de Carbu-Drink, je n'y songeais presque plus. Après tout, ce ne serait pas la première fois qu'une compagnie aurait des problèmes avec Santé Canada. Rien d'inquiétant ou d'inhabituel de ce côté-là.

– Heu... bonjour, monsieur Lachance. Comment allez-vous ?

– Bien, mademoiselle Tremblay, me dit-il. Et vous ?

Je ressens un curieux malaise dans la voix de M. Lachance.

– Alors, quelles nouvelles ?

– Écoutez, mademoiselle Tremblay..., commence-t-il, plus grave.

146

Oh là là ! Une phrase qui commence de cette façon, c'est généralement inquiétant et presque toujours mauvais signe. Je n'aime pas ça du tout. J'essaie malgré tout de détendre l'atmosphère, histoire de me rassurer.

– Je vous en prie, appelez-moi Amélie.

– Amélie, il serait bien que l'on se rencontre, car j'aimerais vous parler des documents que vous m'avez envoyés sur les produits de Carbu-Drink. Je pars bientôt pour deux semaines, pour une conférence. Je pourrais vous voir seulement le mois prochain.

– Vous ne pourriez pas m'en parler tout de suite, au téléphone ?

– Je préfère pas. Je trouve ça inapproprié et un peu risqué.

Risqué ? Mais, qu'est-ce qu'il a bien pu découvrir, ce bonhomme ? Aurait-il peur pour sa vie ou sa carrière ? On se croirait dans un polar de série B. J'aimerais vraiment voir monsieur Lachance plus tôt, mais ça ne semble pas possible.

– Bon, d'accord. Le mois prochain.

Bordel ! Comment vais-je pouvoir attendre aussi longtemps, moi ? Quelle est cette mystérieuse découverte ? Pourquoi cela le trouble-t-il ? Moi qui pensais que les problèmes de Carbu-Drink étaient banals et sans intérêt, on dirait que je me suis royalement trompée. Décidément, je me laisse aller ! Ça promet !

Prendre en note : traiter mes sujets plus sérieusement et fouiller davantage.

* *
*

Je suis à moitié endormie dans le métro, en route pour le travail, quand j'entends soudain une voix enjouée.

– Tiens, mais c'est cette chère Amélie Tremblay !

Non ! Ce n'est pas possible ! Pas encore elle ! Je me retourne pour apercevoir encore la Seins-Gorge, vêtue d'un tailleur luxueux de chez Dior. Qu'est-ce qu'elle fout ici ? Ne devrait-elle pas prendre sa Cadillac avec son chauffeur privé pour se rendre au boulot ? Pourquoi prendrait-elle le métro, tout à coup ? Et pourquoi est-elle au centre-ville alors qu'elle travaille à Outremont ? Quelque chose cloche... Se pourrait-il que les choses n'aillent pas aussi bien qu'elle le dise ? À moins qu'elle ne vienne ici rien que pour me narguer...

– Alors, qu'est-ce que tu fais là ? demande Seins-Gorge avec son sourire de pâte dentifrice.

– Ben, je me rends au boulot, qu'est-ce que tu crois ? Comme tout le monde...

Franchement, Élizabeth est toujours aussi bête ! Qu'est-ce qu'elle s'imagine ? Que je fais du tourisme en métro ? Et je n'ai vraiment pas envie de me faire emmerder le matin. Je n'ai même pas pris mon café, je suis toute seule et je n'ai pas la forme. L'arrivée de Seins-Gorge a tôt fait de me gâcher mon début de journée.

– Et toi, qu'est-ce que tu fiches ici ? demandé-je, aussi courtoisement que mon envie de l'étriper me le permet.

– Oh, moi... je me promène. Ça me change les idées de prendre le métro, pour une fois. Avec la populace, ça me change du luxe dans lequel je vis constamment.

Si sa remarque n'était pas drapée de mépris, je rigolerais. Pour certaines personnes comme Élizabeth, la pauvreté est une sorte de mode de vie incroyablement exotique. Observer les travailleurs de la classe moyenne s'apparente à un safari dans la brousse africaine.

Il ne manque plus que le fusil, l'appareil photo et le trophée de chasse pour compléter l'escapade. Et pourquoi Élizabeth me parle-t-elle de tout ça ? Pourquoi doit-elle avoir tout réussi, sans même avoir à lever le petit doigt une fois dans sa vie, alors que moi, je me démène comme une forcenée pour avoir un brin de succès ?

– Ah ! Et puis zut ! s'exclame soudain Élizabeth. Je devrais garder le secret, mais je n'en peux plus ! Et uniquement parce que c'est toi et que je t'aime bien, je vais le dire. *Au féminin* vient de déménager ! À quelques coins de rue de la revue où tu travailles..., c'est quoi déjà, le nom ?

Je prends une grande respiration, et tente de me calmer pour ne pas sauter sur Élizabeth, lui ouvrir la poitrine à mains nues et lui arracher le cœur pour ensuite le manger.

– *Féminine.com*..., dis-je d'une voix blanche.

Alors, c'était donc ça ! Notre plus grand concurrent a déménagé tout près ! Je comprends maintenant pourquoi j'ai croisé Élizabeth deux fois en un mois ! Au secours ! Ne me dites pas que je vais la voir chaque semaine !

– Bon, c'est ici que je descends, annoncé-je.

– Ça tombe bien, moi aussi !

Génial... est-ce qu'elle va me suivre jusqu'aux toilettes également ?

– Bon, je te laisse, chère Amélie. À plus tard !

Je rassemble toutes mes forces pour ne pas lui envoyer mon pied à la figure et lui fais un sourire.

*   *

*

149

L'appel de monsieur Lachance me tarabuste sérieusement. Plus j'y songe, plus je me dis que j'ai été négligente dans ce dossier. Je suis convaincue que quelque chose m'a échappé.

L'attitude de monsieur Lachance au téléphone, le changement de comportement des employés de Carbu-Drink, les problèmes juridiques avec Santé Canada : quelque chose de pas catholique se trame. Mais quoi ?

Je me remémore les paroles de Laurent. Il a dit que si j'avais besoin d'aide, il était là. Si je me rappelle bien, il travaille dans le domaine de la nutrition. Peut-être pourrait-il m'éclairer ? De plus, ça me fera une belle excuse pour l'aborder de nouveau. Avec le temps, je me sens moins coupable de songer à lui.

Je le joins par courriel pour lui demander de me contacter. Le surlendemain, je le rencontre dans un resto après le travail. Je lui parle du peu de choses que je sais de Carbu-Drink et de Santé Canada et lui demande s'il sait quelque chose à ce sujet. Tout ce qu'il connaît, même si c'est peu, m'aiderait.

— Écoute Amélie, je n'ai pas tous les détails, mais je peux te dire ce que je sais. Du moins, de mon domaine d'expertise.

— Toute l'information que tu peux me donner me sera utile. En ce moment, pour moi, ce qui se passe entre Carbu-Drink et Santé Canada, c'est une vraie jungle !

— D'abord, ce que je peux t'affirmer, c'est que tous les aliments qui sont mis sur le marché sont étudiés scrupuleusement par des équipes de scientifiques pendant des années. Un produit ne se retrouve pas sur les tablettes sans ces tests qui prouvent leur sécurité.

— Oui, mais d'après ce que je comprends, la nouvelle boisson de Carbu-Drink a été retirée du marché. Sans doute ont-ils décou-vert quelque chose de dangereux ?

– Ça m'étonnerait beaucoup. Tu sais, des fois, il suffit d'une plainte à propos de l'étiquetage d'un aliment pour qu'il soit temporairement retiré du marché. Surtout maintenant, avec les allergies alimentaires, on n'est jamais trop prudent.

– Et ce serait suffisant ? Donc, ça ne veut pas dire qu'il y a un danger ?

– Bien sûr que non. De plus, Carbu-Drink est une entreprise américaine. Il se peut qu'elle ne soit pas au fait de chaque loi ou de chaque règle de Santé Canada. Et c'est un fait reconnu que les lois sont plus sévères au Canada qu'aux États-Unis en matière d'alimentation ou de médicaments. Enfin, tu me diras ce que ton scientifique a trouvé, je serais très curieux de le savoir.

Je me suis énervée pour rien, en fin de compte. Je vais attendre les résultats de monsieur Lachance avant de m'inquiéter.

Chapitre 10

Bingo et Diablo

(Mars)

Jeune, la femme se préoccupe de savoir qui sera l'homme de sa vie. Âgée (une femme n'est jamais vieille), elle se demande pourquoi elle s'est trompée.

Alix Girod de l'Ain

Depuis que Jessica Couture, la chroniqueuse de « Couple et Sexualité » est en préretraite, un projet a commencé à germer dans ma tête : pourquoi ne pas fusionner ma chronique et la sienne ? Puisque la direction ne lui a pas encore trouvé de remplaçant et que je n'ai pas de formation de sexologue, je pourrais néanmoins tester des objets se rapportant au sexe. Après tout, pourquoi pas ?

Après avoir hésité longtemps, je fais la proposition en privé à Jessica et à Justin, tout en évitant soigneusement d'en glisser un mot à Audrey. Je sais, c'est méchant... À ma grande surprise, l'idée les enthousiasme. Ça évitera au conseil d'administration de se dépêcher de trouver un nouveau chroniqueur, et ça enlèvera de la pression sur les épaules de Jessica, qui pourra glisser lentement vers la retraite. Ça coûtera également moins cher au magazine, puisqu'il fera d'une pierre deux coups. Un argument de taille pour les fantômes du conseil d'administration. Je ferai le travail de deux personnes, en quelque sorte.

De plus, ça me donnera probablement plus de liberté sur le choix de mes sujets et ça empêchera peut-être Audrey-la-vampire de m'en imposer. Bien sûr, je garde cet avantage secret.

* *

*

Depuis près de deux semaines, je croise Laurent au stand à café une journée sur deux. Lors de notre conversation sur Carbu-Drink, je lui ai avoué que je n'étais plus avec Olivier. Curieusement, depuis ce jour-là, il est présent beaucoup plus souvent au café.

De mon côté, j'ai laissé tomber la culpabilité. De toute manière, je n'ai pas à me sentir mal d'avoir laissé Olivier. Il me traitait comme une véritable servante et ne s'intéressait même pas à ce que je faisais. Pourquoi devrais-je avoir le moindre malaise, alors que Laurent m'a toujours accordé beaucoup plus d'attention et a été si gentil avec moi ?

Plus j'y pense, plus je me sens attirée par Laurent. Non seulement il me pose des questions sur ma vie personnelle, ma petite enquête et mon travail, mais il me manifeste plus d'intérêt qu'Olivier ne l'a jamais fait. Et il a un charme fou. Je devrais peut-être songer à l'inviter et... qui sait ? Peut-être aller plus loin dans notre relation ?

*   *

*

Me voilà au *sex-shop*. Dans le jardin d'Aphrodite, toujours avec cette chère Laurie qui s'amuse et glousse comme une écolière en examinant la marchandise. J'ai franchi la première étape en faisant approuver mon premier thème sur les objets destinés au commerce du sexe : les vibrateurs. Il n'y a pas de honte à parler de ça, non ? Et je suis certaine que ça intéressera les lectrices.

Je ne peux m'empêcher de sourire en me remémorant la réaction d'Audrey, à la réunion, lorsqu'elle a appris la nouvelle. La pauvre... Au fond de moi, je la plains un peu. Ce n'est pas bien de ma part de me réjouir de ses échecs. Je fais tout pour passer par-dessus son autorité ; elle ne me laisse pas le choix. Elle a protesté en apprenant le thème de mon article, en disant que c'était cautionner la perversité, et a sorti d'autres arguments rétrogrades, mais Justin estimait qu'au contraire, il fallait être à l'avant-garde et parler de sujets excitants et vendeurs.

En fait, je parie qu'elle n'aime pas cette idée qui ne vient pas d'elle et parce que le sujet est intéressant et risque d'attirer l'attention sur moi. Tant que Justin me soutient, je n'ai rien à craindre, car Audrey ne s'opposera pas à ses décisions. Je commence enfin à reprendre du poil de la bête et respecte un peu plus mes résolutions de début d'année. Youpi ! Le niveau de désespoir a baissé d'un demi-point, me voilà à cinq sur dix. La limite acceptable.

Je suis en plein magasinage de vibrateurs pour ma prochaine chronique de tests. Je suis impressionnée par le choix : il y a près d'une dizaine de rangées de ces objets phalliques, et de toutes les sortes ! Je ne croyais pas qu'une femme puisse avoir accès à autant de modèles de pénis artificiels différents. J'ignorais aussi que les femmes avaient autant besoin de s'autosatisfaire au point que les commerces leur donnent autant d'options. Avoir su, je me serais penchée sur le sujet bien avant. Et dire que je n'en ai jamais même touché un de ma vie...

J'observe les multiples modèles avec Laurie. La variété est surprenante : avec boîte de commandes intégrée, commandes séparées, plusieurs moteurs indépendants, avec des rotations à gauche ou à droite variables et ajustables, avec ou sans stimulation clitoridienne ou anale, avec petites perles blanches pour la stimulation, sans compter les différentes couleurs ou grosseurs. Meeeeeerde, c'est vraiment incroyable !

Ma copine me tend un vibrateur en rigolant.

— Regarde, me dit-elle.

« Le Vibradent : l'objet de voyage idéal qui est un vibrateur d'un côté, et un manche de brosse à dents de l'autre. La vibration émise par le Vibradent stimulera votre point G et massera gentiment vos gencives. Emmenez-le avec vous pour vos voyages d'affaires ! Vous ne pourrez plus vous en passer ! »

– Oh, mon Dieu ! Quelle horreur ! C'est dégoûtant !

Je ne m'imagine pas me masturber avec cet objet pour ensuite le retourner et me brosser les dents !

– Essaie-le, au moins. Tu verras bien, me répond Laurie.

– Bon, d'accord.

– Dis donc, combien veux-tu en acheter, de ces trucs ?

– Bien, habituellement, on en prend entre six et dix, pour faire un bon échantillonnage. Pourquoi cette question ?

– Te rends-tu compte que tu vas devoir tous les essayer pour en parler dans ton article ?

Laurie marque un bon point : malgré mon habitude de faire des tests, je n'avais pas pensé à l'aspect pratique. C'est bien mon genre, ça. Je vais devoir expérimenter tous ces vibrateurs sur moi, environ trois fois chacun, pour être sûre de mon coup, et ce, en un mois ! De quoi faire une irritation ! Il va falloir que je pense à inclure un bon tube de gel lubrifiant dans mes achats. Et une fois les essais terminés, qu'est-ce que je vais bien faire de tous ces objets-là ? Bien entendu, Laurie et Gabrielle en auront un chacune, car ce sont mes copines, mais que vais-je faire du reste ? Les donner à ma mère et à ma sœur, ou aux filles du bureau ? Je me vois mal en train de distribuer tous ces machins en forme de phallus...

Et je ne les conserverai pas tous dans ma commode. J'imagine déjà si quelqu'un tombait sur ma dizaine de pénis artificiels, j'aurais l'air d'une vraie obsédée sexuelle, d'une nymphomane en délire et d'une dépravée.

– Ça veut dire que je vais devoir me... masturber avec ces trucs environ dix-huit à trente fois ce mois-ci... Tu ne voudrais pas m'aider un peu ? Je veux bien compenser mon manque de sexe dû au célibat, mais tout de même...

– D'accord, pour l'objectivité de la chronique. Il va falloir que nous essayions chaque modèle au moins une fois, chacune de son côté.

– Bien sûr.

Laurie saisit un vibrateur en poussant un cri d'admiration.

– Oh ! Regarde celui-là ! Le stimulateur clitoridien est en forme de dauphin, c'est vraiment trop mignon !

– Laurie, nous parlons de vibrateurs, je ne crois pas que le terme « mignon » soit approprié ici.

En fin de compte, après avoir attentivement examiné tous ces objets, Laurie et moi avons fixé nos choix sur cinq d'entre eux. C'est bien suffisant pour l'échantillonnage. Le « Vibradent » ; le « Super-Pénétreur », avec stimulation clitoridienne et anale (brrr...) et à l'épreuve de l'eau – devinez pourquoi ; le « Pain baguette », un machin couleur chair gigantesque avec une poignée ; le « Missile », avec commandes séparées, moteurs indépendants et même une télécommande ; l'« Orbiteur », avec perles et rotations gauche-droite variables et ajustables ; et le « Diablo », le modèle le plus simple et le moins cher.

*   *

*

157

Après une semaine d'essai, j'avoue que les vibrateurs sont beaucoup plus efficaces que je ne l'aurais imaginé. En plus, j'ai quelqu'un à qui penser pendant que je m'exerce : le beau Laurent. Avant, j'avais toujours considéré de haut les femmes seules qui se servaient de ces engins, car je trouvais pathétique le fait de se « soulager » avec un tel bidule. Ensuite, je me sentais dégoûtée à l'idée de me mettre un truc artificiel entre les jambes. Cependant, il est vrai que ça console une femme d'une façon merveilleuse.

Il n'y a pas à dire, les pénis artificiels font le boulot aussi bien que ceux de chair, à la différence que c'est la femme qui le contrôle, ce qui rend le plaisir encore plus jouissif. Je devrais songer à remplacer le chocolat et la crème glacée par du sexe au vibrateur. Ça a autant de vertus consolatrices, ça ne fait pas grossir et ça fait même dépenser de l'énergie. Le truc parfait, quoi !

Je vais garder le Diablo pour mon usage personnel. Et dire qu'il faut que je prête mes phallus à Laurie pour au moins une semaine...

* *

*

Voilà un mois que je ne vois plus Olivier. Je me sens étrangement habituée à la solitude. Il y a même des moments où je souris en me rappelant soudain à quel point Olivier pouvait me faire enrager. Rien que le fait de me remémorer les moments en soirée que je passais à lui faire à manger et à le servir me hérisse le poil. De plus, je n'ai plus besoin de me forcer à cuisiner des plats. Je peux, pour souper, prendre un tube de pâte à biscuit crue et la manger directement de l'emballage sans culpabilité.

Par contre, il y a des instants où la maison est terriblement silencieuse. Malgré le fait que nous parlions à peine, Olivier était une présence à la fois rassurante et réconfortante, une bouée qui remplissait mon vide intérieur. Me voilà à nouveau face au vide et seule, sans personne pour l'affronter avec moi, même silencieusement. Dans ces moments de solitude, j'aurais presque envie de rappeler Olivier, de le supplier de revenir, mais mon orgueil et les souvenirs ressurgissant aussitôt, je change d'idée. À la fois heureuse de ne pas avoir cédé et triste d'être encore abandonnée, je pars généralement me coucher, en larmes.

Non, je ne devrais pas penser de la sorte ! Je devrais me tourner vers l'avenir et songer à Laurent. Il faudrait que je trouve un moyen de le courtiser. J'aimerais tant qu'il fasse les premiers pas...

*   *
*

Enfin ! J'ai rendez-vous avec monsieur Lachance dans un petit café près de l'université où il enseigne. C'est un petit homme trapu, avec une moustache et une couronne de longs cheveux blancs. Le dessus de son crâne luit comme une boule de billard. Jamais je n'aurais pu me douter qu'il était de la même famille que Gabrielle.

J'avais pensé demander à Laurent de m'accompagner à cette rencontre, puisqu'il travaille dans le milieu de l'alimentation et de la santé et semble s'y connaître en la matière. On ne sait jamais. J'espérais qu'il puisse m'aider à saisir tout ce que monsieur Lachance allait m'expliquer. Mais l'oncle de Gabrielle a refusé : il tenait à ce que je vienne seule. Il m'intrigue, le bonhomme. Je m'assois devant lui, anxieuse. Que va-t-il me dire ? Qu'a-t-il découvert ? Il sirote son café, puis sort un dossier qui contient les documents que je lui ai envoyés.

– Amélie, j'ai lu tous les dossiers que vous m'avez envoyés et je les ai analysés. Je dois dire que ça m'a pris un bon bout de temps, car c'était très technique. L'un d'eux, en particulier, m'a donné du fil à retordre.

Monsieur Lachance sort une pile de papiers de sa serviette. Je retiens mon souffle, suspendue à ses lèvres. Quel scandale, quel complot, quel crime a-t-il bien pu trouver parmi les rapports sur les boissons désaltérantes ?

– J'ai trouvé des choses bien intéressantes dans ces analyses-ci, dit-il en me désignant une feuille.

– Alors... quoi ?

– Eh bien, l'un des breuvages que vous avez analysés est un tout nouveau produit, sur le marché depuis peu de temps, n'est-ce pas ? demande monsieur Lachance.

– C'est exact. La marque « Vectorade », faite par Carbu-Drink, est en vente depuis à peine plus d'un an. Jusqu'à présent, c'est le meilleur produit dans le genre. Il est très performant. On peut faire de l'exercice trois fois plus longtemps avec ça. On se fatigue moins vite et on se sent plus en forme. Depuis sa mise en marché, le Vectorade écrase tous ses concurrents.

– Oui... Voyez-vous, il y a diverses substances contenues dans le Vectorade, destinées à améliorer les prouesses des athlètes. On compte, parmi elles, une dont je vous épargnerai le nom – il est long et compliqué – qui est toute nouvelle. C'est un nouveau dérivé de l'acétaminophène. Vous savez, l'aspirine ?

J'acquiesce, sans vraiment comprendre. J'essaie tant bien que mal de deviner où il veut en venir. Il y aurait de l'aspirine dans une boisson désaltérante ? Bon, et alors ? Je ne vois pas en quoi c'est grave.

– Cette substance a à peu près les mêmes propriétés que l'acétaminophène, poursuit monsieur Lachance. Elle diminue la douleur, clarifie le sang, augmente le flot sanguin, réduit l'effet coagulant des plaquettes dans le sang. Cela a pour effet de réduire la sensation de fatigue. Des effets bénéfiques recherchés par les sportifs.

Monsieur Lachance est tranquillement en train de me perdre. Plus il parle, moins je saisis où il veut en venir. Quel est le rapport entre l'aspirine et ces satanés breuvages ? J'aurais vraiment dû insister et emmener Laurent avec moi. Je me sens complètement nouille.

— L'ennui, continue le pharmacologiste, c'est que cette matière a également des effets secondaires : saignements au niveau de l'estomac et du cerveau, problèmes de rein, palpitations, vomissements et même crises cardiaques.

J'avale ma salive de travers. Aïe ! Ces effets secondaires semblent drôlement sérieux. Et dire que j'ai bu plusieurs bouteilles de ce Vectorade ! Qu'est-ce qu'un truc pareil ferait dans une boisson désaltérante ? Si vraiment il y a des effets secondaires aussi graves, comment ce produit peut-il être sur le marché ? C'est absurde ! Et si les chances de développer de tels effets secondaires étaient infimes ? J'ai peur d'en savoir plus, néanmoins je poursuis l'interrogatoire.

— Quels sont les risques réels de développer des effets secondaires graves ?

— En théorie, si vous n'en prenez que de temps en temps, c'est peu probable. Vous avez environ une chance sur un million d'avoir ces problèmes. Par contre, si vous êtes un sportif régulier, que vous buvez ce produit souvent, et en faisant des efforts physiques par-dessus le marché, ça pourrait bien multiplier les chances de faire une crise cardiaque par dix... ou par cent.

Hum... ça fait une chance sur dix mille. Pas énorme, mais tout de même. Combien de ces boissons sont consommées sur le marché et combien de gens les ingurgitent dans les conditions énoncées par monsieur Lachance ? Il y a, en Amérique seulement, des dizaines de milliers de gens – autant dans les niveaux professionnels qu'amateurs – qui pratiquent du sport sur une base régulière et qui doivent consommer de ces breuvages. Supposons que, sur une année, cent mille sportifs consomment cette boisson ; avec une chance sur dix mille de faire une crise cardiaque, cela fait au moins cent personnes qui sont sérieusement à risque ! Peut-être même plus ! Hum... je n'aime pas tellement ça !

Aurais-je mis le doigt dans un mauvais engrenage sans m'en rendre compte ? Et dire que j'avais traité ce produit de façon si légère. J'ai bien failli passer à côté de quelque chose de grave ! J'avais des documents compromettants sous la main depuis des mois et je ne m'en doutais même pas !

– Comment ce produit, si vraiment il est dangereux, a-t-il pu se trouver sur le marché ? Ça me semble parfaitement insensé !

– Le produit a été autorisé par la FDA, la Food and Drug Administration, aux États-Unis. C'est un peu l'équivalent de Santé Canada.

– Comment ces gens ont-ils pu laisser passer ça ? C'est aberrant !

– Avez-vous déjà entendu parler des chips sans gras ? demande monsieur Lachance.

– Heu... non.

– C'est un excellent exemple des problèmes de gestion de la FDA. Ces chips sont frites dans un produit, appelé Olestra, qui empêche le corps d'absorber le gras. Ce produit est si dangereux qu'il est interdit au Canada. Il cause des problèmes gastro-intestinaux, des problèmes cardio-vasculaires ou de la cécité et augmenterait les risques de développer un cancer. En 2000, la FDA a reçu 18 000 plaintes au sujet de ces chips.

162

Je suis complètement atterrée. Comment peut-on être aussi irresponsable ? Monsieur Lachance en rajoute :

– Après tout, nous parlons des mêmes personnes qui ont laissé des médicaments comme le Vioxx se répandre sur le marché, alors que les études menées sur ces médicaments étaient insuffisantes. Voyez le résultat : de graves problèmes, des morts et une poursuite judiciaire faramineuse. Alors, il n'est pas impossible que la FDA ait laissé passer le Vectorade malgré le danger.

– De toute façon, le Vectorade a été retiré du marché, non ?

– Non, c'est une autre boisson de Carbu-Drink qui a été retirée. Le Vectorade est toujours en vente libre. Santé Canada n'aurait encore rien trouvé à son sujet qui justifie un retrait.

Hum... toute cette histoire est louche. Je n'ai pas vraiment de preuve directe à l'appui et pour l'instant, ce ne sont que des hypothèses, mais elles sont sérieuses. Un bon journaliste se doit d'avoir des sources fiables avant de publier une nouvelle. C'est l'une des règles de base. Il faudra que je poursuive mon enquête plus loin.

*   *

*

– Joyeux anniversaire !

J'ouvre les yeux. Devant moi apparaît un énorme gâteau, au chocolat, bien sûr... Autour de moi se tiennent Antoine, Laurie et Gabrielle. Tous trois applaudissent en riant. Aujourd'hui, 16 mars, c'est mon anniversaire, et Laurie a décidé de nous recevoir, plutôt que de passer encore une soirée au Sex-Symbol. Bien entendu, je passerai la fin de semaine avec mes parents, afin qu'ils puissent célébrer les vingt-neuf années de mon existence. Génial, plus qu'un an avant la trentaine...

– Ah zut ! interrompt Gabrielle en se tapant le front. J'ai oublié de dire quelque chose à mon assistante !

Elle s'empresse de saisir son téléphone cellulaire. Antoine le lui arrache illico des mains.

– Tu vas m'arrêter ça, oui ? Cesse de travailler deux secondes et apprends à te détacher de ton boulot ! Espèce de maniaque ! Tu n'es plus au bureau. Même moi, je suis moins pire que ça avec mes gadgets et mon job. Et je suis un gars, pour l'amour du ciel !

Gabrielle soupire et accepte de se soumettre. Alors qu'Antoine me tend mon présent, je le regarde d'un air soupçonneux et je m'empresse de déballer le tout. C'est... un énorme phallus en chocolat ! Je ne sais pas si je dois en rire ou me sentir outrée. À en juger par le ricanement de mes amis, ça tient de la blague.

– Laurie m'a dit qu'il t'en manquait, à la maison...

– Très drôle... Cinq pénis de plastique et un de chocolat. Il ne me reste plus qu'à en trouver un qui soit de chair, maintenant.

– Tu as des chances d'y arriver si tu te rappelles les cinq secrets pour obtenir ce qu'on veut des hommes, répond Gabrielle. Tu sais, moi, ça m'a beaucoup aidée à améliorer ma relation avec Alexandre.

Qu'est-ce qu'elle entend par là ? Qu'elle est apte à garder un gars et que j'en suis incapable ? Ce qu'elle peut être agaçante depuis qu'elle est fiancée ! Elle semble se prendre pour l'épouse parfaite et croire que tous les autres ne sont que des mésadaptés sociaux. Tout ce qu'elle dit sonne comme : « Ceux qui ne sont pas rendus là où je suis dans mon couple ne sont que des cons ! » Sans m'en rendre compte, le ton de ma voix augmente.

– Quels cinq secrets ? De quoi parles-tu ?

– Mais... c'était dans *Féminine.com* il y a six mois de cela. Ne lis-tu jamais ton propre magazine ? répond Gabrielle.

Je rougis. Je ne le parcours pas au complet, c'est bien vrai – j'en ai déjà assez de mes articles, la plupart du temps –, mais je ne pensais pas avoir commis un tel crime en omettant cet article... Tout en retouchant son rouge à lèvres, Gabrielle s'empresse de tout m'expliquer, en bonne et parfaite petite ménagère qu'elle est devenue.

Je lève un sourcil, étonnée. Est-ce que toutes les femmes sur la planète, à part moi, connaissent ces trucs ? Ça ressemble aux recettes des années 1960 que ma mère me donnait pour ama-douer la gent masculine. De quoi Gabrielle parle-t-elle ? Est-ce que ça aussi, c'était dans *Féminine.com* ? Il serait temps que je le lise plus souvent.

– Numéro un : enrober les demandes potentiellement désa-gréables dans du « bonbon ». Pour chaque activité déplaisante, il faut leur donner une récompense. Numéro deux : toujours deman-der les choses gentiment. On peut même le faire d'un air *sexy*, si possible. Numéro trois : faire croire aux hommes qu'ils ont de bonnes idées, ça remonte leur estime personnelle. Numéro quatre : les récompenser avec de la nourriture. Ça peut paraître cliché, pourtant ça marche. Numéro cinq : utiliser la psychologie renver-sée pour obtenir ce qu'on veut, mais qu'on se doute qu'ils ne veulent pas nous donner.

Hum... je vais devoir réfléchir à ça... Va falloir que je prenne tous ces trucs en note.

*   *

*

J'ai parlé à Laurent de ce que monsieur Lachance m'a confié. Je suis inquiète et j'aimerais avoir une seconde opinion. Laurent me rassure. Beaucoup d'aliments, en apparence banals, contiennent des produits qui, lorsqu'il y a abus, peuvent causer des problèmes de santé.

— Prends la caféine contenue dans les boissons gazeuses, par exemple, m'explique Laurent. En fortes doses, elle peut causer des spasmes, des palpitations cardiaques, des ulcères, des œsophagites. Dans des cas extrêmes et rares, elle peut même causer des troubles psychiatriques. Pourtant, un grand nombre de breuvages vendus sur le marché actuel en contiennent. Certains sont même destinés aux enfants !

Je dois reconnaître que l'explication de Laurent tombe sous le sens. Peut-être que monsieur Lachance a exagéré, en fin de compte, et que le médicament contenu dans le Vectorade n'est pas si meurtrier que cela. Et, à ma connaissance, il n'y a pas eu de plainte encore à son sujet.

— Tu sais, ajoute Laurent, des exagérations comme celle-là, j'en vois régulièrement dans mon milieu. Ton monsieur Lachance est plein de bonnes intentions, mais les scientifiques voient souvent le côté dramatique des choses et ont tendance à s'inquiéter pour des riens. Je te conseille de ne pas trop t'en faire, Amélie. Bien sûr, c'est toi qui décides de ce que tu vas faire. En cas de doutes, tu n'as qu'à me contacter, je t'assisterai encore avec plaisir.

Laurent a raison. Il faut que je réfléchisse. L'ennui, c'est que je me sens encore plus mêlée que je ne l'étais au départ. Qui dois-je croire ? J'aimerais bien que Laurent ait raison sur toute la ligne. Une petite voix me dit que je devrais poursuivre mon investigation, malgré tout.

*   *

*

166

Depuis ma rupture d'avec Olivier, je m'arrête toutes les semaines devant l'animalerie de mon quartier. Je regarde, chaque fois, les chatons et les petits chiots avec envie en m'exclamant : « Ho ! Comme il est mignon ! » En les observant, j'ai parfois l'impression que je suis dans une situation semblable, attendant derrière ma vitrine qu'un gentil propriétaire veuille bien m'adopter.

Ça fait même un certain temps que j'examine ces charmants petits animaux de compagnie en me disant qu'avoir l'un d'eux ne me ferait pas de mal, et mettrait même une agréable présence dans ma vie. Je n'ai pas de copain, alors je pourrais bien avoir un chien. Lorsque j'en ai parlé à mes amis, Gabrielle a haussé les épaules en disant qu'elle n'était pas folle des chiens et Laurie m'a répondu, dans toute sa sagesse : « Edward Abbey a dit : quand le meilleur ami de l'homme est un chien, ce chien a un sacré problème. »

Franchement, le manque d'attention de Gabrielle est frustrant ! Quand vient le temps de parler des problèmes relatifs à ses foutues noces, il faut tout arrêter pour se précipiter à son secours, mais quand l'un de nous a des nouvelles ou des problèmes, elle a l'air de s'en foutre. On dirait parfois que tout ce qui compte pour elle, c'est son mariage et sa carrière !

Ça fait des semaines que je passe tous les jours devant la vitrine où je vois la même adorable petite chienne, qui m'observe chaque fois en penchant la tête sur le côté, comme pour me dire : prends-moi, je sais que tu en as envie !

La chienne, un berger allemand blond d'un peu plus de trois mois, est encore là aujourd'hui. Elle m'examine avec ses grands yeux humides. Pourquoi ne me ferais-je pas plaisir ? Et, de plus, elle est si mignonne, avec ses oreilles tombantes, pas encore formées. Et puis, avoir un chien me ferait faire de l'exercice. J'ai déjà gardé le vieux chien de tante Alicia pendant deux bonnes semaines et ce n'était pas si difficile. Par ailleurs, si ma sœur Noémie peut bien s'occuper de deux enfants, je suis bien capable d'avoir un animal domestique, non ?

Je regarde encore le petit animal, qui gratte la vitre en m'observant. Je pourrais en faire un bon gardien qui me protégera contre tous les méchants de ce monde. J'hésite encore un tantinet, juste pour la forme. Enfin, je me décide ! Aussi bien me lancer, je vais acheter un chien !

Je me procure tout l'attirail nécessaire, les encyclopédies canines, la laisse, le collier, des jouets, des bottines pour l'hiver, des os à ronger, la cage... et l'adorable petite chienne berger allemand, qui saute de joie lorsque le préposé du magasin me l'emmène finalement. Je crois qu'elle est bien heureuse d'avoir enfin trouvé un propriétaire responsable qui va prendre soin d'elle. Ça y est ! J'ai un chien ! La petite se promène autour de moi, pendant que je paie le tout à la caissière.

Je n'arrive pas à croire que je l'ai vraiment fait ! J'aurai enfin un petit être vivant, rien qu'à moi, qui m'aimera de façon inconditionnelle, et vice-versa. Je pourrai l'emmener dans le parc à chiens du quartier, me promener avec elle et me décider à faire de l'activité physique ! En fin de compte, ça va me forcer à faire ce que j'ai toujours voulu faire, mais que je n'ai jamais accompli.

Bingo ! J'ai l'impression d'avoir gagné le gros lot. Me voilà l'heureuse propriétaire d'un adorable toutou ! Et si je l'appelais Bingo ? C'est charmant et révélateur comme nom. Je sens que pour Bingo et moi, une nouvelle vie commence...

*   *

*

Catastrophe ! Ça fait quelques jours que j'ai Bingo – maintenant surnommée « La Créature » – et je grimpe littéralement aux rideaux ! Avoir un chien est très différent de ce que je me rappelais. Il faut dire que Baloney, le chien de tante Alicia, avait onze ans, et il était franchement apathique.

Bingo, en revanche, a de l'énergie à revendre ! Chaque fois que je dois la laisser dans la cage pour partir travailler, mon cœur se brise, car elle pleurniche et hurle de façon horrible. Le reste du temps, elle court sans arrêt du matin au soir, et je dois la sortir en moyenne six fois par jour pour lui faire faire ses besoins ! Apparemment, elle en a pour encore plusieurs mois à ne pas pouvoir être parfaitement propre !

Ce n'est pas grave, Amélie, tu es capable. Si Noémie est apte à s'occuper de deux enfants, tu peux prendre soin d'un chien ! Je ne vais pas jeter l'éponge à la moindre difficulté. Je peux assumer mes responsabilités et vivre avec les conséquences de mes décisions. Je suis une adulte responsable. Si j'abandonne, je n'arriverai plus à me regarder dans un miroir, j'aurai trop honte. Ah ! Ce que je donnerais, des fois, pour reléguer tous mes problèmes à mes parents, comme quand j'étais petite.

Avec tous les dégâts que Bingo a faits, j'ai déjà dû laver le tapis du salon trois fois. La seule chose qui me sauve d'un délire paranoïaque en ce moment est que le type de l'animalerie m'a donné des trucs pour épuiser La Créature et la calmer lorsque je pars pour le boulot. Je ne compte plus le nombre de jouets, biscuits et os à ronger que je lui ai achetés. Par chance, il y a déjà une légère amélioration et j'ai aussi réussi à convaincre Justin que je travaillerais mieux à mes nouvelles chroniques à la maison, coupant mes heures au bureau presque de moitié.

Hélas, il est trop tard pour une partie de mes plantes, déjà en mauvais état, qui ont été massacrées. Lundi dernier, Bingo a réussi à sortir de sa cage, que j'avais mal fermée, et elle a fait une

169

véritable razzia ! J'ai tenté, tant bien que mal, de rescaper mes pauvres plantes et de les maintenir dressées en les attachant à des fourchettes plantées dans la terre. Le lendemain matin, Bingo vomissait les restes de mon plant de bambou japonais sur mon lit, avec les roches qui l'accompagnaient...

*   *
*

Oh là là ! Ce que je suis fatiguée ! Bingo me vide littéralement. Je n'ose même pas imaginer ce que serait ma vie si j'avais un bébé et que je devais l'allaiter trois ou quatre fois par nuit. Tous les matins, j'entends La Créature se lever vers six heures. Lorsque j'entrouvre les yeux, je vois deux oreilles dressées suivies d'une queue battante se promener autour de mon lit. Je tente vainement de simuler le sommeil, mais je me fais aussitôt harceler par Bingo, qui réclame son pipi matinal.

Il vaut mieux ne pas repousser la promenade, car le résultat risque d'être catastrophique. Je me résigne à me lever et à m'habiller, et emmène Bingo à l'extérieur. En fait, à cette heure-là, ce n'est pas moi qui promène le chien, mais bien l'inverse. Bingo marche en me traînant derrière elle, alors que je la suis, les yeux bouffis, dans une sorte de demi-sommeil, et je ne me réveille que lorsqu'elle s'arrête pour faire ses besoins, en me demandant pourquoi on ne bouge plus. Bienvenue en enfer !

Chapitre 11

Gros changements en vue
(Avril)

La différence entre les psychiatres et les autres malades mentaux, c'est un peu le rapport entre la folie convexe et la folie concave.

Karl Kraus

Depuis que je me cherche un nouveau logement, la malchance a été mon pain quotidien. Et ce, malgré l'aide de ma mère. Sur dix appels, je n'arrive à joindre qu'un seul propriétaire. Le vent a tourné brusquement ces derniers temps. Étant donné que les déménagements approchent de plus en plus, locataires et propriétaires se sont soudain réveillés. Certains d'entre eux m'ont rappelée. Me voilà donc avec quatre visites à faire cette semaine !

J'ai vu les trois premiers appartements : de vrais trous à rats. Vraiment, les petites annonces sont parfaitement malhonnêtes. Dans un texte disant « Petit logement à prix modique », on devrait lire : « Taudis dégueulasse, tout juste bon pour les rats d'égout, au prix nettement surévalué. » Devrais-je réévaluer mes critères, les logements étant de plus en plus rares ? Je dois voir mon dernier, situé dans le quartier Mile-End, dans quelques heures. La propriétaire ne pouvait me recevoir que le samedi en fin d'après-midi, ce qui me coupe ma journée et m'empêche de faire des projets pour plusieurs heures.

En attendant, je peux au moins me prélasser un peu, en caleçons sur le divan, en dégustant à la cuillère du beurre à tartiner au chocolat à même le pot.

Il est passé midi lorsque je reçois soudain un appel. Est-ce madame Picolli, la propriétaire du logement, qui m'appelle pour décommander et me dire qu'elle a pris un autre locataire ? Je frissonne à cette idée, car je n'ai pas envie de me retrouver dans une des cabanes délabrées que j'ai visitées. Je déménage pour améliorer la situation, après tout, pas pour l'empirer. Je décroche le combiné. Je distingue alors une voix que je ne croyais pas entendre à nouveau et, sous la surprise, mon sang se fige dans mes veines. Olivier !

– Heu... Amélie ? Tu me reconnais ? C'est moi...

Étrange, sa voix est différente, comme éteinte et rauque.

– Heu... oui... heu... comment ça va ?

Drôle de question, considérant la façon dont je l'ai laissé. C'est probablement aussi futile que de parler de la météo à quelqu'un qui vient de se faire renverser par un camion et a perdu un membre.

– Bien, pour être honnête, pas bien... répond Olivier.

Serait-il en pleine dépression à cause de moi ? Si c'est le cas, devrais-je me sentir honteuse ou me réjouir ? Malgré une pointe de plaisir que je sens jaillir en moi, je ne peux m'empêcher de me sentir pleine de compassion à l'égard d'Olivier. J'espère que ça en vaut la peine...

– Qu'est-ce qui se passe ?

– Je... je suis malade. J'ai attrapé une grosse grippe.

Fausse alerte... Moi qui, pour un court instant, me prenais pour une femme fatale irrésistible qui foule les hommes à ses

172

pieds, il semble plutôt que je sois un genre de garde-malade. Je retiens un soupir. Décidément, la perception qu'a Olivier de moi ne s'est pas améliorée.

– Je suis désolée, mais je suis occupée, je dois visiter un appartement cet après-midi.

– J'aurais juste besoin que tu puisses m'acheter quelques médicaments, je suis vraiment très malade, je suis fatigué, je suis courbaturé, j'ai mal partout et j'ai de la difficulté à me déplacer. Et tu es la seule que je suis parvenu à rejoindre...

Sur ce, il se met à tousser. Excellent, voilà que je me sens coupable de ne pas lui rendre ce service, puisqu'il semble effectivement mal en point. Si je veux avoir une merveilleuse réputation de mère Teresa et devenir un jour célèbre pour ma grandissime bonté, aussi bien commencer tout de suite. Je sais bien que je me sentirais mal de laisser Olivier dans une telle situation. Pourquoi faut-il que je me sente toujours fautive pour tout ?

Je regarde l'heure et évalue rapidement mon temps, étant donné le détour que cela m'impose. Ça fait tout de même une bonne déviation d'une heure et demie au minimum sur mon trajet, car Olivier habite près du quartier Saint-Henri. Moi qui croyais pouvoir paresser un tantinet, il va falloir que je me dépêche, en fin de compte. Il me reste environ une demi-heure pour me préparer, plutôt que deux heures. Je me retiens de soupirer.

– Bon, d'accord, je viens. De quoi as-tu besoin ? Je vais te les chercher à la pharmacie et je te les apporterai.

– Il me faudrait du sirop expectorant, un vaporisateur nasal pour décongestionner les sinus, des pastilles au menthol, de l'aspirine, un onguent décongestionnant pour les bronches, de la boisson médicamenteuse contre le mal de gorge, les courbatures, le mal de tête, la fièvre et la toux. Tu as pris en note ?

– Ouais, ouais... j'arrive dans à peu près quatre-vingt-dix minutes.

Un chausson avec ça ? Tu parles, une vraie liste d'épicerie. Un peu plus et il va me demander de lui emmener les chips et la bière. Et en plus, tout ça va me coûter un morceau. Olivier a intérêt à me rembourser vite, sinon je casse la baraque.

Je prends une douche illico et m'habille prestement avec les vêtements qui ont été lancés plus tôt cette semaine sur le panier à linge sale. Je me regarde dans la glace. J'ai l'air sortie d'une boutique de surplus de l'armée avec mes habits dépareillés gris et verts. Pas vraiment le temps de traîner. J'envoie la pauvre Bingo dans sa cage avec un os de cuir et une dizaine de biscuits pour me faire pardonner et sors en trombe de la maison.

Juste comme j'entre dans ma station de métro, la rame de train me passe sous le nez. Quinze minutes plus tard – service de fin de semaine –, un second arrive. Je prie pour que ce ne soit pas trop long avant que le métro arrive, car je suis déjà en retard sur l'horaire que j'avais prévu. Il ne faudrait pas que je rate mon rendez-vous avec madame Picolli.

Je trouve enfin la pharmacie la plus près de chez Olivier. Après avoir fait le tour des multiples sortes de mixtures et drogues à ingurgiter – il y en a des sortes et des marques à n'en plus finir ! –, j'ai finalement réussi à tout trouver et à me rendre à la caisse. Bien entendu, il a fallu que je me retrouve derrière une vieille dame qui argumentait avec la seule caissière disponible sur un rabais de dix sous pour une boîte de mouchoirs. Je regarde ma montre. Je suis juste dans mon programme. Il vaut mieux que je n'arrive pas en retard pour ma visite, ça risque de faire mauvaise impression. Pendant que je niaise derrière la vieille emmerdeuse qui sort ses sous un par un, je remarque une jolie balle que je pourrais acheter à Bingo pour me faire pardonner de l'avoir laissée en plan.

Lorsque la caissière m'annonce le prix de mes achats, je manque tomber sans connaissance sous ses yeux. J'en ai pour soixante-dix dollars de trucs ! Je paye le tout en maugréant. Je ne suis déjà pas riche, sans en rajouter. Ouf ! Me voilà enfin sortie de ce sapristi de magasin ! Je suis à la limite d'un vrai retard. Il me semble que, quoi que je fasse, je ne suis jamais à l'heure ! Je cours vers l'appartement d'Olivier avec les emplettes. Il vaut mieux pour lui qu'il me remercie à genoux en me léchant les bottes !

Olivier me fait entrer, vêtu d'un pyjama et enveloppé dans une douillette. Bon, il a l'air un peu mal en point. J'ai tout de même les soixante-dix dollars encore en travers de la gorge, sans compter que j'ai peu de temps devant moi. Je lui lance presque le sac, alors qu'il se couche sur son sofa. Il en regarde prestement le contenu.

— Qu'est-ce que c'est que ça ? dit-il en sortant la balle du sac.

— Ah ! Pardon. J'ai acheté ça pour Bingo, mon chien.

— Tu as un chien ? fait Olivier en faisant une grimace à la fois d'incrédulité et de dégoût.

Son air écœuré ne me donne pas envie d'être gentille avec lui. Je n'aime pas du tout son expression révulsée face à mon chien. C'est ma petite créature favorite, après tout, même si je ne l'ai que depuis trois semaines. Et Bingo m'aime inconditionnelle-ment, elle !

— Écoute, je suis vraiment désolée d'être désagréable, mais je dois partir dès maintenant, je vais être en retard pour ma visite.

Il me prend le bras en me jetant un regard doux et humide.

– Attends, ne t'en vas pas tout de suite. Tu ne pourrais pas rester un peu ? Tu pourrais m'aider à me frotter de l'onguent sur le corps. Je me sens tellement fatigué, je ne sais pas si je serais capable de le faire moi-même.

Incroyable ! Même si j'étais attendue par la délégation internationale de l'ONU, il s'en ficherait complètement. Non seulement il faut que je me déplace pour lui acheter des trucs – en faisant un grand détour –, mais en plus, il faudrait que je joue à la maman avec lui et que je le soigne ! Est-ce qu'il va falloir que je lui mette un suppositoire, tant qu'à y être ? Je soupire, mais je lui rends ce service, sinon je me sentirai encore fautive. Je sors le pot d'onguent du sac.

– Tu n'as pas pris la meilleure marque, on dirait..., remarque Olivier.

Ce qu'il peut être agaçant. Je me rappelle soudain pourquoi je l'ai laissé.

– Non, la meilleure coûtait le double. En passant, si on enlève la balle du chien qui a coûté cinq dollars, tu me dois au moins soixante-cinq dollars.

– Justement, je voulais te dire... je suis un peu cassé, ces temps-ci, je ne pourrai pas te rembourser avant un bout de temps...

J'arrête là mon mouvement alors que je suis en train d'ouvrir le contenant d'onguent. Alors là, c'est trop fort ! Il va trop loin ! En fin de compte, il me prend encore pour sa servante ! Sans dire un mot, je referme le contenant. Je me dirige vers Olivier et je lui reprends le sac.

– Qu'est-ce que tu fais ? me demande-t-il.

176

– Olivier, tu me fais faire un énorme détour, tu me fais perdre mon temps, alors que je dois visiter un logement dans moins d'une heure, tu me fais dépenser de l'argent pour TES trucs sans me garantir de me rembourser, y en a marre. Alors, tant pis, je reprends ces médicaments que J'AI payés et je pars, car je n'ai pas le goût de perdre du temps à te soigner ! J'ai des choses à faire, moi !

– Mais, j'ai besoin de ces médicaments...

– Alors, arrange-toi pour les payer. Sinon, tu as une mère, non ? Alors, demande-lui de te torcher le cul comme le bébé que tu es !

Sans lui laisser le temps de placer un autre mot, je sors en trombe de l'appartement. C'est la deuxième fois que je plante Olivier. Quel parasite ! C'est tout de même incroyable. Je reste un court instant sur le palier, à bout de nerfs, encore une fois, à cause de lui. Je ferme les yeux quelques secondes et me force à ralentir ma respiration. Alors que je me calme enfin, je me rends compte que je viens de clouer le bec à cet idiot non seulement une seconde fois, mais une fois pour toutes !

Jusqu'à présent, j'avais toujours ressenti une certaine culpabilité face à mon comportement envers Olivier, au restaurant. Je me sentais fautive de l'avoir abandonné ; je viens soudain de comprendre une chose essentielle : ce n'est pas moi, mais lui, qui m'avait abandonnée, depuis le début. Olivier m'a laissée me débattre seule dans notre couple, dans notre tourmente, sans jamais me tendre la main. Ce n'est pas moi qui ai abdiqué, mais bel et bien lui. Je n'ai pas à me sentir coupable, au contraire. Je souris. Enfin, il va me laisser tranquille !

Me voilà tout de même prise avec une tonne de médicaments contre la grippe que je dois retourner à la pharmacie. Tant pis, après la visite ! Tout ce qui me restait de doutes à propos de mes sentiments ou de mon attitude envers mon ex s'est volatilisé. C'est la meilleure décision que j'ai prise. Je regarde le ciel bleu de ce chaud mois d'avril en respirant à fond.

Le sourire accroché aux lèvres, je me dirige vers le métro une nouvelle fois pour me rendre à ce qui sera peut-être mon nouvel appartement. Il fait beau, il fait un joli 6° et c'est le printemps. Ça ne pourrait pas aller mieux, non ?

*   *

*

Génial ! La visite a été merveilleuse ! Le logement, un 4 ½, est mignon comme tout. Il est vieux, pas très bien isolé, et fait en longueur, mais il a un charme fou ! Situé au rez-de-chaussée, il a une grande cour où je pourrai envoyer Bingo ! Les murs et les plafonds sont ornés de vieilles moulures qui sont magnifiques. Mieux encore, madame Picolli, une vieille dame, adore les chiens – elle-même en a un – et ça a cliqué tout de suite entre nous deux ! Youpi ! Je vais déménager et quitter mon appartement de merde !

*   *

*

Je continue mes recherches aussi discrètement que possible sur le Vectorade. Je me promène sur Internet, à l'affût de toute information pertinente sur ce produit : articles de journaux, sites de protection de consommateurs, nécrologies suspectes, pages Web de la Food and Drug Administration et même des dictionnaires médicaux !

Je me cache la plupart du temps, pour éviter qu'Audrey ne voie sur quoi je travaille. Elle est particulièrement fouine, ces temps-ci. Chaque fois que je quitte mon bureau, je la retrouve immanquablement dans les parages à mon retour. Je l'ai même déjà surprise à fouiller dans mes tiroirs. Elle prétendait chercher un trombone ; il est évident qu'elle mentait. Qu'est-ce qu'elle peut bien mijoter, cette chipie ?

Pour l'instant, je n'ai rien trouvé d'intéressant sur le Vectorade. Et s'il ne s'était rien passé ? Peut-être les risques ne sont-ils pas si élevés que cela ?

Et pourtant... en profitant de quelques instants de répit, je me suis mise, une fois de plus, à la recherche d'indices. Je tente d'élargir les critères de ma recherche. Or, voilà que je tombe, sur Internet, sur un article curieux, publié l'an dernier dans un journal local de l'État de Louisiane.

Le gros titre anglais annonce : « Un jeune athlète prometteur meurt subitement. Les assurances de la famille refusent de payer. Carbu-Drink fait un don de deux millions de dollars à la famille. »

À première vue, pour un lecteur naïf, ça ressemble à une histoire classique de batailles judiciaires avec les compagnies d'assurances, comme on en voit trop souvent aux États-Unis. Puis, un bon samaritain intervient dans l'intrigue et vient tout régler. Très louche. Je poursuis ma lecture.

Un jeune joueur de basket-ball de la Nouvelle-Orléans, un dénommé Ryan Taylor, dix-huit ans, a un malaise lors d'une partie. Il meurt avant même d'arriver à l'hôpital. Diagnostic : crise cardiaque foudroyante. Apparemment, le jeune Ryan était promis à une carrière brillante qui allait le sortir de la pauvreté à laquelle il était destiné. Il avait remporté de nombreux championnats avec son équipe et des rumeurs couraient à l'effet qu'une équipe professionnelle s'intéressait à lui.

Or, pour ajouter au malheur, sa compagnie d'assurances refuse de verser l'indemnité de l'assurance-vie à sa famille, sous prétexte que des détails avaient été omis dans la déclaration. Comme par hasard, la compagnie Carbu-Drink, qui fabrique le Vectorade, surgit à la rescousse et, touchée par le drame de la famille Taylor, fait un don de deux millions de dollars. Un cadeau prétendument désintéressé qui serait suffisant pour convaincre n'importe qui de se la fermer.

Un dernier détail tragique, qui vient couronner le tout, me saute aux yeux : Carbu-Drink s'apprêtait à signer un contrat avec Ryan Taylor, s'il entrait dans une équipe professionnelle, pour qu'il devienne le porte-parole de leur tout nouveau produit, le Vectorade.

Autrement dit, Ryan Taylor, futur joueur professionnel et porte-parole du nouveau Vectorade – et sûrement grand consommateur –, décède d'une crise cardiaque foudroyante. Les assurances refusent de payer l'indemnité, mais le fabricant même qui s'apprêtait à signer un contrat avec lui – et est sans doute responsable de sa mort – fait un généreux don à la famille du défunt en négociant leur silence. Qui sait si Carbu-Drink n'a pas une entente avec la compagnie d'assurances également ?

Bon sang ! Et Laurent qui me disait de ne pas m'inquiéter ! Il a sans doute sous-estimé les dangers du Vectorade et les motivations franchement suspectes de Carbu-Drink. Je commence à tenir une histoire. Ça devient de plus en plus sérieux. Il faut que je continue à creuser.

*   *

*

Après plusieurs tergiversations, j'ai décidé de contacter Laurent à nouveau pour lui parler du cas de Carbu-Drink. Peut-être comprendra-t-il la situation mieux que moi, car il semble bien connaître le milieu. Laurent m'a donné rendez-vous dans un restaurant très chic, le Moose Club, dans le centre-ville. Un établissement où l'on exige veston et cravate.

Après environ une heure de conversation où je lui fais part de toutes mes trouvailles, de la mort suspecte de Ryan Taylor jusqu'au don suspect de Carbu-Drink à la famille, Laurent tente de me calmer, mais je suis presque enragée. Si c'est bien vrai que le Vectorade est dangereux, alors les agissements de Carbu-Drink sont à la limite de l'illégalité. Je lui raconte cela tout en essayant de me dépêtrer avec un plat exotique à coquille ressemblant à des crevettes. La fibre journalistique vibre en moi. Laurent, qui semble franchement déconcerté et même irrité par mon attitude, essaie de minimiser cette histoire.

– Attends donc d'avoir plus de renseignements avant de sauter aux conclusions, me dit-il.

Comment peut-il voir cela avec autant de légèreté ? Est-ce parce qu'il travaille dans l'alimentation qu'il est incapable d'avoir le moindre détachement ?

Alors que je lui pose la question, Laurent murmure une vague excuse et se renfrogne. Oups ! Là, j'ai gaffé. J'y suis allée un peu trop fort. Après tout, il essaie de m'aider. Peut-être que j'exagère réellement. Et ces satanées crevettes commencent à sérieusement m'agacer. J'ai froissé Laurent qui se drape dans un silence glacial depuis quelques instants. Je ne l'ai jamais vu si agacé. Je devrais peut-être me rattraper...

Distraite dans mes réflexions pour trouver un moyen de m'excuser et de redonner le sourire à Laurent, je fais un faux mouvement dans mon assiette et l'une de mes crevettes fait un vol plané... sur la chemise de mon vis-à-vis !

Son visage se crispe et il semble faire des efforts surhumains pour ne pas éclater de colère. Oh là là... décidément, cette soirée va de mal en pis. Et moi qui espérais me servir de mon enquête sur le Vectorade pour sortir avec Laurent, je suis mal partie. Me confondant en excuses, j'essaie d'aller essuyer la sauce qui balafre sa chemise. Laurent me dit qu'il va s'en occuper tout seul et fuit aux toilettes. Aïe ! Cette fois, c'est vraiment raté. Qu'est-ce qui m'a pris aussi, de vouloir lui reparler de Carbu-Drink ? J'aurais dû me douter qu'il avait peut-être un parti pris.

Laurent est dans la salle de bains depuis un moment déjà et je me morfonds seule à la table. Que vais-je bien pouvoir faire pour être pardonnée ? Si je cessais d'enligner les bourdes, aussi... Le téléphone cellulaire de Laurent, qu'il a laissé sur la table, résonne. Et il ne réapparaît toujours pas... Devrais-je répondre ? S'il manquait un appel par ma faute, il pourrait m'en vouloir encore. Je décide de faire une bonne action et je saisis le portable.

En jetant un coup d'œil sur l'afficheur, j'ai droit à une surprise de taille : le nom de l'appelant est... Carbu-Drink Canada ! Mais alors... Laurent aurait des contacts avec eux ? Il m'a dit travailler dans le milieu de la nutrition, ça pourrait être n'importe quoi. Ou peut-être a-t-il enquêté directement auprès d'eux pour m'aider ? Peut-être était-ce pour ça qu'il en savait autant ?

Déterminée à éclaircir ce fait une fois pour toutes, le cœur battant, je réponds.

— Bonsoir, est-ce que Laurent Savard est là ? demande une voix masculine.

— Heu... non, il est absent momentanément, puis-je savoir qui l'appelle pour lui transmettre le message ?

— Dites-lui que c'est son patron, Christophe Bilodeau.

Pendant une seconde, j'ai la sensation d'avoir été frappée par un autobus. Le monde autour de moi s'efface, mon cœur s'arrête de battre et des bouffées de chaleur me montent à la tête. Quoi ! Son patron appelle... de Carbu-Drink ! Laurent... Laurent travaillerait pour Carbu-Drink ! Non ! J'ai sûrement mal compris...

Je n'ai pas le temps de me poser d'autres questions que, soudain, une main se saisit du téléphone et me l'arrache brusquement. Laurent est derrière moi. Je ne l'ai pas entendu approcher. Si je n'étais pas déjà en état de choc, j'aurais certainement arrêté de respirer. J'essaie de déterminer l'état d'esprit de Laurent, sans y parvenir.

– Allô Christophe ? Laurent à l'appareil. Je suis occupé pour l'instant, je peux te rappeler plus tard ? D'accord, salut.

Laurent referme l'appareil et reprends place en face de moi. Malgré un léger sourire, son visage est impassible. Je n'arrive pas à reconnaître l'homme serviable qui m'a emmenée à l'hôpital, il y a quelques mois, qui m'a envoyé une carte de Noël, qui prenait de mes nouvelles, qui me proposait de m'aider... J'ai subitement un étranger devant moi. J'essaie de reprendre mon souffle et déploie des efforts monumentaux pour parler.

– Ton patron... Tu... tu es un employé de Carbu-Drink ?

– Je ne te l'avais pas dit ? rétorque tout simplement Laurent d'un air détendu.

Je tente de me remémorer mes rencontres des derniers mois avec Laurent, de toutes les conversations que j'ai eues avec lui. Que m'avait-il dit déjà ? Qu'il travaillait dans le milieu de la nutrition. Était-ce cela qu'il voulait dire, en réalité ? Serait-il volontairement resté vague à ce sujet ? Je n'y comprends plus rien !

– Non... pas exactement, tu m'avais seulement dit que tu étais dans le domaine de la nutrition... Tout ce temps, tu travaillais pour Carbu-Drink et tu savais que j'enquêtais sur eux ?

Alors que je prononce ces mots, l'horrible vérité me frappe en plein visage. Et si Laurent était arrivé dans ma vie... précisément parce que j'investiguais à leur sujet ? Ses patrons, à la suite de la parution de mon article sur le Vectorade et les nombreux coups de téléphone que j'ai faits auprès de la compagnie, savaient que je m'intéressais à leur produit. Et s'ils l'avaient mandaté pour garder un œil sur moi ? Des tonnes d'interrogations se bousculent · dans ma tête !

— Laurent, est-ce que tu m'as rencontrée parce que je faisais des recherches sur Carbu-Drink ? Est-ce que ton supérieur t'a demandé d'entrer en contact avec moi ? Est-ce que tu m'as menti tout ce temps ? Qu'est-ce que tu sais réellement sur le Vectorade ?

— Amélie, arrête, m'interrompt Laurent, une pointe d'irritation dans la voix, tu poses trop de questions. Tu poses *toujours* trop de questions, ajoute-t-il froidement.

Cette dernière phrase, combinée à l'agacement et à la froideur de Laurent, me fait l'effet d'une bombe. Le masque est tombé. Ce « toujours » vient me titiller. Quelque chose me dit que Laurent ne parle pas seulement des questions que je lui ai posées personnellement, mais aussi de celles que j'ai adressées au fabricant. Depuis combien de temps Carbu-Drink est-elle sur mon cas ? Et Laurent ? Que sait-il sur moi exactement ? Toutes nos conversations, nos courriels me reviennent en tête, tourbillonnant comme une tempête. Je repense à tout ce qu'il m'a dit, toutes les questions qu'il me posait sur mon conjoint, mon travail. Voulait-il me faire parler ?

— Comment as-tu pu me mentir ainsi tout ce temps ? bafouillai-je. Tu m'as manipulée, tu n'es qu'un salaud ! Travailler pour ces... ces monstres ! Tout ce temps, tu servais les intérêts économiques de tes patrons !

— Et toi, alors ? rétorque-t-il. Tu ne travailles pas pour les intérêts de tes supérieurs ? Votre but à vous aussi, en tant que magazine, c'est de faire de l'argent !

– Mais... ce n'est pas pareil ! Je suis journaliste, mon objectif est de dévoiler la vérité au public. Ça, au moins, c'est plus noble comme idéal !

Laurent éclate d'un rire moqueur. Je suis complètement insultée par son attitude. Je ne sais plus quoi penser. Tout ce que je croyais savoir sur Laurent n'était que mensonge. J'ai été royalement dupée ! Et moi qui voulais sortir avec lui ! Prendre en note : ne plus jamais faire confiance à mon instinct !

– Voyons, Amélie, arrête ton baratin sur le droit du public à l'information. Personne n'y croit plus, à ces conneries. L'intérêt des journalistes comme toi et des médias, c'est de dégoter une histoire bien sale et juteuse pour la jeter en pâture à la population, faire plein d'argent et passer au scandale suivant. Tous ces reporters qui se cassent le cul pour filmer des scènes bien sanglantes ou pour trouver une anecdote scabreuse à souhait, c'est pour leur intérêt personnel. Le rédacteur qui a parlé de Ryan Taylor, tu crois que c'était par bonté et par grandeur d'âme ?

– C'est affreux, ce que tu dis là.

– Tout le monde a besoin de vivre, non ? Il n'y a rien de mal à ça. Toi, tu le fais en testant des produits, moi, en les vendant. D'autres le font en exploitant les malheurs des autres. Je n'ai pas vraiment le choix de faire ce que mes patrons me demandent, même si je n'aime pas toujours cela. Je suis certain que c'est la même chose pour toi.

Là, j'avoue qu'il me surprend. Il est vrai que, question boulot, il y a bien des choses que je fais parce qu'il faut que je subvienne à mes besoins. Par moments, la morale prend un peu le bord et j'accomplis des choses dont je ne suis pas totalement fière. J'aurais tellement voulu être une grande journaliste ! Et pourtant, je suis réduite à essayer de la marchandise insignifiante. Je n'arrive pas à déterminer si Laurent a vu juste parce qu'il m'a espionnée, parce qu'il est perspicace ou parce qu'il est seulement bon manipulateur.

— Parfois, il faut sacrifier certains de nos principes, poursuit Laurent. J'ai une famille à faire vivre, quand même. Alors, il me faut renoncer à certains idéaux.

Le cœur m'arrête ! Quoi ? Ai-je bien entendu ? Il a parlé d'une famille ?

— Quoi ! Tu... tu es... marié ?

— Divorcé. Et j'ai deux enfants en bas âge en garde partagée.

Cette révélation m'achève complètement. Je me rends soudain compte que je ne sais rien de lui. Et, bien franchement, je ne veux plus rien connaître de lui non plus ! Ainsi, toutes ses gentillesses, sa générosité, son aide... c'était juste pour me manipuler. Depuis le début, Laurent m'a caché des choses. Je suis épuisée, vidée. Trop de chocs, trop d'émotions. Les larmes me picotent les paupières. Non ! Il ne me verra pas pleurnicher !

— Laisse-moi. Va-t'en, s'il te plaît, je ne veux plus te revoir. Laisse-moi tranquille.

— Je suis désolé. Tu es une fille bien et je ne voulais pas te faire de mal.

— C'est ça, oui ! lancé-je, sarcastique. En tout cas, ne compte pas sur moi pour faire de cadeaux à tes patrons ! Je ne les épargnerai pas, tu peux en être sûr !

Laurent se lève, dépose sur la table de quoi payer nos deux repas et me fait un sourire triste.

– Je suis sérieux, Amélie. Tu es une personne vraiment charmante et je t'aime bien, malgré ce que tu peux croire. Alors, ne cours pas après les problèmes, d'accord ? Sinon, ça pourrait bien te retomber sur le nez un jour ou l'autre et ce serait dommage.

Je suis stupéfaite. Laurent est-il en train de me menacer à mots couverts ? Je sens un frisson me parcourir l'échine. Il passe à côté de moi et dépose brièvement sa main sur mon épaule avant de partir. C'est le seul geste qu'il a fait de toute la soirée qui me paraît sincère.

*   *

*

Je ne sais plus trop combien de temps je suis restée assise à ma table, les yeux fixant vaguement la nappe blanche, à essayer d'encaisser le choc. Je n'arrive pas à croire que j'ai été aussi naïve ! Comment ai-je pu me faire embobiner à ce point ? Après une éternité, je me lève et, comme sur le pilote automatique, me dirige vers le téléphone public à l'entrée du resto. Machinalement, je compose le numéro d'Antoine. Il faut que je parle à quelqu'un et je me sens vidée.

En ce moment, j'ai besoin de réconfort et je ne veux parler ni à Laurie ni à Gabrielle. Laurie hurlerait au meurtre en traitant les hommes de sales cons et Gabrielle minimiserait sûrement mes problèmes en essayant de m'encourager. Ce que je veux, c'est qu'on m'écoute et qu'on me calme. Or, je ne connais qu'une personne qui puisse faire cela.

– Allô Antoine ? C'est Amélie. Je suis au Moose Club, j'ai besoin de toi, c'est urgent. Viens me rejoindre, s'il te plaît.

– Ça va ? Tu n'as pas l'air dans ton assiette du tout.

187

– Non, ça ne va pas. Viens vite, je t'en prie... et porte un veston et une cravate !

Une demi-heure plus tard, Antoine se pointe au restaurant. Le personnel de l'établissement me regarde de travers depuis au moins quinze minutes, attendant que je vide la place puisque mon repas est terminé depuis belle lurette et qu'ils aimeraient que je fasse de l'air. Qu'ils aillent se faire foutre, cette bande de snobs ! Les autres clients ont l'air de s'imaginer que je vis une peine d'amour et m'observent avec pitié. Mon niveau de désespoir doit être à huit. J'ai vraiment franchi la limite dangereuse.

Antoine s'assoit devant moi, de nombreux points d'interrogations dans le regard. Évidemment, il est tiré à quatre épingles, comme d'habitude. Je ne sais même pas pourquoi j'ai pris la peine de lui mentionner cela, même si c'était une boutade. Alors qu'il s'installe à table, je remarque que Laurent a oublié son Palm. Pendant un instant, j'hésite entre le jeter par terre et l'écraser de mon talon, voler toutes les informations qui s'y trouvent ou le laisser là en partant.

– Alors ? Qu'est-ce qui se passe ?

– Laurent... tu sais, celui que j'ai rencontré il y a quelques mois ? Je t'en avais parlé. Il... il travaillait pour Carbu-Drink. Je crois qu'il me tenait à l'œil et essayait de me manipuler pour que je cesse d'enquêter sur le Vectorade.

– Qu'est-ce qui te fait croire ça ?

– Il m'a proposé son aide à plusieurs reprises. Il tentait toujours de me rassurer quand je lui parlais du Vectorade, il me disait de ne pas dramatiser. Il cherchait constamment à minimiser le danger. Et je viens juste d'apprendre, par hasard, qu'il travaillait pour Carbu-Drink, le fabricant du breuvage ! Est-ce que je suis paranoïaque ou bien il se pourrait qu'il ait réellement essayé de me manœuvrer ? J'ai besoin de l'opinion d'une personne neutre, car moi, je ne sais plus où j'en suis.

Antoine soupire en croisant les bras sur la table.

– Il n'est pas... rare que des entreprises fassent de l'espionnage industriel de toutes sortes...

Il n'en fallait pas plus pour que le torrent se déverse. Je me rends compte de la tension que j'ai accumulée depuis une demi-heure. Les questions se bousculent dans ma tête. En fait, j'avais besoin de quelqu'un à qui parler.

– Mais... elles font de l'espionnage entre elles ! Elles ne surveillent pas des particuliers ! Je veux dire... je ne suis personne, moi ! Pourquoi me faire ça à moi ?

– Écoute Amélie, je ne t'expliquerai pas comment les multinationales s'enrichissent. Avec ta chronique, tu fais des études sur les produits et tu connais le monde du commerce. Et tu n'es pas personne, justement. Tu es une journaliste qui parle de produits de consommation. Les médias ont une influence sur le public. Et qui contrôle les médias contrôle la population. Il est donc tout à leur avantage de manipuler les journalistes... de te manipuler.

– C'est illégal, ça ! m'écriai-je outrée.

Antoine se retient pour ne pas pouffer de rire.

– Bienvenue dans le monde réel, Amélie. Je ne veux pas t'insulter, mais parfois, on dirait que tu vis dans un monde de papillons et de magiciens. Comment crois-tu que les multinationales font des profits records ? En gardant les mains propres en tout temps ? Les gens sont prêts à tout pour empocher leurs millions de dollars. Il y a des cas connus où des entreprises ont fait de l'écoute électronique, d'autres usent de chantage ou de pots-de-vin. Tu sais qu'on soupçonne même le gouvernement américain d'utiliser les systèmes d'espionnage de la NSA pour aider des entreprises américaines contre des concurrents européens. Alors, es-tu vraiment étonnée ? Je ne serais pas surpris que ta rencontre avec ce Laurent ne soit pas entièrement fortuite, tiens.

Décidément, il faudrait que je me mette au fait de ce qui se passe dans le monde. Je sais bien qu'Antoine suit chaque péripétie du monde des affaires, mais j'ai l'impression que toute la planète est au courant de choses que j'ignore.

— Tu crois ?

— Évidemment. La désinformation et la propagande, il n'y a pas que les gouvernements qui en font usage.

— Dans ce cas, pourquoi ne pas simplement m'envoyer un représentant pour m'influencer ? C'est ce que la plupart des sociétés font, non ?

— Si tu avais su que Laurent était un représentant de Carbu-Drink, aurais-tu accordé la moindre crédibilité à ses paroles ?

Sans doute que non. Si j'avais su dès le début que Laurent travaillait pour eux, je ne l'aurais pas cru quand il tentait de me rassurer sur le Vectorade.

— Quand les services secrets veulent surveiller quelqu'un, ils vont jusqu'à provoquer des rencontres avec leurs espions qui semblent arriver par accident. Il ne serait pas impossible que des entreprises fonctionnent de la même façon lorsqu'elles veulent manipuler des gens, des chroniqueurs par exemple.

Je me rappelle soudain le jour où j'ai vu Laurent pour la première fois. Quand je suis tombée dans le hall du bureau et qu'il est venu me reconduire à l'hôpital. Il avait dit que c'était en partie de sa faute si j'avais glissé, car il avait échappé du café... Et si tout cela n'était qu'une mascarade servant à nous faire entrer en contact ? Plus j'y pense, plus ça me semble probable. Comment n'ai-je pas pu voir cela ?

Je suis complètement abattue. Comment peut-on être bernée à un tel point ? J'ai envie de pleurer. Je ne comprends pas pourquoi cela m'atteint tant. En fait, si, je le sais. Je ne croyais pas que ça m'arriverait. Je m'imaginais naïvement que mon statut de journaliste me protégeait. Pourtant, on nous avait bien avertis, dans les cours de journalisme, que ça pouvait se produire.

– Tu n'as pas à te sentir mal, Amélie. Ça peut arriver à tout le monde.

– Non, pas à moi ! C'est mon travail, j'aurais dû me méfier, j'aurais dû savoir que Laurent me menait en bateau ! Je suis journaliste, merde ! Je suis censée informer le public. Je devrais être éveillée et ne pas me faire berner !

– Ils ont sans doute bien planifié leur coup. Parfois, ceux qui font de l'espionnage vont jusqu'à employer un *hacker* pour espionner tes courriels, ta messagerie, les fichiers de ton ordinateur. Ils fouillent dans les déchets des gens pour voir s'ils ne peuvent pas trouver des détails sur leur vie privée. Ils vont se servir de ça pour te connaître et t'approcher sans éveiller les soupçons.

Les arguments d'Antoine ne parviennent pas à me convaincre. Et puis, mes ordures sont certainement aussi intéressantes que les crottes de Bingo. Les paroles de mon ami se fraient pourtant un chemin dans mon esprit embrouillé. Les déchets ? C'est comme un coup de tonnerre dans ma tête et ça gronde. Je me rappelle le jour où j'ai trouvé mes poubelles renversées, le sac éventré, il y a

191

quelques mois ! C'était quand, déjà ? Je fouille les dédales de ma mémoire. Si je ne me trompe pas, c'était au mois d'août dernier... quelques semaines à peine après la publication de l'article sur le Vectorade ! À ce moment-là, je n'ai eu aucun soupçon, croyant avoir affaire à un raton laveur ou à un sans-abri. Je n'ai jamais fait le moindre lien.

Et si c'étaient les gens de Carbu-Drink ? Ils auraient fouiné dans mes ordures ? Mais alors, était-ce grâce à cela que Laurent semblait si bien me connaître ? Les employés de Carbu-Drink m'auraient espionnée et Laurent se serait servi de ces informations pour mieux me manipuler ? Je suis furieuse ! La colère monte en moi et j'ai envie de hurler ! J'ai été le dindon de la farce ! Il a dû bien rigoler, le Laurent, quand je lui demandais spontanément son opinion sur le Vectorade ! Je ne sais pas ce qui me retient de le pourchasser et d'aller... je ne sais pas, moi... mettre du caca de chien dans sa boîte aux lettres, tiens ! Ce n'est pas la source qui me manque, disons.

Tout à coup, j'entends des pas derrière moi et une voix masculine vaguement familière.

– Excusez-moi, je viens reprendre le Palm...

Le Palm de Laurent ! Il a le culot de revenir alors que je suis encore là ! Enragée, insultée, je n'ai plus qu'une envie : me venger. Tant pis si tout le monde me regarde de travers. Ça lui apprendra à se moquer de moi ! Je saisis le pichet d'eau glacée sur notre table et le jette à la figure de Laurent, arrivé juste à mes côtés... pour m'apercevoir que ce n'est pas lui !

L'inconnu, trempé jusqu'aux os, le Palm dans les mains, me regarde totalement hébété. Je me rappelle alors où j'avais entendu sa voix : c'est Christophe Bilodeau, le patron de Laurent ! L'homme qui a appelé. Probablement que Laurent n'a pas osé revenir sur place, effrayé à l'idée se s'attirer mes foudres. Et avec raison, d'ailleurs.

Le restaurant tout entier m'observe : les serveurs, les clients, les patrons. Asperger un étranger en public et se tromper : comme méthode pour passer pour une parfaite imbécile, on peut difficilement faire mieux ! Je me confonds en excuses et décide, d'un commun accord avec Antoine, de vider les lieux au plus vite. Je ramasse mon manteau et sors presque en courant de l'établissement, suivie de près par Antoine.

Après avoir rassuré mon meilleur ami sur mon état psychologique et lui avoir promis de lui redonner des nouvelles bientôt, je rentre chez moi. Il va me falloir oublier Laurent et sa trahison.

Chapitre 12

ChienChien.org
(Mai)

On est dédommagé de la perte de son innocence par celle de ses préjugés.

Denis Diderot

J'ai décidé de retourner chez le coiffeur et de me faire reteindre les cheveux de ma véritable couleur. Je ne supportais plus de me voir en blonde. Je me sentais ridicule d'avoir tenté de me changer avec une nouvelle couleur. Ce n'est pas ça qui va me rendre plus intelligente ou me donnera du succès auprès des hommes.

J'ai repensé à toute cette histoire sur Carbu-Drink et il est plus évident que jamais que je dois poursuivre mon enquête. Si vraiment on s'est donné tout ce mal pour m'influencer, c'est qu'il y a de sérieux motifs. Et l'histoire du jeune Ryan Taylor est tout à fait louche.

Je ne sais pas si ce que je m'apprête à faire est correct sur le plan éthique, mais je veux en avoir le cœur net. J'ai réussi, toujours grâce à Internet, à contacter le journal local de la Nouvelle-Orléans et à obtenir les coordonnées de la famille Taylor. Peut-être accepteront-ils de me parler ? Je prends une grande inspiration et compose le numéro. Après quelques sonneries, ça répond. C'est une voix de femme chaude et noire, avec un accent du sud profond et chantant. Je lui baragouine une conversation dans un anglais aussi fonctionnel que possible.

– Bonjour, est-ce que monsieur ou madame Taylor est là ?

– Oui, c'est moi, répond la dame.

– Bonjour, heu... je m'appelle Amélie Tremblay, je vous appelle de Montréal, au Canada. Heu... je suis journaliste et j'aimerais vous poser quelques questions.

Dès que j'ai prononcé le terme « journaliste », j'ai senti madame Taylor se crisper. Un silence étrange et lourd a suivi. Ça sera ardu et je me sens encore plus anxieuse. Je dois quand même poursuivre.

– Écoutez, je sais que ça peut paraître indiscret et il n'y a sûrement aucune manière simple d'en parler, mais je voudrais vous interroger à propos de la mort de votre fils, Ryan.

Madame Taylor sursaute à l'autre bout du fil et se met à respirer bruyamment. Elle semble au bord de la panique. C'est pénible, mais il me faut encore continuer.

– Est-ce que votre fils avait des liens avec la compagnie Carbu-Drink ?

– Oui, il allait signer un contrat avec eux... articule faiblement madame Taylor d'une voix blanche.

– Ryan a-t-il déjà consommé du Vectorade ? Je fais une enquête en ce moment sur ce produit et il y a des chances que ce dernier provoque des crises cardiaques...

– Non ! Non ! s'écrie soudain madame Taylor, affolée. La boisson n'a rien à voir avec la mort de mon fils ! Il n'y a aucun lien ! Il n'y a absolument rien, vous m'entendez ! Vous perdez votre temps !

Elle raccroche brusquement. Aïe ! On dirait que mes soupçons se confirment. Et maintenant, qu'est-ce que je fais avec ça ? J'ai le diamant, mais je ne sais pas trop comment le tailler. Je ne peux pas vraiment parler de cela dans *Féminine.com*. Ce serait une nouvelle pour les journaux et la télévision, il me semble. Est-ce qu'on me prendrait vraiment au sérieux ?

*　　*
*

Je capote ! Maudite Bingo ! Qu'est-ce qui m'a pris, aussi, d'acheter un chien ?! Ce n'est pas un bibelot, un chien ! Ça ne reste pas assis, immobile sur un meuble quand on le lui ordonne ! Hier, Bingo a encore réussi à s'échapper de sa cage pendant que j'étais au travail. Elle a pris tous les rouleaux de papier hygiénique et les a étendus partout dans l'appartement. Elle a aussi pris les coussins qui ornaient mon sofa, les a vidés et déchiquetés. Ensuite, elle a uriné et déféqué à maintes reprises dans le tas. C'était affreux ! Quand je suis rentrée à la maison, je ne voyais même plus le plancher, car il était entièrement recouvert de papier hygiénique ou de mousse à coussin. Il m'a fallu près d'une heure pour tout nettoyer.

Malheureusement, selon mon encyclopédie canine, il ne sert à rien de punir le chien si on ne le prend pas sur le fait. Donc, si on s'aperçoit qu'il a fait une bêtise une heure plus tard, il est inutile de l'engueuler, car le chien est trop crétin pour se rappeler avoir fait le dégât et ne comprendra rien. Grrr... il a fallu que je me retienne à deux mains et que je fasse plusieurs séances de yoga intérieures pour ne pas hurler après Bingo. J'avais presque envie de la renvoyer au magasin.

Mais non, me suis-je dit. Tu es une personne responsable. Tu as décidé d'acheter ce gentil petit animal qui compte sur toi pour prendre soin de lui. Tu n'as pas le droit de le laisser tomber parce qu'il te fait quelques misères. Ce n'est pas sa faute, ce n'est qu'un chiot, après tout. Je me répétais sans cesse, comme le Petit Prince de Saint-Exupéry : « Tu es responsable de ce que tu as apprivoisé. Tu es responsable de... » Oui, mais une rose, ça ne fout pas une maison à l'envers, bordel ! Allons, du calme. Et, bien sûr, ce stupide livre sur l'éducation des chiens que j'ai acheté ne donne aucun truc pour occuper cette bête lorsqu'on est absent !

Finalement, j'ai décidé d'appeler mon père, qui a déjà eu un de ces imbéciles de canidés dans sa jeunesse, pour avoir des conseils. Lui saura sans doute quoi faire pour garder Bingo occupée pendant que je ne suis pas à la maison et faire en sorte qu'elle ne veuille pas tout déchiqueter dans l'appartement.

Il me suggère de lui acheter des os à ronger à lui donner chaque jour, ainsi que l'un de ces objets en caoutchouc vide, que l'on remplit de biscuits ou de beurre d'arachide et avec lequel le chien joue pendant des heures pour en retirer le contenu. Ouf ! Voilà qui devrait déjà régler une partie du problème. Je bénis le ciel d'avoir un père comme le mien.

* *

*

J'adore le printemps ! Il fait 13 °C et le temps est doux. Bien que je sois épuisée – autant par le fait de devoir emballer toutes mes choses pour le déménagement que du fait de cette chère Bingo qui me réveille tôt le matin et me draine mon énergie –, je me sens revivre au contact de la lumière et de la chaleur. Ça me remonte un tout petit peu le moral après mon humiliation avec Laurent. Parfois, je me sens encore stupide d'avoir été bernée si facilement. Mais bon, j'essaie de ne pas y songer. Je vais finir par trouver un moyen de me venger, tiens. Ce n'est pas noble, mais ça m'aide un peu à me sentir mieux.

Le fait d'être souvent à la maison a atténué l'emprise d'Audrey la bosseuse sur mon travail. Cependant, je me rattrape en tâches avec La Créature, qui m'en demande beaucoup. Et j'investis encore du temps dans mon enquête.

J'arrive enfin au Sex-Symbol avec un peu de retard. Depuis que je vis avec mon animal domestique, j'ai écourté quelque peu mes sorties. Jamais je ne me serais doutée qu'un chien pouvait changer mes habitudes à ce point. Je n'ose même pas imaginer ce que ce serait si j'avais un bébé...

Miss Fiancée, l'oreille collée à son téléphone cellulaire, arrive en deuxième. Fait exceptionnel, car elle arrive toujours la dernière. Antoine le clinquant et Laurie arrivent habituellement en premier.

– Oui, ne t'en fais pas, Alexandre, dit-elle à son boulet de fiancé. Oui, mon chéri, je vais faire attention. Non, je ne dépasserai pas la limite. Oui, je suis arrivée, tout va bien. Allez, à plus tard.

Parfois, je me demande si elle n'a pas ce fichu téléphone rien que pour qu'Alexandre « le geôlier » puisse garder un œil sur elle et contrôler tout ce qu'elle fait. Décidément, il n'y a pas que mes habitudes qui ont été changées. Après plus de vingt minutes – et une consommation –, Laurie arrive enfin au bar.

– Eh bien, dit Gabrielle, que t'arrive-t-il, Miss Ponctualité ?

– Désolée du retard, balbutie Laurie tout essoufflée, j'étais avec... heu... mon nouveau copain et... bien... je... je n'aime pas être séparée de lui, voilà...

Gabrielle et moi nous nous regardons du coin de l'œil. Laurie, l'indépendante ? Elle a un copain ? Ça attise de plus en plus ma curiosité. Gabrielle doit se poser pas mal de questions, elle aussi. Laurie s'assoit à nos côtés, indifférente à nos regards interrogatifs. Finalement, je me risque à lui poser la question.

– On est ensemble depuis trois semaines ! répond Laurie, les yeux brillants. Désolée, mais je voulais juste être sûre de mon coup avant de l'annoncer. Il s'appelle Félix Lavoie et c'est l'un des clients de mon employeur.

Gabrielle et moi, nous restons figées et bouche bée. Pour une surprise, c'en est toute une ! Il doit être exceptionnel, ce Félix...

– Où est Antoine ? demande soudain Laurie, qui semble sortir de sa petite bulle et s'éveiller au monde autour d'elle.

– Aucune idée, répond Gabrielle.

Après s'être commandé une bière, Laurie hésite, puis nous regarde gravement.

– Dites, s'élance-t-elle soudain, vous ne pensez pas qu'il serait temps de changer notre politique et d'admettre nos conjoints à nos sorties au Sex-Symbol ?

– Non ! nous écrions-nous en chœur.

Je suis sidérée. Comment Laurie peut-elle suggérer cela ?

– Pas question ! tranche Gabrielle. Vous m'avez toujours rappelé que les copains, même quand on est fiancés, étaient interdits ! Et moi, je dois me battre chaque fois avec Alexandre pour l'empêcher de venir !

– Absolument ! Quand je sortais avec Olivier, il fallait que je tienne mon bout constamment avec lui pour venir au Sex-Symbol seule ! On ne va pas changer ça, on a établi cette règle pour une bonne raison, après tout ! C'est notre sanctuaire, c'est uniquement ici qu'on peut justement se défouler sur nos copains, et d'autres trucs, puisqu'ils ne sont pas là.

– Je disais juste ça comme ça, rétorque Laurie, gênée. Ne le prenez pas sur ce ton.

Gabrielle et moi, nous nous calmons. Notre réaction est-elle exagérée ? L'attitude de Laurie relève de l'égoïsme, à mon avis. Parce qu'elle n'est plus seule, faudrait-il admettre les conjoints ? Je me demande comment ce Félix a pu avoir une telle emprise sur elle. Pendant que Gabrielle retouche son fond de teint, je décide de changer de sujet, pour nous détendre un peu.

– Gabrielle, comment avancent les préparatifs du mariage ?

– Pas trop mal. Mais mon dernier conflit avec ma belle-mère relève du fait qu'elle tient mordicus à ce que la sœur d'Alexandre soit dame d'honneur. Je ne la connais quasiment pas ! Et en plus, nous nous disputons encore pour décider si l'on doit mettre du poulet ou du jambon dans les canapés. Des fois, j'ai l'impression que ce n'est pas mon mariage !

Bouhou... je crois que je vais pleurer tant sa situation est dramatique... Pendant que Gabrielle se bat avec sa belle-mère à propos de détails parfaitement insignifiants, j'en suis encore à m'interroger sur le sens de ma vie et la direction que je dois donner à ma misérable existence. Gabrielle et moi vivons dans deux mondes différents et j'ai parfois l'impression que nous habitons deux planètes étrangères. Pire encore, elle commence à me faire penser à Noémie, avec ses airs supérieurs et sa façon de croire que ce qui est bon pour elle l'est forcément pour tout le monde et que, de ce fait, tous devraient suivre son exemple. On dirait que Gabrielle a déjà oublié ce que c'était que d'être seul ! Qu'est-ce qui m'a pris, aussi, de lui demander comment allaient ses noces, alors que je m'en balance et que le simple fait d'en entendre parler me donne de l'urticaire ?

Pendant que Gabrielle sort son Palm Pilot une énième fois pour regarder je ne sais trop quoi, je regarde ma montre avec anxiété. Antoine a près de quarante-cinq minutes de retard. Ça ne lui ressemble pas, il est réglé comme une montre suisse !

– Je commence à être inquiète pour Antoine.

Gabrielle tente de le rejoindre par téléphone. Après quelques minutes d'essai, elle finit par raccrocher.

– Il n'y a pas de réponse, dit-elle. On dirait que son portable est fermé.

– Peut-être a-t-il simplement eu un empêchement ou un embouteillage, dis-je pour nous rassurer.

Quelques minutes plus tard, Antoine le clinquant fait enfin son entrée parmi nous. Enfin ! Non seulement ça me soulage, mais ça va nous changer les idées.

– Il était temps, dis donc ! s'écrie Gabrielle en l'apercevant.

– Qu'est-ce qui s'est passé ?

– Oh... rien de spécial, j'ai rencontré une fille, c'est tout...

– Quoi ? Tu as couché avec une fille ? s'exclame Laurie en revenant à la réalité.

– Non, je n'ai pas réussi. Mais ce n'est pas parce que je n'ai pas essayé, je l'ai travaillée pendant presque une heure !

– Donc, si je comprends bien, tu es en retard à notre soirée parce que tu draguais une fille ?

– Oui, et alors ?

— Tu aurais pu nous prévenir, au moins, on s'inquiétait !

— Je n'y ai pas pensé, j'étais concentré sur ce que je faisais, vois-tu.

— Pourquoi as-tu éteint ton téléphone portable ? demande Gabrielle.

— Parce que je n'avais pas envie de me faire déranger, quelle question !

— Antoine, vraiment, tu devrais avoir honte, tout ça rien que pour baiser avec une femme !

— D'abord, nous avons toujours dit qu'il y avait exception en cas de force majeure et, croyez-moi, c'était le cas. Vous auriez dû voir les seins qu'elle avait, cette fille, ils étaient gigant...

— Je t'arrête tout de suite ! l'interrompt Gabrielle, je ne veux pas en savoir plus.

Pour le soulagement de tous et la tranquillité de notre esprit commun, nous préférons clore la conversation. Étrangement, il y a beaucoup de choses qui clochent aujourd'hui ; ça ne me dit rien qui vaille. Nos soirées sont habituellement source de détente, mais là, ça semble être source de discorde et de tension. Gabrielle prend son téléphone après avoir consulté son Palm Pilot.

— Qu'est-ce que tu fais ? lui demande Laurie.

— Je me laisse un message au bureau pour ne pas oublier de joindre une cliente de la galerie lundi matin.

Antoine, Laurie et moi levons les yeux au plafond de concert. Si elle ne change pas, Gabrielle va bientôt faire une dépression ou un *burnout*, je le sens. Antoine tente de dévier la conversation.

— Alors ? Comment va Bingo ? me demande Antoine.

— Oh... bien, bien...

Je ne suis pas dupe : Antoine a remarqué mon expression fuyante. C'est à croire qu'il lit vraiment dans mes pensées ou qu'il parvient à me deviner comme un livre ouvert.

— Tu en es sûre ? insiste-t-il.

Je le savais bien qu'il dirait cela. Il m'énerve ! Pas moyen de rien lui cacher. Antoine est de ces gens qui parviennent à tout connaître d'une personne dès le premier regard. Je me demande comment il fait. Il faudrait qu'un de ces jours, je lui demande ses trucs de vente pour lire dans la tête des gens.

— Oui, c'est juste que c'est un peu plus difficile que ce à quoi je m'attendais, mais les choses commencent à se tasser. Le comportement de Bingo s'améliore et je suis plus douée et expérimentée qu'au début.

Je n'ose pas lui dire à quel point je trouve cela parfois difficile et, surtout, lui raconter un rêve particulièrement bizarre que j'ai fait il y a deux nuits. Ce songe représente sans doute toutes les peurs et toute mon incertitude face à mon chien. Je crois que j'aurais trop peur de la réaction de mes amis si je leur contais.

— Allez, raconte ce que tu as sur le cœur... m'encourage Antoine.

Non seulement je suis devenue prévisible pour mon ami, qui doit me connaître mieux que ma propre mère, mais, en plus, c'est un grand partisan de la philosophie « tu dois toujours tout dire, et ne rien garder à l'intérieur », alors je sais que je ne pourrai pas y échapper. À bien y penser, Antoine aurait dû être psy. Peut-être est-ce parce que lui-même ne garde rien en dedans qu'il est si zen...

Je raconte finalement mon rêve, où Bingo était devenue si énorme qu'elle faisait deux fois la taille du mont Royal, et elle marchait dans le centre-ville de Montréal en écrasant des bâtiments et en tuant des gens sans arrêt avec ses grosses pattes. Et moi, tout ce que je trouvais à faire, c'était de courir derrière elle en criant : « Non, Bingo ! Méchant chien ! Reviens à la maison tout de suite ! »

Soudain, incapables de se retenir plus longtemps, mes trois amis éclatent de rire.

— C'est ça, le rêve qui t'a tant troublée ? s'esclaffe Antoine.

— C'est un rêve ridicule ! dit Laurie.

— De toute façon, il est clair que ça représente ta peur de l'échec, ajoute Antoine. Bingo est le symbole de ta frayeur face à ton projet d'améliorer ta vie. Tu es toujours célibataire, tu a été trompée par Laurent récemment, tu n'es pas où tu voudrais être. Tu as un chien pour la première fois de ta vie et c'est un gros défi. Ce n'est qu'un message de ton subconscient, rien de plus. Ne t'inquiète donc pas avec cela.

Il a raison. Il serait insensé de m'en faire pour si peu. Son travail de psy accompli, Antoine nous quitte pour se diriger vers le bar. Il en revient, quelques minutes plus tard, avec un martini... et le numéro de téléphone d'une fille.

*   *
*

En route vers la maison, reconduite par Antoine, je ne peux m'empêcher de songer à cette soirée inhabituelle en regardant distraitement par la fenêtre. Bien entendu, mon compagnon a tôt fait de remarquer mon air pensif.

– Qu'est-ce qui ne va pas, encore ? demande-t-il.

Je me tourne vers lui et l'interroge du regard. Pense-t-il la même chose que moi ? Antoine demeure toujours aussi insaisissable et ataraxique. Je ne l'ai jamais vu nerveux ou anxieux. Rien ne semble l'ébranler. Il est comme le rocher face à une mer en furie. C'est le zen incarné. Sa présence et son calme sont toujours aussi rassurants. Est-ce son attitude à la fois mystérieuse et réconfortante qui attire les filles ? Dommage qu'il soit aussi coureur de jupons, car c'est le meilleur ami du monde.

– Ce n'est quand même pas l'histoire de Laurent qui te met encore à l'envers ?

– Non, ce n'est pas ça... Antoine, t'es-tu déjà demandé combien de temps encore dureraient nos rencontres du mois au Sex-Symbol ? J'ai l'impression que ces derniers temps, particulièrement aujourd'hui, tout se met à changer. Nous évoluons tous avec le temps. Moi, avec Bingo, je sors moins qu'avant et moins longtemps. Gabrielle va bientôt se marier. Tôt ou tard, elle ne pourra ou ne voudra plus venir. Toi qui es toujours à l'heure, tu arrives en retard. Laurie se trouve un copain et a même parlé d'admettre les conjoints à nos sorties...

– Sans blague ?! s'écrie Antoine en éclatant de rire. Elle a fait ça ? Elle est gonflée, dis donc ! Cette chère Laurie... elle se dit toujours une femme de principes et, à la première occasion, elle les balance par la fenêtre... et pour un garçon, par-dessus le marché !

– Disons que ses principes sont assez malléables.

– Laurie n'a pas de principes. Ils lui servent de couverture. Parce qu'elle n'avait pas de succès auprès des garçons, elle s'est inventé des règles morales féministes et s'en est servi comme bouclier. Elle s'est fait croire que c'était à cause de cela qu'elle était

206

toujours seule. Et pour ce qui s'est passé aujourd'hui, il n'y a pas à s'en faire, c'était exceptionnel. Tout devrait revenir à la normale... pour un temps, du moins.

Devrais-je trouver cela rassurant ? Même en sachant pertinemment que tout cela ne pouvait pas durer éternellement – après tout, nous évoluons et vieillissons, de nouvelles responsabilités arrivent, de nouvelles personnes entrent dans nos vies, nos priorités changent –, je suis un peu attristée par l'idée que la fin de nos sorties approche à grands pas. On dirait la fin d'une époque...

*　　*

*

Me voilà dans la cafétéria, en train de me servir un café, et encore en train de chercher un nouveau sujet d'article. Il faut que je garde l'inspiration si je ne veux pas me retrouver encore avec des sujets imposés. Devrais-je parler d'équipement sado-maso ? Ou de jouets pour chiens ? Il me faut aussi trouver des preuves concernant l'affaire Vectorade. Sans preuve, dévoiler ce scandale équivaudrait à un suicide sur le plan professionnel. Soudain, j'entends une voix affreusement familière.

– Tiens, mais c'est cette chère Amélie Tremblay !

Non ! C'est tout simplement impossible ! Comment Seins-Gorge peut-elle être ici ? Je dois faire un cauchemar, c'est certain ! Elle s'approche, le sourire aux lèvres, m'envoyant la main. Je suis si hébétée que je lui réponds même en envoyant la main à mon tour. Pourquoi vient-elle m'emmerder jusqu'à mon boulot ? Pourquoi n'est-elle pas en train de travailler ?

Arrivée à ma hauteur, Élizabeth s'appuie sur le comptoir. Vêtue d'une jupe de soie et d'un chandail de cachemire Gucci, elle est toujours aussi impeccable. Je l'exècre, cette fille. Qu'est-ce qu'elle fiche ici ?

– Heu... qu'est-ce que tu fais ici ? demandé-je, encore sous le choc.

– Oh... rien de spécial... je venais visiter, voir la concurrence.

D'accord, il y a anguille sous roche. Depuis quand vient-on visiter un rival ainsi ? Ça n'a aucun sens. À moins qu'Élizabeth ne désire travailler ici ? Si c'est le cas, je préfère encore me jeter par une fenêtre que d'être dans le même bureau qu'elle. Par contre, je ne serais pas étonnée qu'elle ait sa petite équipe personnelle de bozos servants qui font le boulot à sa place et que le magazine fonctionne très bien sans elle.

– Tu viens visiter ? demandé-je, plutôt sceptique. Pourquoi ?

– Tu ne devines pas ? C'est pourtant facile. Tu n'as pas le quotient intellectuel d'une banane, tout de même !

Devant mon absence de réaction – même si j'ai envie de la traiter de tous les noms –, elle se décide. Elle se penche vers moi et baisse le ton, l'air sur le point de me livrer la plus précieuse confidence de notre siècle.

– Bon, d'accord, je vais te le dire, mais c'est un secret entre nous deux, d'accord ? Comme je te l'ai déjà dit – à moins que tu n'aies déjà oublié –, *Au féminin* prend de l'expansion. Alors, peut-être qu'on va acheter *Féminine.com* ! Je pourrais être ta patronne ! Ce serait super, non ?

Si je venais de me faire rouler dessus par un tank, je crois que je ne serais pas plus mal en point. La maman de Seins-Gorge achèterait peut-être la boîte ? Dans ce cas, je suis bonne pour la rue... Il me semble que ma vie est assez remplie de malheurs, je n'ai pas envie de me taper comme patronne une fille qui a autant d'intelligence qu'un chihuahua, handicapé mental en plus !

– Mais motus et bouche cousue, hein ? murmure Seins-Gorge. Allez, je te laisse. Il faut que j'aille rencontrer le conseil d'administration. À une autre fois !

Et elle me laisse seule avec mon café et mon désarroi.

*   *

*

Dans mon sommeil, j'entends un bruit étrange, comme la vibration d'une clochette. Est-ce que ce son provient de mon rêve, ou de la réalité où il me tire tranquillement ? Une partie de mon être tente de se glisser à nouveau dans les limbes du repos. Mais la cloche s'entête à venir me troubler. Je ne parviens toujours pas à déterminer la provenance de ce bruit agaçant.

Soudain, une pression aussi subite que violente tombe sur mon estomac et je me réveille en sursaut. J'ouvre brusquement les yeux pour apercevoir Bingo qui, de son coussin situé au pied de mon lit, a littéralement sauté sur mon ventre et me regarde de ses yeux humides en haletant.

Quelques secondes plus tard, la cloche de ma porte d'entrée retentit à nouveau. Je comprends enfin d'où provenait ce bruit. Si c'est un Témoin de Jéhovah, je lui arrache les couilles ! Venir me déranger alors que je dors ! J'enfile rapidement mon peignoir et me dirige vers la porte. Je m'aperçois, par la même occasion, que, pendant la nuit, Bingo a grignoté mes petites culottes qui se trouvaient à côté du lit.

Je regarde l'heure sur l'horloge de la cuisine en chemin vers la porte. Il est neuf heures trente ! Qui peut bien venir sonner à ma porte à une heure pareille de la fin de semaine ?

J'ouvre. À ma grande surprise, je reconnais ma mère !

– Maman ! Qu'est-ce que tu fais là ?

Ma mère entre en m'embrassant, un grand sourire aux lèvres. On dirait qu'elle vient de faire un mauvais coup. Elle transporte des sacs d'épicerie. La Créature en profite pour se jeter sur elle et lui sauter dessus aussi haut qu'elle peut. Maman rit en lui offrant son visage pour se faire lécher.

– Maman ! Tu es censée la bloquer avec ton genou quand elle te saute dessus, comme c'est expliqué dans mon encyclopédie canine, pas te pencher !

– Oh... ce serait trop cruel...

Grand-maman gâteau, va ! J'imagine déjà à quoi ça ressemblera quand j'aurai des enfants. « Mais non, Amélie, laisse ton fils de trois ans jouer avec le gros couteau, il s'amuse tellement, tu devrais lui laisser plus de liberté. »

– Je n'arriverai jamais à éduquer ce chien de cette façon-là, maman...

– Justement, je venais te voir à ce propos-là, dit maman en déposant les sacs remplis de victuailles sur mon comptoir. Les encyclopédies, c'est bien, mais il te faudrait des cours de dressage dans une véritable école.

– Oui, seulement, en ce moment, je n'ai pas vraiment les moyens. C'est cher, et tout l'argent que j'ai en surplus est dépensé pour la nourriture et les jouets de Bingo.

– Je sais bien, ma chérie, répond ma mère. C'est pour cela que je t'ai inscrite à un cours de dressage.

– Quoi ! Qu'est-ce que tu as fait ?!

– Bien, oui. Je trouvais que tu faisais un peu pitié avec ta pauvre Bingo complètement cinglée et je sais combien tu l'aimes. Alors, je me suis dit que pour te faire plaisir, je te paierais l'inscription au cours. L'école est tout près d'ici. Ils ont un site : www.chienchien.org. Ton dresseur s'appelle Maxime Caron. Au fait, ton premier rendez-vous est le 21, donc dans trois jours, à dix-huit heures trente. Ne l'oublie pas.

Je ne sais trop comment réagir. Je suis partagée entre la colère que maman décide pour moi, sans même me consulter, et la gratitude qu'elle veuille bien me payer l'entraînement de Bingo. Je décide d'opter pour le second choix, meilleur pour ma santé mentale et ma pression artérielle.

– Et ces sacs ? Qu'est-ce que c'est ?

– Je préférais venir te donner la nouvelle en personne plutôt qu'au téléphone, alors, j'ai décidé de faire une petite épicerie pour toi. Comme je te connais, tu n'as sûrement pas assez de légumes verts dans tes repas.

Cette chère maman...

*   *
*

Depuis que j'ai proposé de faire des chroniques sur des objets destinés au commerce du sexe et que je passe moins de temps au bureau – à cause de Bingo –, Audrey m'évite comme la peste. Il faut dire que dans les deux cas, je suis allée voir directement Justin pour faire approuver mes projets, ce qu'elle a pris comme un affront personnel à son autorité. Ma vampirique rédactrice en chef aurait même dit que j'incitais les autres employés à la rébellion et à l'indiscipline, mais pas devant moi, bien sûr.

Tant que j'ai le soutien de Justin, je me fiche bien de ce que peut dire Audrey. Mais j'ai intérêt à garder ce dernier de mon côté et à lui faire les yeux doux – au sens figuré, il va de soi – si je ne veux pas mettre ma carrière en danger. Aujourd'hui, un message m'attend sur le répondeur. C'est Audrey. C'est curieux, j'ai quitté le travail il y a à peine plus d'une demi-heure et elle m'a vue ce matin.

– Bonjour, Amélie, c'est Audrey. Écoute, j'ai parlé à Justin aujourd'hui, et il m'est venu une idée...

Aïe ! Je crois pouvoir deviner d'avance le reste. Je connais ce ton mielleux – je devrais plutôt dire fielleux – et ces milliers de précautions. Elle a une idée derrière la tête, c'est sûr...

– ... puisque l'été approche déjà, j'avais pensé que tu pourrais faire ta prochaine chronique sur les bacs à glace...

Les bacs à glace, hein ? Mais quel sujet passionnant ! Je savais bien qu'elle ne me laisserait pas tranquille bien longtemps et que cette paix ne pouvait durer. Cette chère Audrey a bien manœuvré. Elle a appelé dès que j'ai quitté le bureau, ainsi elle savait qu'elle tomberait sur mon répondeur. En évitant de me parler directement, elle évite mon mécontentement impulsif – bien mérité, d'ailleurs – en s'assurant de mentionner que « Justin approuve ». Elle sait, en plus, que si je me fâche souvent lorsqu'elle tente de m'imposer ses idées, je me ravise généralement par la suite pour céder, parce que je ne suis qu'une lâche. Non seulement elle évite mes foudres, mais elle me laisse le soin de me convaincre moi-même qu'il vaut mieux suivre ses suggestions.

Et si je changeais mon horaire de travail ? Ainsi, Vampirella ne saurait jamais à coup sûr quand m'appeler et tant que je serai présente au bureau, elle n'osera probablement plus m'imposer ses trucs. Du moins, pas trop souvent. Je parie même que Léa acceptera de devenir ma complice dans cette entreprise. Bien, à mon tour de manœuvrer, Audrey...

* *
*

Après deux semaines, toujours aucune nouvelle de Seins-Gorge. Peut-être est-ce bon signe ? Je tente de me rassurer en me disant que si la possibilité d'achat de notre magazine était sérieuse, j'en aurais déjà entendu parler. Peut-être...

Chapitre 13

Tante Mélie

(Juin)

Liberté implique responsabilité. C'est là pourquoi la plupart des hommes la redoutent.

Bernard Shaw

Juin, le mois du retour des minijupes et des machos qui sifflent après. Au Sex-Symbol, l'ambiance commence à être étouffante. Les lumières rouges contribuent à créer une ambiance d'intimité et de chaleur. Je constate avec soulagement qu'Antoine avait raison : tout semble revenu à la normale pour nos sorties. Mis à part que Gabrielle s'est mise au régime, en vue de son mariage. Bien entendu, Laurie ne manque pas de passer des commentaires à ce sujet.

— Tu ne manges que de la salade ? Beurk !

— Dis ça à ma taille de guêpe, rétorque Gabrielle.

Antoine lève les yeux au ciel. Je crois qu'il commence à en avoir marre des discussions entre Laurie et Gabrielle et d'entendre parler de noces. Il tente rapidement de changer de sujet.

— Alors ? L'emballage des choses pour le déménagement se passe bien ? me demande-t-il.

— Pas mal.

— Et les relations avec ta future propriétaire, madame Salami ? demande Gabrielle.

– Madame Picolli... ça se passe bien.

J'ai découvert récemment qu'avoir un chien procurait un avantage impressionnant. Je ne m'en étais pas aperçue, au tout début, mais ça commence à être frappant. Les gens viennent vous parler spontanément, particulièrement les hommes. Je ne me suis jamais fait autant aborder que depuis que je promène Bingo dans la rue. L'ennui, c'est que ces hommes, pour la plupart, ne sont pas vraiment intéressants. Beaucoup sont vieux et moches, et ont pratiquement l'âge de mon père. De toute façon, pour une fois, j'apprécie ma vie de célibataire. Que moi et mon chien. J'ai même perdu les livres en trop que j'avais gagnées il y a quelques mois.

Étrangement, on dirait qu'il est impossible de tout avoir. Ou je suis en couple et grosse, ou je suis seule et mince. Un adage dit : la femme seule regarde ce qu'il y a dans son réfrigérateur et part se coucher, la femme en couple regarde ce qu'il y a dans son lit et va dans son réfrigérateur. Je ne sais pas si je devrais en glisser un mot à ma bande de copains.

– C'est drôle, je ne pensais pas dire cela un jour, mais je me sens beaucoup mieux depuis que je n'ai plus de copain. Je me sens... libre.

Mon annonce a presque l'effet d'une bombe sur mes amis, qui me regardent les yeux ronds, la bouche grande ouverte, l'air hébété.

– Toi ? dit Laurie d'un ton cynique. Celle qui avait décidé, il y a quelques mois, de trouver l'âme sœur ? Celle qui est toujours à la recherche du prince charmant qui t'aimera telle que tu es ? Celle qui veut se caser et ne faire qu'une entité parfaite et unique avec son homme ?

– Très drôle... Si je ne me trompe pas, cette description, ça ressemble plutôt à toi, maintenant.

Laurie me tire la langue.

– C'est vrai que je ne dédaignerais pas l'idée de me marier, un jour...

C'est à son tour de nous en boucher un coin. Elle nous a toujours affirmé le contraire, et avec beaucoup de conviction. Laurie a toujours dit que le mariage était une institution sclérosée, vieillissante, inutile, une arnaque financière destinée à voler l'argent des gens et un piège à cons. Je me souviens encore du jour où elle a affirmé que, comme toutes les traditions, le mariage ne méritait qu'un sort : disparaître.

– Le monde est-il devenu fou ? s'écrie Antoine en riant. Amélie qui ne veut pas de petit copain, et Laurie qui veut se marier ! La planète tourne à l'envers !

Tiens, ça me rappelle que c'est le premier anniversaire de mariage de ma cousine Sarah. Il faudrait bien que je lui envoie une carte ou quelque chose du genre pour la féliciter et faire semblant que ça m'intéresse. Déjà un an d'écoulé depuis ma déconfiture avec ce crétin de Jérémie. Je me demande où il en est, celui-là, d'ailleurs. S'il n'en tenait qu'à moi, il pourrait bien tomber et s'épingler la gueule sur un cactus, je m'en balance !

C'est vraiment déprimant, d'une certaine façon. J'ai beau être heureuse maintenant d'être seule et de ne plus être avec Olivier, j'ai un goût amer à la bouche quand je repense à ces damnées noces. On dirait que mon bonheur présent ne parvient pas à rattraper les malheurs du passé.

Sur ces entrefaites, un jeune homme passe et accroche la chaise de Gabrielle. Il s'excuse poliment, avec un sourire magnifique, avant de rejoindre ses collègues sur la scène, au milieu du bar, armé de sa guitare. Mes amies et moi le suivons avidement du regard. Il est vraiment à croquer. Grand et mince, le teint un peu bronzé, avec un sourire de publicité pour dentifrice, il a une superbe chevelure blonde et bouclée qui tombe au-dessus

217

de ses épaules en ondulant. Vêtu d'un jean serré et d'une chemise rayée fleurie aux manches déboutonnées, il a l'air d'un Californien.

— Qui c'est, ce type ? s'enquiert Laurie.

Antoine regarde l'affiche apposée sur le mur à côté de lui qui annonce le prochain spectacle du groupe.

— Il s'appelle Vincent Girard-Fournier, du groupe Heavy Duty. Apparemment, ils vont jouer au bar tous les vendredis, pour l'été.

Gabrielle prend son Palm Pilot pour inscrire la précieuse information et pour s'assurer de faire des recherches sur ce groupe musical soudain intéressant.

— Hmmm... mignon, dis-je, je l'emmènerais bien dans mon lit, celui-là.

Gabrielle, tout en s'appliquant du fard à paupières, se retourne vers moi.

— Je croyais que tu ne voulais pas de copain pour l'instant ?

— Qui t'a dit que je voulais en faire mon conjoint ? J'ai juste besoin d'un type superbe sur qui fantasmer et, disons, garder le moteur chaud lorsque j'utilise mon vibrateur. Un vibrateur, c'est bien, mais ça ne fait pas fonctionner l'imagination, si tu vois ce que je veux dire...

Gabrielle secoue la tête en clignant des yeux, comme pour chasser quelque chose de désagréable, voire d'horrifiant, de son esprit. On dirait qu'elle n'arrive pas à avaler ce qu'elle vient d'entendre.

— Tu n'étais pas obligée d'y aller dans les détails et d'être aussi... graphique, dit-elle. Ça m'a donné une vision peu ragoûtante.

– Pfff... ce que tu peux être prude, parfois... lui reproche Laurie. Il faut bien admettre que les femmes ont aussi des besoins physiques. Le sexe, ce n'est pas l'apanage des hommes.

– C'est vrai. Tu vois, moi, je n'ai aucun malaise à imaginer Amélie faire des choses cochonnes..., sourit Antoine.

– Merci, Antoine. Vraiment, ce n'est pas nécessaire, tu sais.

*　*
*

Des jappements frénétiques me réveillent en sursaut. Bon sang, qu'est-ce qui se passe ? Je sors, avec toutes les peines du monde, des limbes du sommeil où je suis plongée et tente, tant bien que mal, d'atteindre ma lampe de chevet. Les aboiements continuent de plus belle. Je parviens enfin à allumer.

Je m'extirpe du lit et me dirige, aussi vite et adroitement que possible, vers la porte de la cuisine, qui donne sur le balcon arrière. Bingo est là, hurlant et grognant contre la vitre. Je m'approche, mais je ne vois rien. Tout en tenant ma chienne enragée par le collier, je sors sur le balcon. J'aperçois alors, au loin, une silhouette s'enfuyant dans la ruelle. Je peux me tromper, mais je jurerais que c'est la même que j'ai vue, près de chez moi, il y a près de six mois.

Je frissonne en pensant à ce qui aurait pu se passer si Bingo n'avait pas été là... M'aurait-on cambriolée ou attaquée ? Je n'aime pas cela du tout. Je devrais peut-être en parler à la police. Au moins, dans quelques semaines, j'aurai déménagé ; on ne pourra pas me retracer.

*　*
*

219

Je suis déjà serrée dans mon horaire d'empaquetage et je déménage dans deux semaines. J'ai même décidé d'avancer mes vacances et de consacrer mes deux semaines de liberté à mon déménagement. Bouhou ! rien que ça de congé, après avoir été torturée toute l'année ! Dire que dans quatorze jours, j'aurai foutu le camp d'ici ! Et voilà que Noémie m'appelle à la dernière minute, en fin d'après-midi, pour me demander de garder ses enfants. Un accident dans la famille de Jacob. Incapable de dire non, même si j'ai peu de temps devant moi et que j'angoisse totalement à l'idée de garder son petit clan de monstres, je ne peux me résoudre à lui refuser ce service.

Alors que je raccroche le combiné, je me rends compte que je ne sais pas trop comment je vais m'occuper de ces deux morveux-là. Noémie m'a dit qu'elle arrivait en quatrième vitesse, il se pourrait qu'elle ne puisse pas emmener ce qu'il faut pour distraire les petits. Tant pis, j'opte pour la facilité. Je me rends rapidement au magasin d'à côté acheter deux cassettes vidéo pour enfants, ainsi qu'un livre, un gâteau, des bonbons et un jeu.

Je me fiche bien de ce que Grande Sœur peut penser, je suis là pour lui rendre service, pas pour me rendre la vie impossible. Et puis, je suis la tante et marraine, non ? Tante Mélie, comme dit souvent le petit Mathieu. Je dois bien les gâter, ces enfants-là, après tout.

Peu de temps après mon retour à la maison, le clan Beaulieu-Tremblay arrive. Grande Sœur entre en courant avec les deux petits qu'elle me lance presque dans les bras. Bon, l'enfer va commencer, heureusement que je suis parée.

– Je suis vraiment désolée, Amélie, me dit-elle, tout essoufflée, mais la sœur de Jacob a eu un accident et je...

– Ça va, Noémie, ne t'en fais pas, je peux me débrouiller.

Enfin, je l'espère...

Noémie repart tout aussi vite. Au même instant, Mathieu se met à pleurer comme une âme perdue en hurlant « Mamaaaaaaan !!! », alors que Chloé se moque de lui en le traitant de « bébé lala », ce qui ne fait que l'encourager à brailler encore plus. Chouette, ça commence bien...

Sur ces entrefaites, Bingo, que j'avais oubliée, arrive en courant, le museau couvert de glaçage au chocolat. Je parie qu'elle a profité de mon inattention pour aller goûter au gâteau que j'ai acheté et laissé sur le comptoir. J'accours à la cuisine pour constater qu'elle en a effectivement pris une bouchée. Je regarde l'ampleur des dégâts. Par chance, les trois quarts de la pâtisserie sont intacts, je vais pouvoir acheter la paix un bout de temps en gavant Chloé et Mathieu de gâteries.

Je m'aperçois que le petit Mathieu a cessé de pleurer. Bon ou mauvais signe ? Bingo l'aurait-elle égorgé sauvagement, et il baigne dans son sang en ce moment même ? Je me précipite au salon pour voir Mathieu s'amuser follement avec La Créature. Ouf ! Voilà au moins une chose qui n'a pas tourné à la catastrophe.

Mais où est passée Chloé ? J'entends soudain du vacarme dans ma chambre. Qu'est-ce qu'elle fabrique, cette peste ? Ah ! Je m'en souviendrai des services rendus à Noémie ! Prendre en note pour améliorer mes conditions de vie : ne plus jamais accepter de garder Chloé et Mathieu ! Je surprends Chloé fouillant dans mes tiroirs avec frénésie, renversant des trucs à terre et jetant des vêtements derrière elle. Je la vois s'enfoncer dans mon tiroir de lingerie et, affolée, je tente d'arrêter le massacre. Je ne la laisserai tout de même pas fouiner dans mes vêtements. Je tiens à mon intimité et j'ai déjà assez de Bingo qui me grignote mes fringues.

– Chloé, ma chérie, arrête ça, s'il te plaît.

– Maman, elle, elle me laisse aller dans ses tiroirs et me déguiser avec son linge ! rétorque Chloé, comme si j'étais un militaire qui tentait de l'enfermer et de la brimer de ses droits fondamentaux.

J'ai soudain une affreuse vision mentale de Chloé se pavanant dans l'appartement, vêtue d'un de mes chandails, trop long pour elle, avec mes souliers à talons remplis de vieux bas, le tout surmonté d'une brassière en dentelle. L'horreur !

Chloé plonge la main dans mon tiroir et en tire un objet cylindrique rouge en poussant un cri. Aaaah ! J'entends la musique de *Psycho* dans ma tête et manque de faire une syncope. Chloé me tend mon vibrateur en me demandant ce que c'est que ce drôle de machin.

— Heu... c'est... heu... une fusée ! C'est ça, oui ! J'aime jouer avec des fusées, voilà !

Au secours ! Je la vois déjà raconter ça à Grande Sœur qui va me tuer. Il faut que je la sorte de ma chambre ! Sinon, je ne suis pas mieux que morte.

— Tu veux écouter un film en mangeant du gâteau ?

— Oui !

Et Chloé se précipite dans le salon sans demander son reste. Ouf !

J'avais complètement oublié l'effet que Bingo pouvait avoir sur les enfants. C'est le coup de foudre de part et d'autre. Le chien saute sur les petits en les léchant, ce qui provoque des éclats de rire sans fin. Il semble bien que ce soit moins pénible que je ne l'avais escompté.

Je leur offre un petit morceau de gâteau pendant qu'il y en a encore, et leur propose de visionner l'un des films que j'ai achetés. Chloé et Mathieu ne se font pas prier. Pendant qu'ils regardent le film et mangent, ils s'amusent en même temps avec Bingo à tirer à la corde ou à lui lancer la balle. Rapidement, c'est la cohue totale et chien et enfants courent partout dans la maison. Heureusement que les voisins au demi-sous-sol, juste au-dessous, sont partis en vacances, car j'en aurais entendu parler !

Seul problème, j'avais oublié que le chocolat et le sucre étaient d'incroyables sources d'énergie ! Je n'imaginais pas que des petits (et un chien) pouvaient courir, sauter, crier et même rester debout aussi longtemps en se démenant d'une telle façon. Si je menais le même train de vie que ces petits-là, je serais en *burnout*, en dépression profonde ou dans un état comateux depuis longtemps.

En fin de compte, je peux continuer mon emballage en gardant un œil sur les jeunes. Après quelques heures d'action chaotique et quasi schizophrénique, Mathieu, Chloé et Bingo s'endorment enfin sur le sofa, épuisés. Génial ! Je ne croyais pas que La Créature aurait un effet aussi bénéfique pour le gardiennage. Je n'ai quasiment rien eu à faire. Ses réserves infinies d'énergie m'ont bien servie, pour une fois. Ça compense toutes les fois où ça a été une torture. Prendre en note : chien excellent pour épuiser les enfants.

Quelques heures plus tard, alors que le soleil se couche, Noémie et Jacob reviennent chercher les enfants, encore endormis sur le divan. Mon beau-frère ne tarit pas d'éloges et de remerciements.

— Amélie, dit-il en me serrant dans ses bras, tu nous as sauvé la vie. Merci, merci mille fois ! Je ne sais pas ce que nous aurions fait sans toi ! C'est trop gentil de ta part.

Grande Sœur jette un regard sombre à son époux, alors qu'elle prend un Mathieu endormi dans ses bras. Les effusions de Jacob ne doivent pas trop lui plaire. Ce qu'elle peut être jalouse ! Comme si j'allais lui voler son homme ! À moins qu'elle n'apprécie pas de ne pas être la seule à recevoir des compliments...

Jacob et Noémie prennent les petits dans leurs bras. Alors qu'ils franchissent la porte de mon appartement, Mathieu, à moitié endormi, m'envoie la main.

– Maman, dit-il, je veux avoir un chien, comme tante Mélie...

Grande Sœur me jette à nouveau un regard meurtrier, comme si j'avais commis un crime, sali et corrompu ses enfants en les laissant jouer avec ma créature – probablement pleine de germes et de microbes – et que je les avais fait passer dans le camp ennemi, du genre méchant communiste, avec mes idées barbares.

Ah ! Les parents ! Ils s'imaginent avoir une jolie petite relation parfaite avec leurs enfants dont ils contrôlent l'existence jusque dans les moindres détails, et lorsqu'un événement extérieur survient et amène leurs petits dans une direction imprévue, ils prennent ça comme un crime de lèse-majesté et s'imaginent que leurs jeunes sont dorénavant condamnés à se droguer et à se prostituer ou à rejoindre une secte satanique dont les membres font jouer des disques de vinyle à l'envers en dansant nus et en se peinturant avec du sang.

Je referme la porte, soulagée malgré tout d'être débarrassée du clan Beaulieu-Tremblay. Je peux continuer à me concentrer sur mon ménage. Bingo, à ma grande surprise, demeure calme, comme si elle avait dépensé dans une journée l'équivalent des réserves d'énergie pour une semaine. Elle vient se coucher à mes côtés et me regarde alors que j'entame mon travail sur le réfrigérateur.

Il ne me reste qu'un peu plus d'une semaine pour tout terminer : le ménage des vieux trucs à jeter, et l'empaquetage de tout ce qui sera déménagé. Et comme j'ai un million de choses fragiles du style bibelots et autres machins jolis, mais inutiles, je perds un temps fou à les emballer séparément pour ne pas me retrouver avec un tas de morceaux de porcelaine, tout juste bons à me faire une mosaïque à la Picasso.

Pour l'instant, je me concentre sur le contenu du réfrigérateur.

Hmmm... Je viens de me rendre compte que je devrais regarder ce qu'il y a là-dedans plus souvent. La plupart du temps, je néglige la moitié des aliments que j'y mets, et lorsque j'en achète de nouveau, je les place à l'avant, en cachant les autres que j'oublie au fond.

Certains ont moisi, d'autres se sont liquéfiés, et certains... eh bien, je ne sais pas trop quelle a été leur évolution, mais je sais que ce n'est plus récupérable, sauf si je veux faire de la culture de masse de bactéries destinées à devenir de la pénicilline ou un autre médicament du genre. Je pourrais me bâtir une petite fortune en vendant mes trucs pourris à des laboratoires pharmaceutiques...

L'un de mes plats, vraisemblablement un reste de dinde de Noël de l'année dernière, est particulièrement effrayant. Il devrait bientôt y pousser des pattes et des yeux et si je ne le jette pas maintenant, je crains fort qu'il ne me fasse la conversation la prochaine fois que j'ouvrirai la porte du réfrigérateur.

Une autre habitude que je devrai corriger à l'avenir. Prochaine résolution : ne plus laisser la nourriture pourrir dans mon frigo...

*   *

*

Antoine et moi avons décidé de savourer les premières semaines de chaleur et d'ensoleillement pour nous dégourdir les jambes, et faire du lèche-vitrine en compagnie de La Créature, qui en profite avec joie pour faire une longue promenade. Antoine le clinquant est sans doute le seul homme hétérosexuel que je connaisse qui aime magasiner. Il est vrai qu'il projette beaucoup son assurance à l'aide des vêtements coûteux qu'il s'offre. Peut-être est-ce pour cette raison qu'il aime s'en acheter.

Il y a quelques années, alors que j'étais à l'université, une copine m'a demandé : « Amélie, pourquoi ne couches-tu pas avec Antoine ? Il est super mignon, il a du charme et, en plus, tu le connais depuis des années, alors vous êtes déjà intimes en quelque sorte. »

Il est vrai que le charisme d'Antoine ne laisse personne indifférent, y compris moi, et même Gabrielle et aussi Laurie. Malgré le fait qu'il soit un terrible coureur de jupons. Je connais son incroyable instabilité sur le plan émotif et sexuel, alors il ne sera jamais que mon ami.

L'ennui, avec Antoine, c'est qu'il perd tout intérêt pour une fille dès qu'il couche avec elle. Si l'on veut rester son amie et éviter qu'il disparaisse à tout jamais de notre vie, c'est tout simple, il ne faut absolument pas avoir de relations sexuelles avec lui. Après une amitié de plus de vingt-cinq ans, je ne connais pas la cause d'un tel comportement.

Ce que je sais, par contre, c'est qu'Antoine est un consommateur extrême de la nouveauté et de tout ce qui est jetable. Il va d'une femme à l'autre, glanant les plaisirs comme une abeille qui butine chaque fleur quelques instants.

– Tu sais quoi ? dis-je soudain à Antoine.

– Quoi donc ?

– J'ai pris une nouvelle résolution.

– Ah oui ? Je croyais que les résolutions, c'était au Nouvel An.

– Pourquoi se limiter à cette période ? C'est idiot, on devrait pouvoir faire ça n'importe quand. J'ai décidé de ne plus chercher de relation sérieuse désespérément. En fait, de ne plus en chercher du tout. Je vais cesser de tenter de forcer les choses. Si je dois me trouver un copain, alors ça arrivera. C'est tout. Et si je peux me trouver une relation pas trop engageante pour l'instant, je ne m'en priverai pas.

— Mais c'est excellent, Amélie, tu fais des progrès. À mon avis, il vaut mieux ne pas vouloir s'engager, car on est générale-ment perdant dans ce genre de situation.

— Ah oui ? Et comment ?

— C'est toujours celui qui s'investit le plus dans une relation qui est blessé. L'autre n'a rien à perdre. La situation idéale est de ne pas s'engager, mais de trouver un partenaire prêt à le faire dans un cas purement hypothétique, car tu gardes toujours la mainmise sur la relation. Si la femme ne s'abandonne pas ou si l'homme ne part pas à la conquête, il est gagnant. C'est celui qui résiste le plus longtemps qui gagne.

Je suis frappée, tout à coup, par les termes employés par Antoine. Il parle d'amour avec des termes de stratégie militaire : conquête, résistance, abandon. Il est clair que, selon Antoine – je devrais dire selon la société en général –, les hommes conquièrent, les femmes s'abandonnent. Cette façon de penser est-elle innée ou acquise ? À réfléchir.

— Fascinant comme concept, Antoine. Je vais y penser.

*   *

*

Décidément, ce Vincent Girard-Fournier est une véritable machine à fantasmes. Les trois quarts des filles au Sex-Symbol – moi, Gabrielle et Laurie comprises – le regardent avidement, en

227

sueur, la bouche grande ouverte. Il faut dire qu'à cette période de l'année, la chaleur est parfois suffocante, surtout dans ce lieu clos, plein à craquer. Le beau guitariste se déhanche comme un dieu sur la scène en jouant de son instrument. Son groupe interprète des chansons vraiment endiablées de genre *trance*, qui me rappellent la musique de Paul Oakenfold. Bien sûr, la clientèle féminine du bar se fiche parfaitement de ce qu'il peut interpréter. Si Vincent Girard-Fournier jouait le thème musical de *Passe-Partout* sur un ukulele de bébé à manivelle, le résultat serait le même.

Ses cheveux blonds ondulent autour de sa tête en effleurant ses épaules et en formant une auréole dorée tandis qu'il sourit à tout vent et de toutes ses dents, blanches comme l'albâtre. Je me demande quel dentifrice il peut bien prendre... Il est apparu avec une tenue encore plus *sexy* que la précédente. Cette fois, il porte un pantalon de cuir noir moulant avec une chemise fuchsia, juste assez ouverte pour montrer ses jolis pectoraux. Il est beau à en mourir ! Je sens que je vais être inspirée ce soir...

Lorsqu'il prend une pause et descend de la scène pour aller au bar, la plupart des filles s'inventent une excuse pour se retrouver là au même instant et se regardent toutes les unes les autres en chiens de faïence. Lui – conscient ou pas de ce qui se passe autour de lui – sourit à chaque cliente de l'établissement, ce qui ne fait qu'attiser l'envie de toutes ces damoiselles.

Le propriétaire du Sex-Symbol vient sans aucun doute de trouver un excellent moyen de fidéliser une bonne partie de sa clientèle...

*   *

*

Depuis que l'inconnu a rôdé autour de chez moi, je ne me sens pas trop rassurée. Même si je déménage dans quelques jours, je ne suis pas sûre de me sentir plus en sécurité ailleurs. Carbu-Drink m'a-t-elle vraiment espionnée ? Je ne sais plus quoi penser de cette histoire.

La peur me tenaille le ventre et je dors mal. C'est une chance que je ne fasse pas du journalisme d'enquête, je ne survivrais pas plus de deux minutes ! Je serais sûrement capable de me mettre à dos un groupe de terroristes albinos de l'Antarctique ou de me faire tuer par un pot de fleurs.

J'ai décidé de me confier à l'une des personnes les plus sages que je connaisse : Noémie ! Même si Grande Sœur a tendance à m'énerver, c'est une personne réfléchie, sensée, avisée et éclairée.

Sans lui donner tous les détails de ma situation, je lui ai expliqué que j'avais fait une découverte, dans le cadre de mon travail, qui m'a fichue dans le pétrin. Je lui ai dit qu'on m'avait fait ce qu'on pourrait appeler des menaces et que je craignais pour ma santé et même ma vie !

Le diagnostic de Grande Sœur fut sans équivoque : rien ne vaut que je mette ma vie en danger. Pour mon bien, je devrais abandonner toute cette aventure et laisser cela à d'autres personnes, comme la police. « Rien n'est plus précieux que ta vie. Ne prends pas de risques pour une simple question de principe », a-t-elle dit. C'est sans doute ce que je voulais entendre, car j'ai bien envie de suivre son conseil.

J'ai décidé, pour l'instant, de laisser tomber l'histoire du Vecto-rade. Je dois admettre que d'avoir reçu des menaces et de savoir qu'on m'a suivie jusque chez moi, ça m'a fichu la trouille. Je n'ai pas envie de mettre ma vie en danger pour une histoire idiote de boisson. Et puis, de toute façon, rien ne prouve que ce Vectorade soit responsable de la mort du jeune Ryan. Sa mère a-t-elle raison ? En quoi ça me regarderait, de toute manière, et qu'est-ce que ça me donnerait vraiment d'en parler ?

Grande Sœur m'a tout de même suggéré d'aller voir papa et maman. On ne sait jamais, ils auront peut-être de meilleurs conseils.

*   *
*

J'ai appelé mes parents pour leur annoncer que je venais souper et passer la soirée chez eux. Ils étaient un peu surpris, je n'ai pas l'habitude d'y aller sans une bonne raison. Ils me connaissent bien, mes parents. Après le repas, je décide de plonger. D'ailleurs, à voir la lueur interrogative dans leurs yeux, il est clair qu'ils attendent que je me confie. Malheureusement, les mots ne viennent pas. À la place, ce sont les larmes qui jaillissent de mes yeux.

Je ne savais pas que j'étais si déprimée, que j'étais si mal en point. Je me rends compte de tous les problèmes accumulés ces derniers temps : la trahison de Laurent, l'angoisse depuis mon quasi-cambriolage, la peur de savoir qu'Élizabeth pourrait acheter la revue, mon célibat qui s'éternise encore et encore, Bingo qui me rend à moitié folle...

Je suis fatiguée, si écœurée de me sentir comme une éternelle perdante qui ne fait jamais rien de bon ! Je suis si perdue, je ne sais plus où j'en suis ! Que dois-je faire ? Poursuivre mes recherches sur le Vectorade malgré la menace, me trouver un nouveau boulot ? J'ignore où va ma vie ! Et mes parents de me consoler comme seuls des parents peuvent le faire. De partager mes chagrins comme seul un cœur de père ou de mère en est capable.

Après avoir repris mes esprits, vidé une demi-boîte de mouchoirs et englouti douze biscuits au chocolat pour me réconforter, je finis par expliquer la situation. Quand j'ai fini, les deux me regardent en se tenant la main, un sourire triste sur le visage.

– Écoute, ma chérie, commence maman, mon cœur de mère me dit de te protéger et de te conseiller de laisser cette sale histoire de boisson mortelle et de compagnies malhonnêtes. Je voudrais bien te dire : laisse les autres prendre des risques, laisse-les donc s'entretuer. Qu'ils se battent donc tout seuls contre Santé Canada, la FDA ou je ne sais qui d'autre. Mon instinct me dicte de te protéger. Mais je sais que ça ne servirait à rien.

La réponse de maman me surprend un peu. Je jette un coup d'œil à papa.

– Ce que Maude essaie de te dire, continue mon père, c'est que même si on ne veut pas qu'il t'arrive du mal, on sait que c'est ton métier. On veut aussi que tu saches que nous sommes fiers de toi, Amélie. Ce que tu fais là, peu de gens en seraient capables. Tu es allée au-delà des apparences, tu ne t'es pas découragée, tu as poursuivi ton enquête malgré les embûches et le fait que des gens aient tout tenté pour te tromper. C'est un accomplissement en soi et plusieurs auraient déjà abandonné.

– On te reconnaît bien là, de poursuivre maman. Tu as toujours voulu tout savoir depuis que tu es toute jeune. Il y a un temps où tu me rendais folle avec tes *pourquoi* ! On dirait que tu n'en avais jamais assez ! Tu as toujours été à l'affût des choses louches, des histoires douteuses, de tout ce qui est bizarre ou insolite. Tu aimes fouiller et trouver la vérité. Comment pourrait-on croire que tu vas changer maintenant ? On te connaît bien. Tu ne seras pas tranquille tant que tu n'auras pas tout découvert.

– C'est drôle, je ne m'étais jamais perçue ainsi. Il me semble que ces derniers temps, je n'arrive jamais à me décider et, quand je finis par le faire, je prends toujours la mauvaise décision.

231

– Il est vrai que tu demandes toujours mille et un conseils, dit papa. Tu tergiverses, tu demandes l'avis de tout le monde, mais quand tu as l'information que tu désires et que tu t'es décidée, rien ni personne ne te fera changer d'idée ou t'arrêtera ! Tu es comme ça, c'est tout.

C'est vraiment très étrange de voir mes parents me décrire ainsi. Je n'avais pas cette impression de ma personne ; entendre autant de compliments de leur bouche me fait chaud au cœur. Et je ne pensais pas qu'ils me connaissaient aussi bien ! Ils ont bien raison. On ne pouvait faire un meilleur portrait de moi. Quand je finis par me décider – après bien des hésitations – bien malin celui qui me fera changer d'avis ! Je suis rassurée et réconfortée. Pourquoi suis-je inquiète alors que j'ai toujours été comme cela ? Ça ne me sert à rien de m'apitoyer sur mon sort. Il faut que j'agisse ! Je vais bien finir par trouver une solution.

– Va voir cette bande de salauds de Carbu-Drink et fais-leur ravaler leurs dents ! m'encourage papa.

Oui, il a bien raison. Je vais me ressaisir. Je vais améliorer mes conditions de travail et je vais faire regretter aux gens de Carbu-Drink de s'en être pris à moi ! La leçon du mois : je dois me faire confiance !

Chapitre 14

Dans le jardin d'Aphrodite...
ou de Carbu-Drink
(Juillet)

L'homme ne progresse pas de l'erreur vers la vérité, mais de vérités en vérités, d'une vérité moindre à une vérité plus grande.

Swami Vivekananda

1er juillet ! Jour de mon déménagement ! Quelle belle occasion de partir sur de nouvelles bases ! Sous un soleil radieux et un beau 26 °C, les déménageurs arrivent tôt le matin et vident enfin mon appartement. J'ai détesté ce lieu en plusieurs occasions, pourtant je le quitte avec un brin de nostalgie, car je l'ai occupé pendant plusieurs années.

Lorsque la moitié de mon stock est déjà dans le camion, Antoine arrive. Il avait promis de m'amener à mon nouveau logement en voiture, pour suivre le camion. Il m'aide en même temps à assurer la coordination des déplacements.

Je vois les prochains occupants de mon ex-appartement arriver à leur tour, alors que mes derniers effets sont chargés. Je ne peux m'empêcher de les plaindre, d'une certaine façon, car je connais bien tous les défauts de cet endroit. Je leur donne les clés, dis au revoir une dernière fois à mon ancien propriétaire – que je voyais environ une fois par année – et m'installe avec Bingo dans l'auto d'Antoine en route vers ma nouvelle maison.

* *
*

Me voilà enfin dans mon nouveau chez moi, dans le quartier Mile-End ! Sitôt arrivée, j'envoie Bingo explorer la cour arrière, ce qu'elle fait avec joie. Une étape de franchie dans le plan « Amélioration de la vie d'Amélie ». J'ai fait un pas en arrière en ce qui concerne le fait de trouver un conjoint – quoique pas tant que ça, après tout, car j'ai laissé un imbécile –, mais je ne désespère pas. Sur mes trois conditions – trouver un meilleur logement, un conjoint, un meilleur emploi –, une seule est remplie. Quant à mon emploi, même si ce n'est pas la situation rêvée, ça s'est tout de même un tantinet amélioré. Disons que j'ai atteint un objectif et demi sur trois, donc la moitié. Niveau de désespoir : quatre sur dix. Génial !

J'ai remarqué, lors de mes quelques visites précédentes du quartier, plusieurs petits commerces particulièrement appétissants. Il va falloir que je consacre du temps à les explorer, surtout afin de me conscientiser au combat des petits marchands contre les grosses machines exploiteuses et richissimes que sont devenues certaines chaînes de magasins.

Gabrielle et Laurie arrivent peu de temps après pour m'aider à déballer mes trucs. Antoine reste un petit bout de temps – juste assez pour manger de la pizza avec nous. Pendant tout le repas, Laurie ne parle que de Félix, et à quel point il est différent de tous ses esclavagistes de confrères. Et, en plus, il fait du recyclage, qualité rare chez un gars, paraît-il !

– Alors ? dis-je. Quand va-t-on le voir, ce cher Félix ?

– Il est vraiment occupé, ces temps-ci. Il travaille plusieurs soirs et les week-ends. Il est aux États-Unis cette fin de semaine, il œuvre sur un contrat pour l'un des clients de sa compagnie.

Gabrielle et moi nous nous jetons un coup d'œil sans équivoque : Félix tromperait-il Laurie ? Peut-être suis-je paranoïaque, son comportement est un peu curieux.

— Sans vouloir être méchante, avance Gabrielle sur le ton de la blague, es-tu sûre qu'il est vraiment au boulot et qu'il ne fait pas autre chose ?

— Évidemment, quelle question ! Il m'a même emmenée, l'autre fois, chez l'un de ses clients.

Sur cette réponse convaincue, nous poursuivons notre déballage sans poser d'autres questions. Tout le temps que Laurie et Gabrielle ont été là pour m'aider, cette dernière a sorti son Palm Pilot toutes les vingt minutes pour regarder quelque chose concernant les préparatifs de son mariage dont elle venait de se souvenir.

— Qu'est-ce que tu fais ? finis-je par lui demander.

— Ah... désolée, mais je suis si nerveuse à l'idée de ces maudites noces que je passe mon temps à tout revérifier. C'est dans à peine plus d'un mois et il me semble que la moitié des trucs à faire sont en retard. Je me demande parfois qu'est-ce qui m'a pris de dire oui !

J'hésite entre l'envie de lui fourguer une claque en arrière de la tête et la réconforter. A-t-elle vraiment besoin de me frotter son maudit bonheur de fiancée dans la figure ? Pendant que je me demande encore si je vais trouver un homme avant l'arrivée de la ménopause, elle s'inquiète pour son stupide mariage !

— Voyons, ce n'est pas dramatique si tout n'est pas parfait. L'important, c'est que toi et Alexandre soyez heureux, non ? Qu'est-ce qu'il peut y avoir de si compliqué ?

— C'est ce fichu horaire ! rétorque-t-elle en consultant son agenda électronique. Tout est si serré. Encore beau si on pense à faire une pause pipi !

– Laisse ton Palm Pilot tranquille ! interrompt Laurie de la pièce adjacente. Laisse ce bidule et aide-nous, on s'occupera de ton mariage après.

Gabrielle soupire en rangeant son appareil. Bien que je compatisse – malgré moi – avec sa situation, Laurie a raison : c'est moi, en ce moment, qui ai besoin d'aide ! On s'occupera des noces après. Chaque chose en son temps.

*　　*
*

Laurie et moi achevons notre journée, qui fut fort bien remplie. Gabrielle est déjà repartie depuis plusieurs heures. Apparemment, elle devait rencontrer son planificateur nuptial. Tant pis, elle ne changera pas maintenant, c'est certain. J'en profite pour demander l'avis de Laurie sur mon dilemme concernant l'affaire Vectorade. Tant qu'à y être, pourquoi ne pas demander l'impression de tout le monde ?

– C'est difficile à dire, répond-elle. Attends que je réfléchisse...

Je serais fort étonnée que Laurie n'ait pas d'opinion à ce propos ; elle en a une sur tout et la partage toujours avec tout le monde. De gré ou de force.

– On pourrait peut-être dire *Aquila non capit muscas* : l'aigle ne prend pas les mouches.

– Quoi ? Qu'est-ce que ça veut dire ?

– Les grands prédateurs ne s'attaquent pas aux insectes insignifiants.

– Alors, je serais trop insignifiante aux yeux d'une multinationale comme Carbu-Drink pour être jugée dangereuse ?

– Oui, mais on dit aussi *Quidquid agis, prudenter agas, et respice finem* : Quoi que tu fasses, fais-le avec prudence, sans perdre de vue la fin.

– Donc, je devrais rester discrète et agir avec circonspection.

– Mais on dit également : *Audi, vide, tace, si tu vis vivere.* Écoute, observe et tais-toi, si tu veux vivre.

Là, j'ai carrément l'impression qu'elle se parle toute seule et que je n'ai plus vraiment d'importance dans ce monologue. Par moments, j'ai la sensation que les maximes et les aphorismes se battent dans la tête de Laurie et qu'un grand combat intérieur s'y déroule. Je la laisse se dépêtrer avec ses proverbes pour aller défaire une boîte. À mon retour, Laurie hausse les épaules et récite :

– *Quot capita, tot sententiæ.* Autant d'avis différents que d'hommes.

Hum... voilà qui est éblouissant de clarté et de lucidité.

* *

*

Arrgghhh !! Ma dernière semaine de vacances. Il ne me reste que quelques jours avant de retourner sur l'échafaud. La déprime me saisit à la gorge. Pourquoi ai-je si peu de temps libre, à moi toute seule, où je peux me détendre en paix. Pourquoi, après tant de mois de torture, ai-je si peu de compensation ?

Mes premiers jours dans mon nouveau logement ont été un peu moins positifs que prévu. D'abord, le robinet de la cuisine a cassé dès mon arrivée. Ensuite, la moitié des fusibles étaient grillés. Puis, la toilette a débordé. Après, une plaque de plâtre d'un mètre carré s'est détachée du plafond. Et pour couronner le tout, le chauffe-eau et le téléphone ne fonctionnent toujours pas.

Je dois faire bouillir de l'eau sur le poêle pour réussir à prendre un bain. Je me doutais que cet appartement était vieux, mais pas à ce point-là. Je croyais avoir trouvé consolation dans mon logement, je suis amèrement déçue. Madame Picolli fait tout son possible pour m'aider, mais la pauvre vieille dame n'est pas très utile, sauf pour me rembourser les dépenses que je fais pour l'appartement.

J'essaie de tout réparer moi-même, mais question rénovations, c'est zéro ! Jusqu'à présent, je me suis trompée de tuyau deux fois pour la plomberie, j'ai presque brisé la boîte à fusibles, j'ai compris après trois jours que la chaînette de la toilette était brisée, j'ai pris le mauvais papier sablé pour le travail de plâtrage – et donc frotté inutilement pendant des heures –, j'ai abîmé une partie du vieux prélart pourri en échappant l'eau que j'avais fait bouillir, j'ai presque inondé la salle de bains et la cuisine – avec la même eau – et en bout de ligne, je me suis aperçue que le téléphone ne fonctionnait pas parce que je n'avais pas averti la compagnie de mon déménagement ! Encore beau que j'aie l'électricité !

Le niveau de désespoir commence à monter, je dois bien approcher des quatre et demi. Tant que je n'approche pas trop du cinq, ça va.

Tout ça sans compter la bouffe que j'ai carbonisée, les bibelots que j'ai cassés, les cartons que j'ai égarés ou empilés, je ne sais trop où. Je ne trouve plus les boîtes contenant mes sous-vêtements, mes chaussures ainsi que les savons, le dentifrice et les shampoings. Résultat : je dois me précipiter au plus vite au magasin si je ne veux pas ressembler à une sans-abri bientôt !

Après m'être quasiment électrocutée, ébouillantée, coupée, brûlée et arrosée, j'ai supplié madame Picolli de me trouver quelqu'un pour m'aider. Sinon, j'allais me faire hara-kiri dans le salon par sa faute, son karma allait en prendre un coup et elle allait se réincarner en sauterelle. Elle m'a finalement promis de faire venir un de ses lointains neveux qui lui devait une faveur depuis longtemps. Elle pouvait bien aller le chercher jusqu'au fond de la Sicile, si ça lui chantait, je m'en fichais ! Mais je ne pouvais plus supporter ça. Vraiment, ce n'est pas le nouveau départ que j'espérais.

Il y a deux jours, le lointain neveu, un certain Luigi, est arrivé. Il me reluque les seins sans la moindre gêne, m'effleure une fesse de temps en temps, s'empiffre dans mon garde-manger, dépose ses mégots de cigarette un peu partout, laisse traîner ses outils dans les endroits les plus inconvenants ou dangereux, rend Bingo à moitié dingue et barbouille mon plancher de boue. Mais au moins, les travaux avancent rondement. La seule exception est une sorte de trou que Luigi a fait dans le mur entre le salon et ma chambre.

J'ignore dans quel monde les gens décident d'ajouter une fenêtre entre ces deux pièces de la maison, mais je n'en ai cure. Mon appartement commence à être assez décent pour être habité et c'est tout ce que je voulais. Ouf ! Peut-être que ce sera un bon départ, en fin de compte.

* *

*

Retour au travail après mes deux semaines de vacances. Déjà ! Des mois de martyr pour seulement quatorze misérables jours de liberté ! Saloperie de pays ! Et si je déménageais en Europe ? Courage, Amélie, il faut être zen. Tu es belle, tu es bonne, tu es fine... Et je suis mieux de trouver un sujet de reportage au plus vite si je ne veux pas qu'Audrey me tombe dessus en me disant quelque chose du genre : « Amélie, j'ai bien réfléchi pendant ton congé, et je t'ai trouvé un truc super : tu pourrais parler des suppositoires dans ton article du mois d'août... »

Le fait d'avoir admiré le beau, le sublime, le céleste, l'angélique, le sculptural Vincent Girard-Fournier – sans oublier son heu... très bon groupe Heavy Duty – m'a donné une idée. Il faut dire qu'il m'aide à penser à autre chose qu'à ce salopard de Laurent. Je ferai ma prochaine chronique sur les aphrodisiaques. Après que monsieur Girard-Fournier m'eut tant... heu... inspirée dans ma vie privée, je me suis dit que je pouvais bien tester mes habiletés à être une grande séductrice et une bête de sexe.

Le pauvre Justin, qui n'a rien compris de ce qui se passait – il ne se doute pas un seul instant que c'est pour moi un moyen de résistance face à Audrey –, est venu me voir cette semaine en s'excusant de me demander un article sur ce qu'il appelle les « objets privés ». Il était vraiment désolé que le magazine n'ait pas encore eu le temps de trouver une remplaçante à Jessica. Il m'a priée, fort gêné, de bien me sacrifier encore une fois pour le bien de l'entreprise. Le papier sur les vibrateurs ayant eu un succès phénoménal, il m'a demandé d'en faire un autre du genre. Ça tombe bien.

Avec mon plus beau sourire, je lui ai répondu que j'étais prête à faire ce genre de concessions aussi longtemps qu'il le désirait, que ça me faisait plaisir. Pauvre Justin ! Il ne voit pas à quel point j'adore remplacer Jessica – jusqu'à un certain point, car je n'en sais pas aussi long qu'elle à ce propos. Quitte à travailler plus fort s'il le faut, je m'en fous ! C'est une véritable libération que de pouvoir œuvrer avec de tels sujets.

* *

*

Un nouvel événement, totalement inattendu, vient de se produire. C'est la dernière chose à laquelle je m'attendais et j'ai été sidérée.

Ce matin, dans le courrier qui m'est livré quotidiennement au bureau, je reçois une lettre, en apparence tout ordinaire. Aucune adresse d'expéditeur ; le timbre m'indique qu'elle provient des États-Unis.

Je décachette l'enveloppe avec précaution et appréhension. Je ne crois pas avoir déjà reçu de missive de ce genre en provenance des États-Unis. Qu'est-ce qu'il y a, là-dedans ? Une page, toute simple. Une feuille volante, lignée et trouée, comme on en utilise à l'école. Sur celle-ci, écrit au stylo, un message sommaire, anonyme, rédigé en anglais : *You were right. Please, destroy this letter.*

Je ne suis pas sûre de saisir. À force d'y réfléchir, j'en viens à la seule conclusion possible : ce sont les parents de Ryan qui ont écrit cela. Autrement dit, j'avais découvert la vérité. Carbu-Drink et son produit, le Vectorade, sont responsables du décès de Ryan et ils ont acheté le silence des parents. Avec un afficheur, il leur serait aisé de me retracer à l'aide du numéro de téléphone du magazine.

Les Taylor n'ont sûrement pas intérêt à ce qu'Carbu-Drink sache qu'ils ont parlé. Pourquoi admettre la vérité maintenant ? Est-ce leur conscience qui les dérange ? Voilà qui devient sérieux. Les Taylor prennent un certain risque. Que devrais-je faire ? Je n'ai que des preuves circonstancielles, rien de vraiment tangible. Je me sens coupable de ne pas aider les Taylor. Je dois reprendre l'enquête.

*   *

*

Me voilà de retour avec Laurie au *sex-shop* Dans le jardin d'Aphrodite. Je sens que je vais bien m'amuser en faisant cet article-là. Et puis, ça me distrait un peu des derniers événements concernant le Vectorade. Chaque fois que j'essaie d'oublier un peu cette sale histoire, il y a toujours quelque chose qui m'y ramène. Par moments, j'aimerais bien pouvoir oublier un peu, enlever ce poids de sur mes épaules. Il y a des jours où ça me pèse et je ne sais plus trop quoi faire. Pourquoi ai-je eu le malheur de tomber là-dessus ?

Bon, en attendant, je pourrai mettre mes aphrodisiaques en pratique sur le joli musicien. À ce que je peux constater, voilà un autre type d'objet qui est assez populaire dans les boutiques du sexe. J'examine les nombreux produits : il faut être à l'aise financièrement pour s'acheter ce genre de trucs, sauf si on ne fait ça qu'une ou deux fois par année.

– Regarde, dit Laurie. Une huile mangeable, plusieurs choix de saveurs. Excitation garantie. Eh bien, dis donc ! Je devrais me procurer ça ! Ça serait bien pour moi et Félix !

– Ce sera sans doute inutile pour moi, étant donné que je couche avec « Monsieur Vibrateur Diablo » ce soir...

– Qu'est-ce qu'il y a d'autre ? Des crèmes excitantes, des boules de geishas... wow ! Il y a une crème qui augmente le plaisir et retarde l'éjaculation ! Félix adorerait !

Encore Félix ! Bon sang, elle n'a aucun autre sujet de conversation que ce gars-là !

– Ce produit ne me servira à rien. Sauf si j'hérite d'une quelconque marraine fée, jusque-là inconnue, d'un carrosse en forme de citrouille, d'une robe de bal, de pantoufles de vair et d'un charisme insoupçonné... ou que je paie un prostitué masculin pour participer à mes expériences.

Je me rends compte tout à coup que le sujet était peut-être mal choisi étant donné que je ne peux m'adonner qu'au plaisir en solitaire... Pourquoi faut-il que je me rende compte de ce genre de problème qu'une fois plongée dedans ?

– Ne sois pas si négative, répond Laurie, tu vas te trouver un gentil prince charmant, je te le dis. Si moi je peux me trouver un copain, alors toi aussi tu en es capable.

Serait-ce une forme de compliment ? Laurie est-elle en train d'affirmer implicitement que j'aurais plus de chances qu'elle de trouver un homme... et de le garder ? Je suis impressionnée. Que répondre à ça ? « Merci » ou alors « Je le savais déjà ! » Rien ne semble approprié. Après tout, je peux me tromper sur le sens de sa phrase. Je préfère passer sa remarque sous silence, de peur de donner une mauvaise réponse et de la froisser.

Étant donné la nature variée des produits aphrodisiaques et qu'il faut bien les essayer à deux – je suis idiote de ne pas avoir pensé à cela plus tôt – Laurie accepte avec joie de participer, encore une fois, à mes expériences... avez son Félix chéri. La situation me met mal à l'aise. J'aurai les impressions de Félix concernant des objets sexuels avant même de l'avoir rencontré. À bien y penser, je me demande si c'est une bonne idée.

– Tu sais, je ne suis pas sûre, en fin de compte. Ça me paraît bizarre de demander ça à ton copain. Maintenant, je vais connaître tous les détails de... sa sexualité, alors que je ne sais rien de lui. Il me semble qu'après cela, je ne serai pas capable de penser à autre chose lorsque je le rencontrerai.

– Alors, demande aussi à un autre homme de participer. Comme ça, ça sera moins personnel.

– Et où trouverais-je un type à qui je pourrais faire une telle demande ?

– D'abord, répond Laurie sur un ton savant, les hommes sont à peu près tous des obsédés sexuels qui se prêteraient à une telle expérimentation avec joie. Je suis sûre que tu pourrais attraper le premier venu et il accepterait. Ensuite, tu as Antoine, c'est ton plus vieil ami. Il ne te refusera pas ce service. D'autant plus qu'il va en profiter largement, sans doute.

Antoine le clinquant et obsédé sexuel ? Je n'y avais pas pensé. Est-ce une bonne idée ? Pourquoi pas ? Après avoir longuement mûri notre projet et pris notre décision, Laurie et moi, arrêtons notre choix sur des articles variés qui risquent de satisfaire les désirs de tous et chacun.

Plusieurs ensembles d'huiles aphrodisiaques, un ensemble « Plaisir extrême », des boules de geishas – servant à améliorer la puissance orgasmique de la femme, youpi ! –, de la potion japonaise – je ne suis pas certaine de comprendre à quoi elle sert –, la crème qui augmente le plaisir – et des *love spells* – qui, soi-disant, vous rendent irrésistibles.

Avouons-le, c'est le dernier produit qui s'applique le plus à mon cas. Je peux malgré tout faire un essai toute seule avec tout le reste de la marchandise. Ouf ! C'est Justin qui va être content, car ma chronique s'annonce aussi palpitante que celle sur les vibrateurs.

*   *
*

L'enquête sur les aphrodisiaques s'est fort bien déroulée. Même si j'aime bien écrire ce genre d'article, lorsque vient le temps de parler de mes choix concernant les vibrateurs ou la potion japonaise, j'ai l'impression de dire au monde entier ce que je fais dans ma chambre à coucher.

Espérons que ça ne me retombera pas sur le nez un jour. Je n'ai pas envie que les gens me reconnaissent sur la rue et m'associent à des vibrateurs ou à des aphrodisiaques. Je vois ça d'ici :

« Mais oui, regarde, chéri, c'est la jeune fille qui teste des trucs cochons pour le magazine *Féminine.com*. Elle doit en savoir des choses ! Allons lui demander conseil ! »

Hélas, j'ai eu beau faire usage à profusion de *love spells* tous les jours, je ne suis pas plus irrésistible qu'avant ! Je me doutais bien que ça prendrait plus que des potions pour me donner du charme...

*   *
*

En sortant de la douche, ce soir, je me regarde dans le miroir d'un œil critique. Je me sens d'humeur à réfléchir devant la glace – au sens cérébral du terme. Je repense au mariage de Gabrielle et à Léa, qui semble parfaitement heureuse de sa situation de couple avec son Simon. Pourquoi ne puis-je trouver de copain, alors que quasiment toutes les femmes qui m'entourent parviennent à entretenir des relations à long terme et fonctionnelles avec des spécimens que l'on nomme mâles humains ?

Nue devant le miroir, je regarde les gouttes d'eau ruisseler sur ma peau. Bon, d'accord, je ne suis pas un mannequin, mais il me semble qu'il en existe des plus moches que moi. Et je ne suis tout de même pas si débile que ça non plus ! Des femmes demeurées, j'en connais quelques-unes, et ça ne semble pas les empêcher de trouver des gars. Qu'est-ce que je peux bien faire pour être un tel paria parmi mes congénères ?

D'un autre côté, je me console un peu. Je n'ai pas de boulet à traîner comme ce collant d'Alexandre. Je n'ai pas de plaie collatérale comme des beaux-parents à tolérer non plus. Je peux faire ce qui me plaît, comme je l'entends, sans jamais avoir à me justifier à qui que ce soit. Je suis totalement libre, je n'ai aucune contrainte – seule exception : Bingo ! –, je n'ai aucun compte à rendre à qui que ce soit, et aucun sentiment de culpabilité. Parfois, je me sens heureuse – et avec raison ! –, mais alors, pourquoi suis-je déprimée la plupart du temps ? Ah ! Zut !

Chaque fois que je pense à l'amour – quel grand mot ! –, je ne ressens que tristesse, délabrement intérieur, inquiétude et complexe. Pourquoi était-ce si difficile d'obtenir de l'amour, du respect et de l'affection – saine, on s'entend ! – de la part de tous les hommes que j'ai rencontrés ? Pourquoi est-ce si dur d'avoir une relation un tant soit peu normale et agréable ? La plupart des gars avec qui je me suis retrouvée étaient soit des égoïstes, soit des machos, des immatures, des paresseux, des maniaques de contrôle, et j'en passe.

À mesure que je réfléchis, je m'aperçois que l'amour me rend constamment malheureuse. Je me sens misérable et piteuse lorsqu'une personne qui me plaît n'éprouve pas les mêmes sentiments. Lorsque je trouve quelqu'un que j'aime bien et qui m'affectionne, je souffre de son absence. Si l'autre ne m'aime pas comme je le voudrais, je suis accablée. Autrement dit, l'amour est une émotion qui ne cause souvent que peine et souffrance.

Pire encore, je crois que l'amour – que tout le monde décrit comme un sentiment noble qui donne des ailes ! – est un sentiment vil, mesquin, chiant et égoïste. En effet, on ne peut considérer une relation comme normale, de nos jours, si elle n'est pas égalitaire. Les deux partenaires doivent se donner quelque chose. Si l'un des deux n'obéit pas à cette loi, on perçoit cela comme une mauvaise relation.

Et combien de fois ai-je entendu des gens se plaindre parce qu'ils n'avaient pas ce qu'ils voulaient en amour ? Je me souviens encore de ce proverbe que Laurie m'a déjà cité : « L'amour qui se nourrit de présents a toujours faim. » En fait, je dirais que l'amoureux a toujours faim. Mais est-ce une faim de l'autre qui est saine, ou tout simplement égocentrique ? Après tout, l'amour n'est-il pas censé être une émotion altruiste ? Dans les livres de fiction, peut-être, mais pas dans la réalité. Lourd constat... Alors, pourquoi voudrais-je être en couple, déjà ?

*   *
*

J'ai décidé, pour m'amuser, d'aller draguer un peu sur Internet. Antoine passe son temps à le faire et ça semble très bien fonctionner dans son cas. Alors, pourquoi pas moi ? Le fait de ne plus chercher de relation sérieuse ne signifie pas avoir banni le sexe de ma vie. Alors, pourquoi pas les relations virtuelles ? Ce n'est pas trop engageant, après tout.

Je me suis créé un profil sur un site Web de rencontres et ai immédiatement clarifié ma position : je ne veux rencontrer personne pour l'instant, juste bavarder. Déjà, des internautes ont cessé de m'écrire, s'attendant sans doute à ce que j'accepte de m'envoyer en l'air avec eux à la première occasion.

Ceux qui restent ont des conversations plaisantes, bien que tout demeure franchement superficiel, du genre « Que fais-tu dans la vie ? » ou « Quels sont tes intérêts ? ». J'entretiens depuis quelques jours des contacts réguliers avec un certain Thomas Lévesque. Ce n'est sans doute pas son véritable nom, comme celui que j'ai affiché sur mon profil n'est pas le mien. Sur le Net, je m'appelle Emmanuelle Laflamme. Pour l'instant, nos conversations me conviennent parfaitement. C'est facile, ça ne demande pas d'efforts, on est rarement déçu et ce n'est pas éprouvant sur le plan psycho-émotif. Juste ce dont j'ai besoin.

Après plusieurs jours de correspondance, Thomas me demande des photos de moi. Pourquoi ne pas pousser plus loin ?

Ça ne m'engage à rien et j'ai envie, pour une fois, d'être un peu audacieuse. Je n'ai jamais rien tenté qui soit un peu osé, pourquoi pas cette fois.

En quelques minutes, me voilà en petite tenue, en train de m'installer devant l'appareil photo numérique offert par mes parents. S'ils savaient l'usage que j'en fais, ils feraient une syncope !

Je prends quelques photos, vêtue de mon bustier, et je les envoie à Thomas, en attendant d'avoir son avis sur ma personne.

* *

*

Je n'ai eu aucune nouvelle de Thomas après lui avoir envoyé mes photos privées. Quoi ? Je ne suis pas si laide que ça, il me semble ? À moins qu'il n'ait communiqué avec moi que pour obtenir ces quelques clichés un peu cochons. Et si c'était ça ? Après avoir obtenu ce qu'il désirait, il n'avait plus qu'à disparaître dans la nature pour s'amuser avec les photos.

Mon Dieu ! Mais alors, ces clichés pourraient être en train de circuler en ce moment même sur le Web ! Au secours ! Tout le monde pourrait me voir en petite tenue ! Et si ma famille tombait là-dessus ! Quelle horreur ! Je supprime sur-le-champ mon profil Internet. Il vaut mieux disparaître au plus vite. Qu'est-ce qui m'a pris aussi, d'envoyer cela ! Tout le monde sait que le Net, c'est le moyen par excellence pour transmettre de l'information ! Et merde ! Quelle gaffe !

* *

*

Après avoir écumé l'Internet pendant plusieurs jours à la recherche de mes photos, je n'ai rien trouvé. À mon grand soulagement. Peut-être Thomas les a-t-il jetées, en fin de compte. Peut-être n'étaient-elles pas à son goût. Tant pis pour lui !

*   *
*

Autre surprise monumentale. À ma sortie du bureau, vendredi soir, je me fais apostropher par deux types aux luxueux complets-veston cravate.

– Mademoiselle Amélie Tremblay ?

– Heu... oui...

– Vous voulez bien nous suivre ? demande l'un d'eux en désignant une limousine noire. Nous aimerions vous parler. Nous avons un message de la part de Carbu-Drink.

Je déglutis avec peine. Un message ? Quel message ? Est-ce qu'on essaierait de m'intimider ouvertement, cette fois ? Ou de me menacer ? Peut-être qu'on va me kidnapper, me torturer à mort et jeter mon cadavre mutilé dans le fleuve ? J'ai bien envie de prendre mes jambes à mon cou. Un des deux hommes s'empresse de me rassurer.

– Ne vous en faites pas, nous voulons seulement vous parler.

J'acquiesce. Je suis incapable de parler, de prononcer le moindre son. J'ai horriblement peur et je me demande ce qu'ils veulent. Je n'aime pas cela du tout. Je suis tout de même les types sinistres dans la voiture. À l'intérieur, tout est sombre. Pour ajouter au cliché, les vitres sont teintées, il fait froid, le véhicule semble immense avec ses gigantesques banquettes de cuir noir et je m'attends presque à ce qu'on ouvre le minibar et qu'on m'offre une boisson. Personne ne me propose de cocktail.

Entre les deux hommes à la mine patibulaire se tient un autre individu, plus petit, vêtu d'un complet bleu marin. Il doit être dans la mi-trentaine. Il me fait un grand sourire que je m'efforce de lui rendre. Mon sourire doit ressembler à une grimace. Je suis figée par la terreur. Je n'ai qu'une envie : ouvrir la portière et me jeter en dehors de la limousine la tête la première. Mais je vois bien que ce n'est pas une sage décision.

L'homme au complet bleu me tend gentiment la main, sans perdre son sourire un seul instant. On jurerait qu'il s'est fait injecter du botox dans la mâchoire le matin même en souriant. Je lui tends une main tremblante, molle et moite de sueur. Rien de mieux pour faire une mauvaise première impression.

— Bonjour, mademoiselle Tremblay. Je m'appelle Adam Boisvert. Je suis relationniste pour la division canadienne de Carbu-Drink.

Je hoche la tête. J'ai la gorge sèche, le cœur qui bat la chamade et je suis aphone. M. Boisvert se penche en posant ses coudes sur ses genoux et plonge son regard dans le mien.

— Écoutez, mademoiselle Tremblay, Carbu-Drink aurait une proposition à vous faire. Nous sommes prêts à vous donner deux cent cinquante mille dollars si vous nous assurez que vous ne direz pas un mot sur l'histoire des Taylor et du Vectorade et que vous détruirez toutes les informations que vous avez.

Je n'en crois pas mes oreilles ! Suis-je en train de rêver ? Ou de m'imaginer des trucs pas catholiques ? Carbu-Drink est ni plus ni moins en train d'acheter mon silence ! Comme ils l'ont fait avec les Taylor ! Je suis bouche bée. Je n'arrive pas à croire qu'ils aillent aussi loin pour cacher la vérité. Peut-être Laurent me mettait-il vraiment en garde, alors ?

Que devrais-je faire ? Prendre l'argent et me taire ? Je suis un peu tentée. Ça réglerait mes problèmes financiers pour un sacré bout de temps et je pourrais peut-être même m'acheter une maison en argent comptant ! Enfin, une petite maison. Je cesserais de tirer le diable par la queue, pour une fois. Comment expliquerais-je cette situation à mon entourage ? Leur faire croire que j'ai gagné le gros lot à la loterie ? J'aurais trop honte de leur avouer que j'ai accepté un pot-de-vin pour me la fermer. Surtout après que mes parents m'ont dit qu'ils étaient si fiers de moi, je serais gênée d'accepter cette proposition. Ça manque un peu... d'honneur.

Et puis, j'ai une responsabilité en tant que journaliste. Carbu-Drink tient fermement à ce que ces renseignements ne soient jamais dévoilés. Il y a certainement une excellente raison. Les effets du Vectorade sont-ils si dévastateurs ? Et si les risques étaient plus élevés que je ne l'avais cru ? Si Carbu-Drink est prête à me payer un tel montant, après avoir acheté le silence des Taylor, c'est que ça lui serait drôlement dommageable. J'ai un gros poisson entre les mains, mais une partie me glisse entre les doigts.

Une partie de moi a envie de tout oublier, de prendre l'argent et de me taire à tout jamais. Faire une petite vie tranquille. Une autre partie ne veut que continuer l'enquête davantage, savoir ce qui se cache vraiment derrière tout ça et faire éclater la vérité au grand jour. Bon sang, mais qu'est-ce que je dois faire ? J'ai peur, mais je me sentirais coupable d'abandonner la lutte ainsi. Mieux vaut dormir là-dessus.

– Écoutez, monsieur Boisvert, puis-je réfléchir un peu à tout ça ? Je vous contacterai dès que j'aurai pris une décision.

Monsieur Boisvert fait signe au chauffeur de s'arrêter. L'un des gorilles ouvre alors la portière.

251

– Pas de problème, me dit M. Boisvert. Je vous rappellerai dans environ un mois, ça vous laissera le temps de réfléchir. Ah oui, un dernier détail. Si vous tentez de parler de notre entretien à quiconque, nous nierons tout. Alors, pas de coup fourré.

La voiture redémarre, me laissant seule avec mes doutes.

Chapitre 15

Grand jour
(Août)

Une fois sur deux, un ami qui se marie est un ami perdu.

Michel Tournier

Aujourd'hui est un grand jour, mais pas pour moi : Gabrielle et Alexandre se marient au Manoir Rouville-Campbell à Mont-Saint-Hilaire, et nous allons enfin voir ce Félix, qui accompagne Laurie. Je profite de la situation pour penser à autre chose qu'au dilemme dans lequel la proposition de Carbu-Drink m'a plongée et me délester l'esprit. Au mariage, je suis accompagnée d'Antoine. Évidemment, je suis encore prise à jouer les demoiselles d'honneur célibataires. Super...

Quant à La Créature, elle est en pension chez mes parents. Depuis qu'elle suit ses cours de dressage, elle est nettement mieux éduquée et je peux la laisser dans la demeure parentale sans trop m'inquiéter. Sans compter que, maintenant, elle est enfin propre ! Mes parents sont si heureux de la garder ! Quand je l'ai amenée chez eux, ils lui avaient déjà acheté une balle, une corde à tirer, un frisbee, une boîte de biscuits, un gros os à ronger, un coussin, et je crois que j'en ai oublié. Bingo est mieux équipée là-bas que chez moi.

Pour en revenir au mariage, le manoir est un lieu surprenant et luxueux. Ça a dû coûter les yeux de la tête de faire la réception ici ! Gabrielle ne nous a pourtant jamais laissé entendre qu'elle s'était lancée dans d'aussi folles dépenses. Ils ont vraiment décidé de faire ça en grandes pompes. Je me demande qui a payé pour tout cela. Les parents des mariés ont-ils contribué aux dépenses ?

Gabrielle avait raison quand elle disait que la gestion serait compliquée : l'horaire est strict et chacune de nos activités est programmée avec exactitude. C'est tout juste s'il ne faut pas prévoir un moment pour respirer. Ça a commencé hier soir, chez Gabrielle où nous avons dormi, et ça ne fait que continuer. Ce serait moins pire si on était sur une base militaire. Par ailleurs, madame Bélanger, la mère d'Alexandre, a des allures de matrone sortie tout droit d'un régime totalitaire. Elle semble avoir, malgré tout, plié aux exigences de sa bru.

Gabrielle a dû se battre et être particulièrement ferme pour qu'une bonne femme de cette trempe-là lui cède du terrain. Je ne doute pas qu'il y ait eu des engueulades entre les deux. Cependant, aucune ne laisse paraître le moindre sentiment d'amertume face à l'autre. Je me doute que c'est uniquement pour que la célébration ait l'air parfaite et que la famille paraisse unie que les deux ont fait une trêve. Quant à Alexandre – « monsieur muscles sans cervelle » –, je ne crois pas qu'il lui soit venu en tête souvent de contredire sa mère.

Monsieur Bélanger père ne semble pas le genre à laisser sa place lui non plus, mais on dirait bien que le mariage ne fait pas vraiment partie de ses principaux intérêts. Mon petit doigt me dit qu'exceptionnellement, il a laissé le champ libre à son épouse, qui en a profité. Pour une fois, je ressens de la compassion envers Alexandre qui a dû se sentir étouffé par ces parents envahissants. Par chance, ce n'est pas le style de Gabrielle. Passons...

Cette fois-ci, je n'essaierai pas de m'acoquiner avec l'un des garçons d'honneur, j'ai eu ma leçon. De toute façon, je suis affublée d'une robe jaune serin – beurk ! c'est pire chaque fois – avec des manches bouffantes et je n'intéresserais jamais un homme, vêtue de la sorte. Sans blague, je ressemble à un citron géant. Hum... passée de vert hôpital à agrume géant, ça s'améliore...

C'est à croire que les gens font exprès pour que les dames d'honneur soient laides, pour ne pas nuire à la mariée. Je me demande qui est derrière cette idée abominable : Gabrielle ou madame Bélanger ? Quant à Laurie, habillée de la même façon que moi, elle applaudit à tout rompre dès qu'elle en a l'occasion, et semble être constamment en extase. Je crois qu'elle vit son mariage par procuration. Étrangement, son regard est triste et envieux à la fois.

— Dis donc, tu es de bien bonne humeur, aujourd'hui, glissé-je.

Elle soupire, alors que nous sommes en train de prendre la sempiternelle photo des invités sur le perron de l'église. C'est drôle, j'ai une sensation de déjà-vu...

— Ce n'est pas juste, dit Laurie. Gabrielle est tellement belle dans sa robe de mariée. Quant à nous deux, tu nous as regardées, deux secondes ?

— Ne m'en parle pas, je suis si habituée à être hideuse en dame d'honneur que je vais bientôt être assez expérimentée pour porter le titre de « dame d'honneur professionnelle ».

— J'ai tellement hâte de pouvoir me marier, moi aussi, soupire Laurie.

— Et moi donc...

Si ça continue, je crois que nous allons avoir l'air de deux rabat-joie avec nos récriminations. Allons ! Il faut encore faire mon devoir et sourire quelques heures.

– L'ami vrai n'est pas celui qui regarde avec peine tes souffrances ; c'est celui qui regarde sans envie ton bonheur, conclut Laurie, dans un fugace instant de sagesse.

Je ne peux qu'acquiescer et continuer cette journée sur le ton de la bonne humeur. Au lieu de nous plaindre, nous devrions être heureuses pour Gabrielle.

– Oscar Wilde a aussi dit : « Les vrais amis vous poignardent par-devant », ajouté-je.

*   *

*

Lorsque nous avons deux secondes à nous, Laurie me tire par la main et me présente enfin son Félix Lavoie. Taille moyenne, grosseur moyenne, cheveux châtain moyen, bref, assez ordinaire. Mais je sais que je ne dois pas me fier aux apparences. Félix est programmeur-analyste pour une compagnie qui s'occupe de sites Web. Cette dernière a fait appel à l'entreprise où travaille Laurie en conception graphique. Bref, Laurie et Félix nagent dans le paradis virtuel de l'informatique.

Après avoir conversé – c'est vite dit – avec Félix, je m'aperçois rapidement qu'il est peu bavard. Honnêtement, il a autant de personnalité qu'un chaudron. À bien y penser, Félix me rappelle un peu Olivier. Timide et laconique avec les inconnus, on voit qu'il est à l'aise avec Laurie. Mieux encore, elle devine ses besoins sans même qu'il ait à s'exprimer. Je me demande si ma copine possède un don inattendu d'empathie, ou si son copain l'a bien domptée. Je ne peux me décider à savoir si je dois l'envier ou la plaindre.

Franchement, je ne comprends pas Laurie. Elle qui a toujours été une féministe acharnée, qui était impliquée dans tous les débats de société à l'école, qui a toujours dit refuser de devenir une femme

256

au foyer, de se plier aux archétypes féminins ou de se rabaisser aux désirs d'un homme, quels qu'ils soient, elle est devenue une sorte de guenille soumise qui obéit au doigt et à l'œil à Félix, se précipite quasiment pour lui essuyer le menton lorsqu'il mange et est rendue incapable de prendre une décision ou de faire une activité sans lui. C'est à n'y rien comprendre !

Ça me rappelle un proverbe qu'elle-même m'avait servi lorsque je me laissais abuser par Olivier : être en couple, c'est n'être qu'un, mais lequel ? Une réflexion pertinente en ce qui la concerne.

Je vois déjà mes parents dire une niaiserie stéréotypée du genre « Amour, amour, quand tu nous tiens ! » pour excuser son comportement. Comme si le fait d'être amoureux justifiait qu'on développe des défauts terribles ou qu'on se transforme en débile mental. Est-ce que ce fait annihile toute fierté, tout amour-propre, toute soif de liberté et toute dignité au point où l'on va faire les pires conneries pour que l'autre nous aime encore ? Si c'est ça l'amour, alors c'est un sentiment abject et je ne veux rien savoir de tomber amoureuse à nouveau. Je suis très bien toute seule avec mon chien. Je me souviens d'une autre citation servie par Laurie, dite par un dénommé Anon : « L'amour n'a rien à voir avec ce que vous vous attendez à avoir, mais ce que vous vous attendez à donner, c'est-à-dire : tout. »

*   *

*

Après douze heures et un peu plus d'une demi-douzaine de boissons alcoolisées ingurgitées avec du gâteau, je dois dire que j'ai plus le cœur à la fête. L'ennui, c'est que mon cerveau, lui, ne suit plus. J'ai l'impression de rire pour un rien et, en plus, ma tête tourne. Je me suis encore laissée aller. Décidément, ça va mal. Zut ! Et quand je pense que Laurie a réussi à venir à ce fichu mariage accompagnée, et pas moi ! Hum... Je crois que la cohérence a quitté mes pensées. Quant à ce cher Antoine, il est parti depuis belle lurette avec une invitée, pour baiser sans doute...

Au moins, cette fois-ci, j'ai prévu dormir à l'hôtel. Je ne ferai pas comme la dernière fois. Et puis, étant sur la Rive-Sud, je suis trop loin pour retourner chez moi ce soir, sans voiture. Après avoir regardé autour de moi et dit au revoir à Laurie, qui retourne dans sa chambre avec son Félix chéri, je décide qu'il est temps de rejoindre mon lit douillet.

Je me lève, pour perdre l'équilibre aussi sec et m'étendre de tout mon long sur la table. Puis, trop fatiguée, je me laisse glisser jusqu'au sol. Mmmerde... Décidément, les mariages, ça ne me fait pas. Il faut dire que si je cessais de boire comme une soûlarde, je ne ferais pas une folle de moi. Prendre en note : contrôler la quantité d'alcool que je bois et ne plus me soûler comme une ivrogne !

Soudain, je sens une paire de bras puissants prendre ma clé de chambre dans mon petit sac et me soulever de terre. J'ai juste assez d'esprit et de mémoire pour reconnaître Benjamin, le frère aîné d'Alexandre et garçon d'honneur, qui m'a prise dans ses bras. Il est plutôt costaud, lui aussi. Il m'emmène jusqu'à ma chambre, dans ses bras.

Pendant un instant, je suis soulagée de voir un sauveur galant et de ne pas avoir à me déplacer moi-même jusque là-bas. Mais aussitôt, un doute surgit dans mon esprit, ou du moins ce qu'il en reste. Nous sommes pratiquement seuls dans les couloirs, les gens sont couchés pour la plupart. Et s'il décidait de profiter du fait que je suis ivre pour m'agresser dans ma chambre ? Devrais-je crier au viol tout de suite ?

Je regarde attentivement Benjamin. À bien y penser, il est beau bonhomme, et j'aimerais bien me faire baiser par lui – surtout que je suis en manque –, mais pas dans cet état-là. Je sens qu'il me dépose dans mon lit. Devrais-je lui proposer de rester dans la chambre avec moi et de lui donner un petit extra au matin ? Serait-ce inapproprié ? Et s'il disait non ? Avant que j'aie le temps de faire ou de dire quoi que ce soit, Benjamin sort illico après m'avoir souhaité bonne nuit et je m'endors immédiatement pour cuver mon alcool.

*   *

*

J'ai encore eu l'air d'une idiote. Et en plus, j'ai un foutu mal de crâne. On dirait que la batterie d'un groupe *heavy metal* joue dans mon cerveau. Quand vais-je apprendre la leçon une fois pour toutes ? J'ose me regarder dans le miroir. Beuh... J'ai une tête à faire peur. J'ai des cernes sous les yeux, les joues creuses et le teint blafard. Je prends des analgésiques pour soulager mon horrible céphalée en priant pour que ça fonctionne. J'ingurgite la petite boîte de chocolats remplis de boissons alcoolisées qui se trouve dans ma chambre. Rien de tel que de prendre une nouvelle dose d'alcool pour calmer la gueule de bois. Hum... je me demande si c'était une bonne idée, après avoir ingurgité ces médicaments...

Il est passé onze heures. Je descends dans la salle à manger. Je ne vois pas mon bienfaiteur. Je m'approche de Gabrielle et je m'installe à sa table pour déjeuner – ou plutôt dîner, devrais-je dire.

– Où est Benjamin ? J'aimerais le remercier.

– Il est parti tôt, ce matin, répond Gabrielle.

Après quelques minutes de conversation, j'apprends finalement que Benjamin est marié. Une chance que je ne lui ai pas fait de proposition, j'aurais eu l'air d'une salope. Beuh... niveau de désespoir : cinq. Je me rapproche encore de la zone dangereuse.

Un peu plus tard, je tombe sur monsieur Lachance, l'oncle de Gabrielle, que je n'avais presque pas vu la veille.

— Comment allez-vous, Amélie ?

— Bof, pas trop mal. Je présume que ça pourrait être pire.

Si j'étais un cadavre mutilé flottant entre deux eaux dans le fleuve Saint-Laurent, oui, la situation serait probablement pire...

— Et vos recherches sur le Vectorade ? Avez-vous eu des résultats ? Avez-vous trouvé quelque chose ?

Je n'ose pas lui raconter tout ce qui m'est arrivé. D'abord, je n'ai pas envie de lui avouer que j'ai été bernée par les beaux yeux de Laurent. Trop humiliant. Quant à l'offre de monsieur Boisvert, je préfère me taire. Et je ne veux rien dire à propos de la lettre anonyme – sans doute des Taylor – qui me disait que j'avais raison.

— Disons que ça avance tranquillement. J'ai fait des trouvailles assez intéressantes, mais rien de vraiment concret encore.

— En tout cas, vous me direz comment ça avance. Vous savez, j'ai trouvé certains faits et j'ai découvert que près de mille plaintes ont été portées auprès de la FDA concernant le Vectorade. Des gens se sont plaints d'avoir eu des palpitations, des bouffées de chaleur, des maux d'estomac. Étrange, non ?

Oui, très étrange...

*   *

*

Ma rencontre avec monsieur Lachance m'a incitée à poursuivre mon enquête. On ne m'enlèvera pas de la tête qu'il y a encore des choses louches là-dessous. Il faut que je sache toute la vérité avant de prendre une décision. Néanmoins, je me fais discrète. Plus de contact avec qui que ce soit à propos de cette histoire. Du moins, pour l'instant. Je ne bougerai pas tant que je ne serai pas certaine de pouvoir le faire en toute sécurité et en toute connaissance de cause.

Jusqu'à présent, tout ce que j'avais trouvé n'était que circonstanciel. Je n'avais à peu près pas de preuve directe. Les analyses données à monsieur Lachance ne démontraient que des probabilités et si des documents prouvaient que la mort de Ryan était liée à la boisson, ils ont disparu il y a longtemps. Quant à la Food and Drug Administration, elle a approuvé le produit grâce à des études préliminaires encourageantes. Mais voilà qu'au bout de quelques jours, j'ai enfin la main heureuse.

Je viens de mettre la main sur un renseignement intéressant. Les fameuses études préliminaires ayant permis au Vectorade d'être mis sur le marché avaient été payées par nulle autre que Carbu-Drink ! Aux États-Unis, ce genre de phénomène n'est pas rare, semble-t-il. Autrement dit, les analyses prouvant la qualité du produit étaient entachées dès le départ et leur crédibilité est presque nulle. Les pièces commencent à former un casse-tête plutôt terrifiant... En ai-je assez pour bouger ?

*   *

*

Je n'arrive toujours pas à me décider. Si je ne peux justifier mes accusations par des preuves, ma carrière sera compromise. Chaque fois que je me dis : « ça y est, cette fois, c'est la bonne, tu vas prendre le téléphone et tu vas annoncer aux médias que tu as un scoop ! », je me dégonfle. Je saisis le combiné, le tiens dans ma main au moins une dizaine de minutes pour finalement raccrocher. L'angoisse me prend à la gorge et j'ai la trouille. Qu'est-ce que je vais faire, bon sang ?

Alors que je tergiverse là-dessus depuis un bon moment, je reçois un appel de Camille. Elle m'annonce que monsieur Édouard Perreault, l'un des membres du mystérieux conseil d'administration de *Féminine.com*, veut me voir dans son bureau ! J'ai beau demander à Camille la raison de cet entretien, elle ne sait rien du tout.

Je prends l'ascenseur des fantômes du CA pour monter au dernier étage de l'immeuble, là où seul Justin peut se rendre. Je suis donc la deuxième à pénétrer dans ce lieu mystérieux et sacré. Pourquoi me convoque-t-on ainsi ? J'ai surpris une lueur de haine dans le regard d'Audrey lorsqu'elle m'a vue entrer dans l'ascenseur. Veut-on m'offrir une promotion ? Sinon, pourquoi veut-on me rencontrer ?

J'arrive enfin dans le bureau de monsieur Perreault, après avoir traversé un long couloir et avoir parlé à une réceptionniste snobinarde. Tout est immense. Les plafonds sont très hauts et les meubles, gigantesques. Tout est démesuré. Monsieur Perreault est un homme d'une soixantaine d'années, au visage ridé, aux yeux gris bleu, vêtu d'un costume Armani marine. Il m'accueille avec un petit sourire.

– Bonjour, mademoiselle Tremblay.

– Bonjour, monsieur Perreault.

– Bien. Vous devez vous demander pourquoi je vous ai convoquée ici, n'est-ce pas ?

Il ne croit pas si bien dire...

— Eh bien, je vais être honnête avec vous, mademoiselle Tremblay. J'ai entendu dire des choses à votre sujet. Vous savez, nous sommes au courant de beaucoup de choses, même si vous, les employés du magazine, ne nous voyez jamais. Nous avons des oreilles un peu partout et nous savons ce qui se passe...

Bon sang, où veut-il en venir ? Avec cette saleté de sourire figé, je n'arrive pas à savoir si ce qu'il a à me dire est positif ou négatif.

— J'ai personnellement eu vent de... renseignements embarrassants sur lesquels vous avez mis la main...

Là, je reste figée, éberluée et plus étonnée que jamais. Aucun doute, il parle de l'affaire Carbu-Drink. Par quel miracle les membres du conseil d'administration ont-ils pu connaître cette histoire ? Je ne les croyais pas si éveillés et attentifs. Y aurait-il une taupe dans le magazine ? Audrey semblait m'espionner depuis un bout de temps. Aurait-elle trouvé des informations dans mon bureau ? Est-ce qu'on aurait fouillé dans mon ordinateur ? Les dirigeants de la revue veulent-ils me forcer à dévoiler cette histoire et s'attribuer tout le crédit par la suite ?

— Mademoiselle Tremblay, vous allez laisser tomber cette histoire.

Je croyais être au bout de mes surprises, mais j'étais bien loin du compte. Ai-je vraiment bien compris ? On me demande de me taire sur l'affaire du Vectorade ? Quel est l'intérêt de notre entreprise de faire cela ? Je reste là, devant monsieur Perreault, la bouche grande ouverte, à tenter de rassembler mes idées. Est-il en train de me menacer à demi-mot ?

— Vous savez, Carbu-Drink est très puissante, continue monsieur Perreault. Si vous parlez publiquement de cette histoire, ils ont le droit d'attaquer *Féminine.com* en justice, puisque vous êtes notre employée. Tout ce que vous faites dans un cadre d'informations vous lie à nous, vous comprenez ? Cela pourrait avoir de graves conséquences sur l'entreprise, même la mettre en faillite. Je suis certain que vous ne voulez pas cela, mademoiselle Tremblay, n'est-ce pas ? Vous ne voulez pas être responsable de la disparition du magazine et des nombreuses pertes d'emploi qui s'ensuivraient, y compris la vôtre.

J'ai l'impression d'étouffer. Des bouffées de chaleur me montent à la tête. On ne se contente plus de me menacer. Voilà qu'on s'attaque aussi à l'entreprise et à tous ses employés. Cette méthode est vraiment dégueulasse ! Je n'arrive pas à croire que l'on puisse aller jusque-là. Carbu-Drink a, d'une façon ou d'une autre, menacé les dirigeants de *Féminine.com*. Si je parle, je risque d'être responsable de bien des malheurs.

J'aurais bien envie de traiter monsieur Perreault de sac à merde pour me défouler, mais quelque chose me dit que ce comportement risquerait d'être dangereux pour mon avenir dans l'entreprise.

Après m'avoir tentée par l'appât du gain, on attaque ma conscience. Comment arriverais-je à ne pas me sentir coupable si l'entreprise était attaquée par ma faute ? Et si tous les travailleurs perdaient leur job à cause de moi ? Je ne me le pardonnerais jamais ! Je songe à Léa, à Camille, à Justin, aux autres. Comment pourrais-je leur faire cela ?

Carbu-Drink me tient et elle me tient bien. Après s'en être pris à moi, elle s'acharne maintenant sur mon entourage. Comment oserais-je parler, dans de telles conditions ? Impossible ! Je m'en voudrais à mort si un malheur arrivait.

Sans dire un mot, je quitte monsieur Perreault et retourne travailler, la mort dans l'âme. J'ai l'impression que l'offre de monsieur Boisvert est tombée à l'eau. Pourquoi acheter mon silence à un tel prix quand ils n'ont qu'à menacer mes collègues pour m'arrêter ?

* *
*

Aujourd'hui, j'étrenne le petit manteau que j'ai acheté il y a deux semaines. C'est un joli vêtement bleu marine, de style cardigan, serré à la taille par une ceinture et tombant juste au-dessus du genou. C'est à peu près la seule chose qui me remonte le moral en ce moment. Étant donné que, dans un mois, le temps va commencer à se rafraîchir et que dans deux ou trois mois, il fera un froid glacial, qu'il se mettra à pleuvoir sans arrêt – et que je serai trop pantouflarde pour mettre le nez dehors, ne serait-ce que pour m'acheter un litre de lait –, il vaut mieux en profiter. L'air est chaud, et il y a un soleil radieux.

Alors que je traverse le parc Outremont, je regarde l'astre du jour, qui disparaîtra pour plusieurs mois – quelle déprime ! –, et tente d'absorber la chaleur de ses rayons autant que possible. Bingo, que je promène en laisse, en profite autant que moi.

Je regarde les feuilles, traversées de lumière, qui brillent telles des lampes. Elles se balancent au gré du vent en bruissant joli-ment. Je prends une bonne bouffée d'air. Depuis un certain temps, j'ai atteint un niveau de sérénité que je n'avais pas touché depuis plusieurs années. Enfin, sur le plan émotif, pas professionnel. Mon célibat, pour la première fois, commence à me peser moins et je dirais même qu'il m'est plutôt agréable.

Aucune frustration due à un conjoint idiot, aucun compte à rendre à personne et une liberté dont j'avais oublié le goût et l'odeur jusqu'à tout récemment. Bingo, même si elle ne com-pense pas l'absence de copain – je ne suis pas faite de bois, après

265

tout –, m'apporte un bien-être insoupçonné. Mon niveau de désespoir est maintenant à trois. Ça commence à être potable. Rendue là, je peux presque me dire heureuse.

Et, de toute façon, quand je regarde les autres, je ne suis pas certaine de vouloir me trouver un gars. Gabrielle semble avoir perdu toute liberté et est constamment surveillée par son boulet gluant de mari. Quant à Laurie, elle s'est transformée en femme soumise qui se plie aux moindres désirs de son copain, comme si c'était le dieu de l'univers. Pourquoi, dans ces circonstances, voudrais-je tomber amoureuse à nouveau ? Pour céder toute ma liberté, mes principes et ma dignité et m'emprisonner dans une cage dorée ? Ça, jamais de la vie ! Je préfère encore crever !

Youpi ! Je suis célibataire, et heureuse et fière de l'être. Je ne souffre ni de l'absence d'un amoureux quelconque, ni du fait qu'il ne m'aime pas comme je le voudrais, ni de son égoïsme, ou d'autres émotions imbéciles qui, au fond, ne causent que du mal. Je suis libre de tout attachement, de toute culpabilité, je peux faire tout ce que je veux sans me rapporter à qui que ce soit. Et je peux baiser qui je veux. L'ennui, c'est qu'il n'y a personne d'intéressant dans les parages avec qui je peux m'envoyer en l'air.

Le plus surprenant, c'est que je me sens réellement beaucoup mieux depuis que je ne cherche activement plus de copain. C'est comme si ce besoin avait disparu, qu'il s'était volatilisé, comme s'il n'avait jamais existé. Je me demande même pourquoi je tenais à ce point à me trouver un conjoint. Je n'ai jamais été aussi bien dans ma peau, et je me sens heureuse. Je me sens libérée d'un poids. Si ma vie professionnelle ne va pas bien, au moins, je peux me consoler en me disant que j'ai accepté mon célibat avec quiétude. Le fait d'avoir passé par toute la gamme des émotions, dans l'histoire Vectorade, me fait voir les choses sous un nouvel angle. Je suis déjà heureuse d'être en vie et d'avoir un boulot. Ma situation pourrait être bien pire. Pour une fois, j'ai l'impression d'avoir toute la vie devant moi et je me sens légère comme une plume.

Chapitre 16

Le Salon de la métamorphose
(Septembre)

L'amour est une question de timing, *il faut beaucoup de chance pour tomber sur la bonne personne, au bon moment, au bon endroit.*

Wong Kar-Wai

Il y a deux semaines, lors de l'assemblée du lundi matin, j'ai eu toute une surprise. Alors que nous discutions des projets de reportage du mois prochain – période toujours risquée de la réunion, car c'est justement là qu'Audrey se met à manœuvrer – elle s'est mise à parler d'un événement auquel, paraît-il, il était essentiel pour le magazine de participer. Un salon de trois jours, et portant sur les métamorphoses – ces événements loufoques où des gens se font refaire le portrait par une équipe de spécialistes – qui avait lieu au Palais des congrès de Toronto. Avec le ton qu'Audrey employait, je voyais bien qu'elle avait une idée derrière la tête. Sans doute désirait-elle partir encore en voyage payé pour y assister ! Advenant le cas, bien sûr, où ce colloque existait vraiment...

C'est alors qu'à mon grand étonnement, elle a proposé que la revue m'envoie, moi, à cet événement ! Puisque j'étais la chroniqueuse de tests, je pouvais bien « tester » cet événement. Je levai la tête, soudain réveillée. Je venais brusquement de cesser de somnoler. Mieux encore, l'entreprise me prêterait même un ordinateur portable pour que je puisse écrire là-bas, sur place ! Je n'en croyais pas mes oreilles ! Peut-être Léa avait-elle tort, en fin de compte ? À moins que le Conseil d'administration ne tente de me donner

une forme de compensation en échange de mon silence ? Tant pis !
Je n'allais pas refuser cette occasion unique ! Je fais garder Bingo
par mes parents et je pars pour Toronto.

Me voilà donc, deux semaines plus tard, jeudi après-midi, en
chemin pour la gare. Je suis en retard, mes bagages pèsent une
tonne et je n'avais pas prévu que la valise de l'ordinateur serait
aussi encombrante ! Je suis chargée comme une mule et je cours
comme jamais ! Il ne faut absolument pas que je rate ce fichu train,
sinon je suis foutue !

Ouf ! J'arrive juste à temps pour monter dans le wagon.
L'employé referme la porte derrière moi. J'étais vraiment la dernière arrivée. Je range mon fourbi à l'avant, et cherche désespérément une place où m'asseoir, l'ordinateur à la main. Rendue au
milieu de l'allée, le train démarre et je trébuche pour m'étendre de
tout mon long sur le sol. Quelques personnes tentent de me venir
en aide, mais je me relève à l'instant, blessée dans mon orgueil.
Vraiment, je suis incapable de ne pas faire une folle de moi en
public !

Je me rends jusqu'au fond du wagon et m'installe à la seule
place libre. Du côté de la fenêtre, un jeune homme très mignon,
début de la trentaine, est assis et pianote sur son ordinateur portable. Il me décoche un sourire beau à en mouiller mes culottes.
Vêtu d'un chandail de laine beige avec un col à fermeture éclair
et d'un jean, il a une superbe chevelure courte et frisée de couleur
châtain – nuance *Acajou et cannelle* n° 2. Ses yeux sont gris turquoise. Il dégage un agréable parfum léger, subtil et légèrement
épicé. Je m'installe à ses côtés, espérant qu'il ne m'a pas vue
m'effondrer quelques secondes plus tôt. Pour ne pas être en reste,
je sors également mon ordinateur, le mets sur le plateau de mon
banc et le branche juste à côté du sien en souriant au bel inconnu.
Je tente de faire jouer *Journée d'Amérique*, de Richard Séguin, mais
malgré mes efforts répétés et désespérés, l'ordinateur refuse obsti-
nément de lire mon disque.

– Ce n'est pas vrai ! Ce truc fonctionne comme une merde !

Zut ! J'ai prononcé ces paroles à voix haute plutôt que dans ma tête. Le jeune homme me regarde, à la fois surpris et amusé. Bravo, Amélie ! Tu as l'air fine, maintenant...

– Vous avez un problème ? me demande l'étranger sans cesser de sourire.

– L'ordinateur ne reconnaît pas mon CD, suis-je forcée d'avouer.

– Permettez ?

Je le laisse faire, il semble s'y connaître. Il prend le lecteur de CD-ROM et le pousse. Un clic ! se fait entendre. Le disque apparaît soudain sur mon écran.

– Voilà, il était mal enfoncé, c'est tout, dit-il, sans cesser de sourire.

Je le remercie. Alors là, j'ai l'air plus conne que jamais ! Je ne suis pas si mal avec la technologie, pourtant. Trouve une excuse intelligente à répondre, Amélie, et vite, si tu ne veux pas passer pour la dernière des imbéciles !

– Cet ordinateur n'est pas à moi, il m'a été prêté par mon entreprise.

– C'est bien gentil, dit l'autre. Pour qui travaillez-vous ?

– Vous ne connaissez sans doute pas. C'est le magazine *Féminine.com*.

– Non ! Sans blague ! s'écrie l'inconnu, enthousiaste. C'est vrai ?

À mon tour d'être étonnée. Il connaît ça ? Ça y est, je parie qu'il est gai ! Ce serait bien ma chance de tomber sur un type mignon qui soit homo...

— C'est la revue préférée de la plupart de mes clientes et des secrétaires, nous la recevons tous les mois au travail ! Quel est votre nom, et quelle chronique faites-vous ?

— Heu... Tremblay, Amélie Tremblay. Je fais la chronique de tests...

— Ça alors ! L'une des favorites des lectrices, l'année dernière, non ? Les reportages sur la lingerie, les aphrodisiaques et les vibrateurs, c'était vous, alors ?

Et merde ! Si je me doutais qu'un jour ce genre de truc arriverait... Je ne sais pas si j'ai envie de me faire une réputation comme testeuse d'objets du sexe. D'accord, pas de panique, Amélie... Détourne l'attention, détourne l'attention !

— Ben... oui... Et vous ? Qui êtes-vous et que faites-vous dans la vie ?

— Je m'appelle Samuel Gagnon, dit-il en me tendant la main, je suis dentiste. Je vais à un congrès de dentisterie au Metro Toronto Convention Centre pour la fin de semaine.

— Tiens, c'est drôle, moi aussi ! Mais moi, c'en est un sur la métamorphose.

Ça me permettra de revoir ce beau jeune homme au sourire si charmant. C'est vrai qu'il a des dents éblouissantes. Et une main douce et chaude.

— Dites, je voulais savoir, dit Samuel après un court silence, les vibrateurs, vous les avez vraiment tous essayés pour votre chronique ?

Ça y est ! Il doit être en train de m'imaginer en train de me masturber avec tous ces phallus artificiels ! Adieu, la vie privée. Bon sang, qu'est-ce que je donnerais pour pouvoir me cacher dans le compartiment à bagages ! Avoir su, j'aurais pris un pseudonyme et je me serais fermée la gueule... Je me force à sourire.

– Objectivité oblige...

– Quand je dirai à mes clientes que je vous ai rencontrée, elles n'en reviendront pas ! poursuit Samuel. Elles aiment beaucoup vos recommandations, surtout celles des derniers mois. Si je me rappelle bien, vous avez aussi fait un reportage sur les dentifrices l'an dernier, non ?

Ça alors ! À croire qu'il connaît tous mes articles par cœur ! De la part d'un homme, c'est surprenant. J'oubliais qu'il était dentiste, logique qu'il se souvienne de celui-là...

– Oui. Vous l'avez trouvé comment sur le plan professionnel ?

– Très bien, mais j'aurais seulement recommandé un dentifrice luttant contre le tartre. C'est le plus important.

– Eh bien, ça m'aurait aidée d'avoir un dentiste sous la main à ce moment-là.

– La prochaine fois que vous ferez une chronique de ce genre, appelez-moi, dit-il en me tendant une carte d'affaires.

Incroyable ! Il me donne son numéro de téléphone ! La carte indique : « Dr Michæl Smith et Dr Samuel Gagnon ». À garder précieusement...

Finalement, après plusieurs heures de conversation, le sentiment de malaise que j'éprouvais face à Samuel s'est dissipé quelque peu. Mais il est vraiment *sexy* et il me fait un effet bœuf !

Ses yeux et son sourire, surtout. Nous en sommes venus à nous tutoyer. Nous avons aussi découvert que nous logions au même hôtel – l'InterContinental Toronto Centre –, qui communique directement avec le Palais des congrès.

J'ai appris que Samuel avait une sœur appelée Élodie, un ami grano-écolo appelé Charles, qu'il aimait la nourriture indienne, qu'il avait une voiture, mais détestait conduire et prenait un autre moyen de transport dès qu'il le pouvait, qu'il avait étudié à la faculté de médecine dentaire de l'Université McGill, et que le Dr Smith était l'un de ses anciens professeurs. Quand il parle de sa profession, ses yeux brillent et il a tendance à frotter les cuisses de son pantalon de ses mains. Rien que d'observer ce mouvement chez lui me fait littéralement saliver. Je lui ai parlé de moi, sans entrer dans les détails. Disons qu'il en connaît déjà assez sur ma vie privée.

Ça fait longtemps que je ne me suis pas sentie aussi détendue et aussi bien en présence d'un homme. Ça me rassure, en quelque sorte. C'est étrange. Il y a de ces gens que l'on déteste tout de suite, sans savoir pourquoi, et que l'on a en aversion à la seconde où on les voit. À l'inverse, il y a ceux qu'on apprécie immédiatement et que l'on aime au premier regard. Clairement, Samuel est l'une de ces personnes.

En arrivant à la gare de Toronto, peu après le souper – nous avons mangé dans le train –, Samuel et moi décidons de partager un taxi, c'est plus pratique. À l'hôtel, j'ai la surprise de ma vie ! Moi qui croyais me trouver dans un petit gîte ordinaire, je me retrouve dans un vrai palace ! L'InterContinental Toronto Centre est un grand et luxueux hôtel cinq étoiles. Et situé tout près de la tour du CN. Génial ! Le hall est orné de bois d'acajou et de vitraux lumineux. Superbe ! J'apprends qu'en fait, cet hôtel, choisi par *Féminine.com*, offre des tarifs réduits à ceux qui participent à des salons au Palais des congrès. De toute façon, le magazine paie tout, alors je m'en fiche bien !

Samuel et moi payons chacun nos chambres. Pendant qu'il règle la sienne, j'en profite pour l'observer à ma guise. Il a de belles et larges épaules et de jolies fesses. Miam ! C'est le temps de nous séparer et de nous dire au revoir, pour se préparer pour le lendemain. Je ressens un étrange pincement au cœur à l'idée de quitter Samuel. Je m'entends merveilleusement bien avec lui. C'est idiot, puisque je ne le connais que depuis quelques heures à peine, je ne peux pas m'ennuyer de lui. Zut ! Je n'étais pas censée être heureuse d'être célibataire et libre, moi ? Alors que nous entrons dans l'ascenseur pour monter à nos chambres respectives, Samuel me propose de se revoir demain, si possible. Je le regarde, les yeux ronds, sans trop savoir quoi penser de sa proposition. Voyant mon expression incertaine, il s'empresse de me rassurer.

– Ne t'en fais pas, je ne vais pas te sauter dessus. Je me disais que, tant qu'à être là un week-end, on pourrait le passer ensemble, plutôt que de s'ennuyer chacun dans son coin. Prends ton temps pour réfléchir, on se reverra probablement demain. Ne te sens pas obligée de dire oui...

Sur ce, perplexe et étonnée, je descends à mon étage, laissant Samuel dans l'ascenseur, monter jusqu'au sien. À bien y penser, je me demande si je ne préférerais pas qu'il me saute dessus, justement...

*   *

*

Dans ma chambre – genre club intercontinental, la moins chère –, j'appelle mes parents pour prendre des nouvelles de Bingo. C'est imbécile, mais, alors que je devrais profiter avec allégresse de ce congé de chien et de corvées que me permet ce voyage, je m'ennuie déjà de ma Créature. Pauvre Bingo, je l'abandonne souvent. Il va falloir que je me fasse pardonner avec une gâterie. Bon, je dois me préparer pour demain.

273

Je sors mes plus beaux vêtements – mais pas trop chics, pour ne pas en faire trop. Je vais peut-être à un salon où l'on transforme des laiderons en mannequins, mais je ne veux pas avoir l'air sortie tout droit d'un pénitencier – et surtout, d'avoir l'air d'une de leurs futures clientes. Je fixe mon choix sur une jupe noire, tombant au niveau du genou, de longues bottes noires et un chandail rouge juste assez moulant pour m'avantager. Parfait !

En me couchant, je ne cesse de penser à Samuel. Hmmm... ce que je donnerais pour qu'il vienne me rejoindre dans ma chambre. Dire qu'il est là, tout près, à quelques dizaines de pieds au-dessus de moi. Depuis combien de mois n'ai-je pas fait l'amour, au juste ? Autrement qu'avec un vibrateur, il s'entend... Huit ou neuf mois ? Oh là là ! L'horreur ! J'irais bien baiser Samuel...

*   *

*

J'ai fait un horrible cauchemar : Samuel était entré dans ma chambre au petit matin en me disant qu'il avait vu une carie dans ma bouche et qu'il allait la réparer sans anesthésie. Sur ce, il avait ouvert une sorte de kit de dentiste portatif, m'avait retenue de force sur le lit en sortant sa fraise pour réparer ma dent. Pour la première fois de ma vie, je crois que je me suis réveillée en hurlant.

J'ai regardé partout dans la chambre pour m'assurer que j'étais seule et je me suis examinée dans le miroir pour voir si ma dent était intacte. Ouf !

*   *

*

Ce matin, je n'ai pas bonne mine. J'ai les yeux bouffis et rouges, et des cernes d'une épaisseur inquiétante sous les yeux. Sans doute ce rêve abruti. Ce songe voulait-il vraiment dire quelque chose ? Bof, probablement que non. Je me rends à la salle à manger pour déjeuner. Samuel ne semble pas y être. Je me sens à la fois soulagée – surtout avec ce cauchemar – et déçue – j'aurais bien aimé voir encore son sourire et converser avec lui. Est-il déjà levé ? M'aurait-il attendue ? Est-il déjà parti ? Peut-être mon attitude d'hier l'a-t-elle refroidi ?

Et si j'allais vérifier auprès de la réception s'il est dans sa chambre et l'appeler ? Et pourquoi ne pas me présenter toute nue devant sa porte, au point où j'en suis rendue ? J'aurais à peine l'air moins désespérée.

Je déjeune seule et me rends finalement au Salon de la métamorphose par le passage intérieur qui communique entre l'hôtel et le Palais des congrès. J'observe les différents événements qui se déroulent en simultané. Je ne croyais pas que le Palais était aussi grand. Je repère le congrès de dentisterie, à l'autre bout du bâtiment. Je pourrais essayer de rejoindre Samuel plus tard dans la journée. Armée d'un crayon, d'une tablette de papier et d'une petite enregistreuse, je pars faire mon enquête pour ma chronique sur le Salon de la métamorphose.

*   *

*

Après avoir passé des heures à regarder des esthéticiennes, des coiffeurs, des designers, des maquilleurs, et j'en passe, je suis vraiment vannée. Bien que l'événement soit très intéressant – ces gens peuvent vraiment transformer n'importe qui en sex-symbol ! –, j'en ai plus qu'assez. L'heure du souper approche. Je ne peux m'empêcher d'aller faire un tour du côté du congrès des

275

dentistes, pour voir si, à tout hasard, je ne mettrais pas la main sur le mien – après une fouille en règle, évidemment. Je traverse donc le Palais des congrès à la recherche de Samuel.

* *
*

Zut ! Après avoir fait le tour de la section et parcouru tous les kiosques au moins trois fois, pas de trace de mon beau dentiste. Comme si j'allais vraiment pouvoir le retrouver dans un endroit aussi gigantesque ! Je suis plus désespérée que je ne l'imaginais. Complètement épuisée et vidée, j'abandonne la partie, à mon corps défendant, et me rends à l'hôtel pour manger. Pendant le chemin du retour, je garde l'œil ouvert, au cas où je le croiserais. En vain.

C'est vraiment déprimant. Chaque fois que je m'intéresse à quelqu'un, tout tourne à la catastrophe. Est-ce que j'ai fait quelque chose de mal ? Samuel m'a-t-il trouvé trop distante ? L'ai-je désappointé ? Ce ne serait pas la première fois que je déçois un homme... Merde ! Pourquoi est-ce que je ne réussis jamais rien ?

À l'hôtel, je me rends à la salle à manger, mais elle est pleine de congressistes, et je choisis plutôt le *lounge*, beaucoup plus calme. Au moment où j'en franchis le seuil, mon cœur fait un bond dans ma poitrine et des papillons se mettent à gigoter dans mon estomac. Toute ma déprime se volatilise d'un seul coup. Samuel est là, assis seul ! Aussitôt que j'entre, il tourne la tête vers moi et un sourire niaiseux apparaît sur mon visage. Amélie, cesse de sourire ainsi, tu as l'air débile ! Samuel me fait signe de le rejoindre.

– Alors ? Comment s'est passé ton salon ? me demande-t-il.

– Très bien. Et ton congrès de dentisterie ?

276

– Pas mal du tout. J'ai hâte de voir les nouvelles techniques de chirurgie demain.

Rien que d'imaginer cela, je grimace. Samuel rit. Je commande une salade, Samuel un steak. Après moult hésitations, j'ouvre la porte à une conversation qui pourrait s'avérer gênante.

– C'est drôle, je ne t'ai pas vu ce matin, je croyais te rencontrer...

Dès que je prononce ces paroles, je regrette mon audace. Ça y est, il va me prendre pour une sorte de laissée-pour-compte qui cherche à se caser avec le premier venu.

– Moi aussi, je m'attendais à te voir, répond gentiment Samuel. Je me suis levé tôt, et j'étais dans la salle à manger entre sept heures trente et huit heures trente, mais tu n'étais pas là.

– Désolée, je ne suis pas aussi matinale que toi. Je suis descendue un peu plus tard.

En fait, je me suis rendue à la salle à manger une bonne heure après son départ. Ça explique pourquoi nous nous sommes manqués. Mais je n'ose pas lui avouer que je me suis levée si tard. C'est gênant. D'autant plus qu'il est resté une heure dans la salle à manger, peut-être pour m'attendre. Après avoir hésité à son tour, il me dit :

– Si ça t'intéresse, j'ai un trou dans mon horaire demain après-midi, entre treize et seize heures. Si tu veux, on pourrait visiter la ville. Mais ne te sens pas forcée de dire oui.

Non seulement je ne me sens pas obligée, mais j'ai quasiment envie de lui crier que j'accepte volontiers. Je regarde le programme du lendemain, pour faire semblant de réfléchir, mais je me fous bien de ce qu'il peut y avoir entre treize et seize heures au salon !

J'ai déjà assez de matière pour écrire un bon article, de toute façon. J'accepte sur le ton désinvolte de celle qui a quelque chose de mieux à faire, mais consent à donner une faveur. Lorsque nos plats arrivent, je dévore littéralement. Tiens, j'étais affamée et je ne m'en étais pas rendu compte !

Lorsque je quitte Samuel, nous nous donnons rendez-vous à huit heures trente, le lendemain matin, afin de déjeuner ensemble, ce qui est tout de même plus plaisant que d'être seuls. Je n'ai pas envie que cette soirée se termine, ou plutôt je voudrais que nous soyons déjà à demain pour revoir Samuel au plus vite. Bon sang, qu'est-ce qui m'arrive ?

*　　*

*

Le matin, après un déjeuner copieux et après avoir quitté Samuel – encore ! snif ! – pour me rendre à mon salon, je décide de participer à l'événement plus activement. Après tout, j'ai à ma disposition une kyrielle d'experts qui peuvent m'arranger le portrait en un tournemain. Et ça me permettra de mieux parler de mon expérience à ce congrès lors de mon reportage. Je m'abandonnerai aux soins de ces spécialistes.

J'opte pour un service de maquillage simple et discret – je déteste avoir la sensation de me promener avec l'équivalent d'un pot de beurre d'arachide sur la figure –, ainsi que pour une coupe de mes pointes de cheveux et des mèches colorées. Après plus de deux heures passées entre les mains des coiffeurs et des maquilleurs, je ressors du stand avec la sensation d'avoir été transformée. Il est l'heure de manger. Je m'achète un sandwich – question fraîcheur, on repassera ! –, que je mange en parcourant à nouveau la section. Je me rends ensuite vers le lieu du rendez-vous, à l'entrée du Palais des congrès, située sur Front Street West.

En chemin, j'entends soudain qu'on m'appelle. Je me retourne, le sourire aux lèvres, persuadée de voir Samuel. Quelle n'est pas ma surprise de reconnaître... Olivier ! Encore lui ! Qu'est-ce qu'il fabrique ici ? Qu'est-ce qu'il vient foutre encore dans ma vie ? Est-il là pour me la gâcher, une fois de plus ? C'est bien la dernière place où je pensais le voir. Je cache à peine ma déception en le voyant.

– Heu... bonjour Amélie, qu'est-ce que tu fais à Toronto ?

– Je suis venue pour un salon, réponds-je un peu plus froidement que souhaité. Et toi ?

– Je suis là pour une formation spéciale, pour mon boulot. Dis donc, tu t'es fait couper et teindre les cheveux ? C'est... heu... joli. Et le maquillage est... heu... pas mal.

Je sourcille, stupéfaite. Autant de compliments en deux phrases, venant de sa part, c'est ahurissant. Je ne suis même pas certaine qu'il m'en ait fait autant pendant les huit mois où nous avons été ensemble. C'est à croire que la solitude a un effet sur lui. Je suis vraiment impressionnée. Aurait-il changé ?

– Écoute, Olivier, dis-je en me rappelant soudain Samuel, j'ai un rendez-vous avec... un copain. Je dois te laisser.

– Heu... tu es avec quelqu'un ? Bon... alors, heu... salut.

– Au revoir.

Je quitte mon ex-copain, un brin soulagée et me dirige vers le lieu de rencontre, le cœur léger. Je suis bien heureuse de lui avoir montré que je peux poursuivre ma vie sans lui. Bien que je sois en avance – événement rarissime à inscrire au calendrier ! –, Samuel est déjà là. Hum... Je dois admettre que ça a quelque chose de réconfortant de savoir que l'on est attendu. Alors que je m'approche de Samuel, il ne semble pas me reconnaître. Ce n'est qu'une fois rendue à ses côtés qu'il comprend enfin que c'est bel et bien moi.

– Eh bien ! Ça fait tout un changement ! Très joli !

Tiens ! Lui, au moins, il n'est pas gêné de me complimenter.

– Où veux-tu aller pour la visite, alors ? As-tu des idées ?

– Il y a bien la tour du CN, à côté, pour commencer, propose Samuel. Ça te va ?

– Absolument !

* *

*

Après six heures de visite, Samuel et moi avons vu la tour du CN, le Skydome, la Art Gallery of Ontario, Yonge Street – reconnue pour ses magasins – et le Centre Eaton. Nous ne sommes pas retournés au Palais des congrès. Nous mangeons au restaurant Mediterra, spécialisé en fruits de mer. Vraiment excellent ! Mon niveau de désespoir vient de baisser à deux et demi. Il n'a pas été aussi bas depuis des lustres. Tout au long du repas, Samuel se dévoile un peu plus. Il confesse que malgré son goût pour la cuisine indienne, son plat préféré entre tous, c'est la poutine ; qu'il a un faible pour la musique rétro des années 1960 et que la série *La guerre des étoiles* demeure sa grande référence culturelle.

Je suis parfaitement à l'aise avec Samuel, j'ai même l'impression de flotter. Je me sens comme en congé, partie pour une fin de semaine de vacances. Je n'ai pas la sensation d'être là pour le travail. Oubliées, les histoires d'espionnage, de menaces, d'analyses chimiques et de boissons désaltérantes potentiellement mortelles !

La bonne humeur constante et le sourire éternel de Samuel sont vraiment contagieux. Il ne semble jamais bougon, ennuyé, fâché ou mal à l'aise. On dirait presque que je me suis attachée à lui. Oh mon Dieu ! Ne t'emballe pas, Amélie ! Si je m'amourache trop vite, je pourrais le regretter.

De retour à l'hôtel vers vingt et une heures, nous sommes tous les deux épuisés, mais heureux. J'ai l'impression de connaître ce type depuis des années. Nous parlons de tout et de rien sans hésitation. Surtout lui. Rien ne semble le gêner. Demain, nos deux événements se terminent en après-midi et nous devons prendre le même train peu après. Nous rentrons finalement chacun dans nos chambres respectives pour nous reposer. Je me retiens pour ne pas lui demander de me rejoindre dans la mienne. Zut ! C'est insensé, c'est à peine si je le connais ! Est-ce seulement parce que je suis en manque de sexe que je suis si vulnérable ?

*   *
*

À vingt-trois heures, toujours incapable de dormir, je décide de me rendre à la piscine intérieure de l'hôtel. Malgré mon épuisement, je me sens anxieuse. En faisant des longueurs dans l'eau, je repense sans cesse à Samuel. Qu'est-ce qui peut m'attirer autant chez lui ? Son sourire, son sens de l'humour, ses larges épaules, sa franchise ? Je le connais à peine, et dès qu'il n'est pas là, je me mets à songer à lui. C'est vraiment trop imbécile ! Je ne devrais pas m'attacher à lui, je n'ai peut-être aucun avenir avec ce garçon. Il y a bien des aspects de son passé, de sa personnalité, que je ne connais pas et qui pourraient ne pas me plaire...

*   *
*

Après une nuit quelque peu mouvementée et sans sommeil, je quitte l'hôtel et j'assiste aux derniers ateliers du Salon de la métamorphose. Ça n'en finit plus. Je rejoins enfin Samuel à l'hôtel et nous partons pour la gare. J'aurais bien aimé parler encore avec lui, mais nous sommes si fatigués que nous nous endormons tous les deux dans le train et roupillons pendant le reste du voyage. Lorsque nous arrivons enfin, très tard le soir, et que nous descendons sur le quai, j'ai la gorge qui se serre. Et si c'était la dernière fois que je le voyais ? Je vérifie que j'ai encore sa carte. Ça va, elle est dans la poche de mon chemisier. Il me semble que nous n'en finissons plus de nous dire au revoir. En fin de compte, Samuel se dirige vers son auto, alors que je prends un taxi, la mort dans l'âme. Je souhaite le revoir au plus vite.

Chapitre 17

Encore du nouveau...
(Octobre)

*On a beau être paranoïaque, on n'en est pas moins persé-
cuté !*

Jay McInerney

Catastrophe ! C'est l'horreur ! C'est l'apocalypse ! Non ! Non !
Non ! En voulant à tout prix laver mes vêtements rapidement, j'ai
tout foutu dans la laveuse sans ménagement, y compris la carte
que Samuel m'avait donnée ! Elle a été lessivée et séchée, et elle
est illisible ! Ce n'est pas vrai ! Ce que je peux être gourde ! Pourquoi
tout tourne-t-il à la catastrophe avec moi ? Plus moyen de déchif-
frer quoi que ce soit, tous les caractères ont été effacés.

Et si je tentais de retrouver le numéro de téléphone de son
cabinet dans les pages jaunes ? Ça serait une bonne idée, non ? Oh là
là ! Il y en a pour environ cinquante pages, c'est-à-dire pour plus de
mille cinq cents cabinets de dentistes à Montréal ! Et rien qui ressemble à Smith ou à Gagnon ! J'aurais dû regarder la carte d'affaires
plus attentivement, pour me souvenir d'une information qui aurait
pu m'être utile, le nom ou l'adresse, n'importe quoi... Pas de Samuel
Gagnon dans les pages blanches de Montréal. Quant aux « S
Gagnon » dans l'annuaire, il y en a près de deux cents. Impossible
de le retrouver. Zut ! Pourquoi les malheurs n'arrivent-ils qu'à moi ?

Grrr... Prendre en note : toujours vider mes poches avant de
faire la lessive !

*   *

*

Lundi matin. Oh non ! C'est la fin ! Audrey vient me voir dans mon cubicule. Apparemment, j'aurais dû remettre mon article sur le Salon de la métamorphose vendredi dernier et elle ne l'a pas reçu dans sa boîte de réception interne de courriels. Pourtant, je l'ai envoyé la semaine dernière. Vampirella est dans tous ses états et me gueule littéralement après que je suis une incapable, que le magazine m'a grassement payée pour aller à cet événement, que je devrais être plus reconnaissante, que je devrais me forcer pour faire mon travail et d'autres bêtises que je ne saurais répéter.

Cependant, je suis certaine de lui avoir envoyé mon reportage sur ce satané salon – assez long, par ailleurs, sept feuillets ! Je n'y comprends plus rien. L'aurais-je envoyé au mauvais endroit ? À un concurrent ? Aurais-je rêvé ? Je doute de tout, maintenant. Justin arrive. Il a l'air furieux, ce qui est rare. Il me dit que je devrais faire plus attention, qu'on compte sur moi et qu'après avoir eu toutes les dépenses payées pour assister à cette conférence, que je devrais être plus fiable et ponctuelle. Aïe ! Ça va mal. Je commence à me demander si mon avenir chez *Féminine.com* n'est pas en danger.

Je me confonds en excuses et cherche désespérément ce fichu article sur mon ordinateur, dans tous mes dossiers... rien à faire ! Tout est sur ma clé USB et je n'en ai pas fait de copie au bureau, bien entendu. Pendant ce temps, j'entends Audrey se lamenter sur mon compte et me traiter de tous les noms possibles. À cause de moi, la production vient d'être retardée, car le reportage était important.

Tous les employés me regardent en chiens de faïence, des éclairs de haine dans les yeux. Par ma faute, ils devront tous supporter les récriminations de Vampirella pendant toute la matinée. Je me sens horriblement mal et je voudrais m'enfoncer six pieds sous terre.

Bien entendu, j'ai laissé la clé avec le travail chez moi, croyant que je n'en aurais plus besoin. N'ayant rien de mieux à faire, je finis par sauter dans un taxi pour rapporter le travail au boulot. Je suis trop gênée, étant donné la taille de ma bavure, pour réclamer qu'on paie les frais de mon taxi.

Je mets enfin la main sur ce satané reportage et, à la fin de la matinée, l'envoie à Audrey, soulagée de pouvoir me délester de ce poids. Elle m'accueille plus tard d'un air glacial, me disant qu'elle est déçue et que si je veux d'autres faveurs, je vais devoir travailler plus fort que cela. J'ai intérêt à me rattraper si je ne veux pas être renvoyée. J'ai le cœur qui bat la chamade et j'ai envie de pleurer toutes les larmes de mon corps. Quelle merde ! Décidément, tout va mal !

*   *

*

Mardi matin, je me sens lasse et déprimée. J'ai bien failli ne pas rentrer au boulot, aujourd'hui. Non seulement ça va mal dans ma vie amoureuse, mais mon emploi semble plus que précaire. Après les émotions de la veille, je n'ai pas le cœur à l'ouvrage. On me jette encore des regards courroucés. Alors que je tente désespérément de me faire oublier autant des employés que des patrons, j'entends soudain un cri, provenant du bureau de Vampirella. Mon cœur s'arrête et je me fige. Ah non ! Pas encore !

– Je l'ai ! hurle soudain Camille, la réceptionniste.

Quelques-uns – dont moi – se lèvent et regardent dans sa direction. Camille est dans le bureau d'Audrey, alors que cette dernière est absente. Camille a le sourire fendu jusqu'aux oreilles.

– Le voilà, Amélie, ton reportage sur le Salon de la métamorphose, exulte-t-elle.

285

Je la rejoins derrière le bureau d'Audrey. Elle a raison, c'est bel et bien ma chronique sur le salon... dans la corbeille de l'ordinateur d'Audrey ! Mais il y a pire : dans le dossier des éléments supprimés de l'Intranet, mon article est là, en date de vendredi dernier. Alors, elle l'avait bien reçu, mais l'avait supprimé ! Incroyable ! Alors, j'avais bien envoyé mon article, en fin de compte. La garce ! Tout ce temps, il était là et elle m'a fait porter le chapeau à sa place !

Sur ces entrefaites, Justin sort de son bureau en compagnie de nulle autre que Vampirella. Camille leur montre d'un air triomphant mon reportage. Audrey s'immobilise et devient soudain pâle.

— Qu'est-ce qu'il fiche dans la corbeille ? demande Justin.

— Il a dû se trouver là par accident, n'est-ce pas, Audrey ? ajoute Camille, avec un sourire malin.

Je suis stupéfaite par la tournure des événements. Peut-être mon emploi n'est-il pas trop en danger, en fin de compte. Tous les regards remplis d'éclairs se tournent vers Audrey, visiblement consternée. Elle devient blanche, puis rouge.

— La prochaine fois, fais donc un peu plus attention avant de créer un tel remous, conclut Justin avant de retourner dans son bureau.

Tous retournent travailler, à la fois abasourdis et honteux de m'avoir crue coupable. Bien sûr, personne ne s'excuse de m'avoir fait passer une journée d'enfer la veille. J'en profite finalement pour demander à Camille un remboursement pour les frais de taxi.

*   *

*

Voilà des mois que je tergiverse à propos de cette sale histoire de Vectorade. Bon sang, ce que je peux en avoir marre ! J'ai vraiment la trouille. Et si Carbu-Drink pouvait vraiment poursuivre *Féminine.com* en justice si je dévoilais quelque chose ? Par contre, je pense à Ryan Taylor qui est mort, aux mille plaintes de gens qui ont prétendu souffrir de malaises à la suite de l'ingestion de cette boisson de merde.

Et si des personnes mouraient vraiment à cause de cela ? Et s'il y avait des conséquences par ma faute ? En parlant, je pourrais peut-être arrêter tout cela, empêcher Carbu-Drink de continuer à vendre ce produit. Peut-être pas...

Suis-je vraiment la seule au courant de toute cette affaire ? Comment est-ce possible ? Pourquoi des journalistes plus sérieux, plus importants que moi, qui travailleraient, je ne sais pas, moi... pour *60 minutes*, tiens, ne pourraient pas en parler ? Eux, ils sauraient quoi faire.

Merde, il y a des milliers de reporters rien qu'aux États-Unis. Pourquoi l'un d'eux n'a-t-il pas déjà enquêté là-dessus ? Pourquoi est-ce à moi de le faire ? Je n'ai pas demandé cette responsabilité !

J'en veux à la terre entière. J'en veux au reste de la planète. Pourquoi suis-je la seule à savoir ? Pourquoi ai-je ce poids moral ? J'en veux aux autres d'être ignorants et innoncents, de ne se douter de rien, de ne pas savoir que partout, sur des tablettes au dépanneur, à l'épicerie, se trouve un breuvage qui peut les tuer. Je leur en veux aussi parce que s'ils savaient, ce ne serait pas à moi de prendre des risques et de me mesurer à une compagnie multimillionnaire qui pourrait m'écraser comme un pou. Non, il faut absolument que je fasse quelque chose, mais pas comme ça. Il me faudra être intelligente.

*   *
*

287

En arrivant au bureau, je m'aperçois tout de suite qu'il y a quelque chose d'inhabituel. Une bonne partie des employés, amassés autour de la machine à café, parlent bruyamment et semblent tous excités comme une bande de poux. Puisque j'arrive souvent bien après l'heure d'ouverture des bureaux, on dirait que j'ai manqué un événement important. Y avait-il une réunion ce matin ?

Je me rends jusqu'à ma place, intriguée. Quelques chroniqueurs – mais surtout chroniqueuses – sont groupés autour de Léa. Elles partent aussitôt en lui serrant la main et en l'embrassant. Je lui jette un œil interrogateur. Elle s'approche de moi, un gigantesque sourire aux lèvres, l'air sur le point de m'annoncer une grande nouvelle. Quitterait-elle le magazine ? Cette pensée me fait peur. Léa est non seulement ma meilleure alliée, mais aussi celle dont je suis la plus proche. Je ne sais pas ce que je ferais sans elle.

– James Bond, tu sais quoi ? J'ai une super nouvelle à t'annoncer !

Sans vouloir être méchante envers Léa, la seule nouvelle qui me rendrait heureuse serait s'apprendre que je suis la princesse royale portée disparue d'un empire intergalactique superpuissant et que mes parents menacent d'éliminer la planète entière si on ne me remet pas à eux dans les plus brefs délais.

– Je suis enceinte ! m'annonce Léa en me prenant les mains.

Si je m'attendais à ça ! Je suis éberluée. Je reste sans voix un instant.

– Félicitations... C'est toute une nouvelle...

C'est drôle, je n'aurais jamais imaginé Léa avec un enfant. Elle me semble trop sauvage pour ça. Bon, l'empire intergalactique sera pour une autre fois...

– Je suis tellement heureuse ! me dit Léa. J'ai déjà hâte de voir mon bébé ! Mais il va falloir que j'attende encore six mois avant de lui voir la frimousse. Donc, pas avant avril. Ah, Amélie ! J'espère que ça t'arrivera aussi, un jour, c'est tellement merveilleux, la maternité.

Toujours faudrait-il que je me trouve un copain pour faire un petit...

– Oh, moi, tu sais... je ne suis pas rendue là encore.

Léa a l'air si comblée. Je crois que je ne l'ai jamais vue dans un tel état d'extase. Je suis bien contente pour elle, c'est une fille bien. N'empêche, ça me donne un coup au cœur. Encore une autre qui a réussi à accomplir quelque chose que je ne peux pas faire. On dirait que quoi que je fasse, je n'arrive jamais à franchir les étapes pour me retrouver là où je voudrais être. Je me demande si un jour, j'aurai bien mon gentil mari, mes petits enfants, ma grosse maison en banlieue et ma jolie voiture.

J'ai beau me prétendre heureuse d'être célibataire, il y a des moments où ça pèse drôlement lourd. Et comment pourrais-je même oser mettre la carrière de Léa en danger, alors qu'elle attend un enfant ? J'en serais incapable.

*   *
*

Le lendemain, Audrey – très fière de sa nièce qui lui permet encore d'être le centre de l'attention – vient me voir dans mon bureau. Déjà, plusieurs employées lui ont adressé des félicitations auxquelles elle n'avait, en fin de compte, pas vraiment droit, mais qu'elle a acceptées avec joie. Elle doit s'imaginer qu'une partie de la gloire récoltée par Léa lui revient de droit. Ce que les gens peuvent être tordus, quand même... Alertée par des effluves de Chanel n° 5, je me prépare déjà au pire...

289

– Amélie, j'ai pensé à quelque chose pour ta prochaine chronique..., commence-t-elle.

Ça y est ! Ça recommence ! Non seulement je dois endurer d'interminables conversations sur les bébés depuis hier mais, en plus, Audrey a repris assez d'assurance pour reprendre son petit manège.

– ... tu pourrais la faire sur des produits pour bébé. Ça serait bien, non ? Un mois, tu pourrais tester des pyjamas, le mois suivant les tables à langer...

Alors là, c'est trop fort ! Non seulement elle tente encore de m'imposer ses idées mais, en plus, parce que Léa attend un enfant, il faudrait que je développe un intérêt pour les fournitures de bébés ! Je l'interromps tout de suite, en essayant de garder mon calme.

– Audrey, je suis vraiment désolée, mais j'ai déjà plusieurs idées de sujets...

– Comme quoi ?

Merde ! Je n'ai pas encore trouvé, en réalité. Évidemment, je ne peux pas lui dire que j'enquête à nouveau sur les boissons désaltérantes, elle va trouver ça mortellement louche. Mon cerveau fonctionne à toute vitesse, il faut que je trouve quelque chose de brillant, et vite. En repensant soudain au café du quartier devant lequel je suis passée hier, ça me donne une idée. Je tente de montrer autant d'assurance que possible.

– Mon prochain reportage portera sur les produits équitables. C'est un sujet *in*, en ce moment, tu sais, surtout avec le débat sur la mondialisation.

Ouf ! Je crois m'en être bien sortie. Audrey revient à la charge.

– Mais, tu pourrais faire ce sujet plus tard...

– Audrey, pour faire une chronique sur les produits de bébés, il faudrait que j'aie un bambin sous la main pour faire mes tests et, hélas, je n'en ai point.

Là, je lui en ai bouché un coin, elle ne sait quoi répondre, et elle sait que j'ai raison. Je suis fière de ma réplique et je m'impressionne moi-même d'avoir trouvé une excuse aussi astucieuse. Je continue et enfonce le clou plus profondément pour donner le coup de grâce, afin d'être certaine qu'elle ne me reviendra pas avec ce thème emmerdant.

– Tu sais, ce n'est pas nouveau et nous devrions tous être concernés par la mondialisation, surtout quand on connaît les conditions de travail déplorables de certains travailleurs. Il y avait même une conférence l'année dernière à ce sujet à Québec, mais je n'ai pas pu y aller. Apparemment, le budget alloué à ce genre de sortie était à sec.

Oups ! C'est sorti tout seul. Je n'aurais probablement pas dû. Audrey accuse le coup. Elle doit se douter que je la soupçonne depuis un certain temps de se faire payer des voyages par le magazine pour des colloques auxquels elle fait semblant de participer. Mais je n'ai aucune preuve. En fait, j'ai moi-même cru, pendant plusieurs années, qu'elle allait réellement à ces événements.

Elle rapportait toujours toutes ses factures – y compris celles des billets d'entrée à ces congrès – et même le programme de l'événement. Seulement, un jour, en lui posant des questions concernant un sujet d'un de ces ateliers auxquels elle prétendait avoir assisté et que je connaissais bien pour l'avoir étudié à l'université, je me suis rendu compte qu'elle ne savait pas de quoi je lui parlais. Elle s'est rappelé avoir prétendu assister à cette rencontre et a prétexté avoir oublié un instant y avoir participé. Pourtant, elle avait souligné cet atelier au feutre dans le programme qu'elle avait rapporté et avait crié à tous vents combien il était intéressant.

En voyant son expression morne lorsque je lui parlais de ce thème et la panique qui s'est enflammée une fraction de seconde dans son regard, j'ai compris qu'elle n'y avait pas assisté et qu'elle avait menti. Depuis, je me méfie chaque fois qu'elle prétend se rendre à un colloque. De plus, Léa a déjà confirmé mes inquiétudes. L'ennui, c'est qu'Audrey fait bien les choses en rapportant des trucs tangibles et réussit même à faire des rapports qui semblent convaincants – si vraiment quelqu'un les lit parmi les « fantômes », ce dont je doute. Je parie que si elle recopiait mot pour mot ce qui est écrit dans le programme de ces événements, ils ne s'en rendraient même pas compte.

N'empêche, je ne peux rien prouver, et je ne devrais pas montrer – du moins, pour l'instant – que j'ai des soupçons. Il faudrait que je sois plus prudente, et que je ne laisse pas sortir de ma bouche tout ce qui me passe par la tête. Ça pourrait être dangereux pour ma carrière.

Quelques minutes plus tard, Léa vient s'installer à son bureau. Elle en profite pour se pencher discrètement sur moi.

– Amélie, je vais te donner un conseil, mais c'est entre nous deux, chuchote-t-elle. Fais bien attention à Audrey : elle est dangereuse pour toi. Ne la provoque pas.

– Pourquoi me dis-tu ça ?

– Fais-moi confiance..., répond Léa d'un air mystérieux.

*   *

*

292

Léa sort des toilettes. Elle a l'air un peu pâle. Déjà enceinte de trois mois, elle commence à avoir un petit ventre... ainsi que quelques nausées. À la regarder, avec son teint blême, des cernes creusant ses yeux et son tour de taille qui commence à augmenter sérieusement, je me demande si j'ai encore envie d'avoir des enfants. Ça semble être une expérience particulièrement pénible.

Par chance pour elle et pour moi, la vie au bureau est tranquille, cette semaine. Et pour cause : Audrey Vampirella est partie pour quatre jours à Boston, supposément pour participer à un congrès sur la liberté de presse et la censure dans les médias. Tu parles ! C'est la contrôleuse et l'impératrice dictatoriale attitrée du magazine et elle va à un colloque sur la liberté de presse ? Mon œil ! Je parie qu'elle a inventé cette histoire pour avoir un congé payé.

L'ennui, c'est qu'en attendant, elle appelle à peu près toutes les deux heures, pour vérifier que tout va bien, que tel chroniqueur n'a pas oublié tel truc, que les épreuves sont prêtes à être envoyées à l'imprimeur, que la nouvelle graphiste a bien remis son devis, que tel illustrateur a bien été payé, que le photographe a remis son dernier film à la production, que tel client a bel et bien payé pour la publicité qu'il a prise dans notre revue, etc.

Elle ne fait vraiment confiance à personne sauf à elle-même, et elle s'imagine véritablement que sans elle, le magazine va s'écrouler, subir une combustion spontanée, que nous allons recevoir une pluie de météorites sur le toit ou, mieux encore, que les cavaliers de l'Apocalypse vont sortir de l'enfer exprès pour nous anéantir !

Pendant qu'elle parle à Léa de façon interminable, cette dernière me regarde en soupirant et en levant les yeux au plafond. Puis, toujours collée au téléphone, elle fait semblant de se pendre, puis de se tirer une balle dans le crâne. Je me retiens pour ne pas éclater de rire. Au bout de plusieurs minutes de conversation – je devrais dire de monologue – horrible, Léa peut raccrocher le combiné.

– Ce qu'elle peut être chiante, des fois ! s'exclame-t-elle.

Léa appelle Camille, la réceptionniste, pour lui transmettre l'information – ô combien précieuse et urgente – qu'Audrey, dans sa grande magnanimité, a daigné lui déléguer.

– Camille, dit Léa sans trop de conviction, Audrey fait dire de ne pas oublier d'envoyer la facture à Glamour Mascara pour la pub qu'ils ont prise avec nous.

Camille se retient de faire un geste démontrant son agacement. Elle secoue la tête, l'air de dire : « Cette Audrey, on ne la changera jamais ! » Puis, elle se tourne vers Léa.

– Dis donc, tu n'as pas l'air dans ton assiette, ma pauvre, dit-elle. Tu as vomi ton déjeuner ?

– Pour ça, il aurait fallu que je sois capable de déjeuner.

– Tu n'as pas mangé ce matin ? s'exclame Camille. Ce n'est pas bien, ça. Tu sais, prendre un déjeuner améliore le rendement mental et physique. En plus, si on déjeune, on a trois fois moins de risque de devenir obèse, et deux fois moins de chance de développer des problèmes de glycémie, de faire du diabète ou du cholestérol.

– En temps normal, je mange le matin, mais avec mes nausées, j'en suis incapable, s'impatiente Léa, fatiguée des nombreux conseils qu'elle reçoit depuis un mois.

– Ne t'en fais pas, ça va se replacer.

– Je l'espère bien.

Sur ce, Camille retourne à la réception.

– Pourquoi les femmes se sentent-elles autorisées à donner mille et un avis débiles dès que l'on attend un enfant, dis-moi, James Bond ?

– Je n'en sais rien.

* *
*

Je m'assois à mon bureau, toujours aussi démotivée qu'à l'habitude. Au loin, je regarde les feuilles d'automne virevolter dans les airs à travers la fenêtre. Les nuages cachent le ciel et l'ambiance est à l'orage. Fichue saison ! Je me sentais déjà assez démoralisée sans en rajouter. Je me traîne péniblement jusqu'à la cafétéria pour me prendre un café bien fort, histoire de me réveiller un peu. On ne sait jamais, peut-être que la caféine aura pour effet miraculeux de me redonner la joie de vivre.

Au moment où je finis de verser mon café, j'entends la voix que je déteste par-dessus tout, après celle d'Audrey, bien sûr.

– Mais c'est cette chère Amélie !

Au secours ! Non seulement je me tape une déprime au boulot, mais en plus, il faut que la Seins-Gorge revienne m'emmerder ! C'est quoi, la prochaine tuile qui va me tomber sur la tête ? Je vais apprendre que Darth Vador est mon père ? Que Samuel n'a jamais existé et qu'il est le fruit de mon imagination débordante ?

– Élizabeth... qu'est-ce que tu fais là ?

295

Honnêtement, j'ai peur de la réponse. Je remarque à ses côtés une femme d'un certain âge vêtue très chic, attaché-case à la main. Rien qu'à lui voir l'air, je devine que c'est la génitrice de Seins-Gorge.

— Maman et moi, on rencontre le conseil d'administration de *Féminine.com* tout à l'heure... pour acheter le magazine. On va leur faire une offre qu'ils ne pourront pas refuser !

Je manque m'étouffer en entendant la nouvelle. C'est comme si j'avais reçu un coup de massue sur la tête. Quoi ! Elles vont acheter la revue... aujourd'hui !? Je dois sûrement faire un cauchemar. Pendant un bref instant, je songe sérieusement à me jeter par la fenêtre ou à me donner un coup de cafetière sur la tête pour me réveiller. Moi qui interprétais le silence à ce sujet comme un bon signe !

Élizabeth pourrait devenir ma patronne... et bientôt ! L'horreur ! Je préfère encore m'exiler pour faire des reportages sur des chenilles exotiques du pôle Nord plutôt que de travailler sous ses ordres. Ou encore la torture de l'Inquisition espagnole ! Je n'arrive pas à croire que ça pourrait arriver, là, tout de suite. Non, pitié, pas maintenant !

Abasourdie, je tente de déposer ma tasse sur le comptoir. Mes mains tremblent tellement que je suis sur le point de m'ébouillanter avec mon café. Je manque mon coup et échappe la tasse sur le sol. Des débris de céramique et du café éclatent et éclaboussent un peu partout.

— Mais faites attention, pour l'amour du ciel ! s'écrie la mère d'Élizabeth. Vous auriez pu tacher nos vêtements ou même nous blesser ! Quelle maladroite vous faites, ma pauvre fille !

On voit tout de suite que Seins-Gorge n'a pas seulement hérité du *look* de sa maman chérie, mais de son caractère et de son ego aussi. Super... Je ferais mieux de me dégoter un nouveau travail tout de suite. Après m'avoir assassinée du regard, les Seins-Gorge mère et fille quittent la pièce pour planter leur griffe dans la chair de notre entreprise.

*   *
*

Après avoir passé l'avant-midi à éplucher les annonces classées du journal et les sites Web d'offres d'emploi, je vois soudain le duo des Seins-Gorge sortir de l'ascenseur spécial des fantômes. Je risque un coup d'œil plus long au-dessus des murs de mon cubicule.

Je remarque alors l'air furibond et le regard mauvais de la tribu des Saint-Georges. Se pourrait-il que ça n'ait pas fonctionné ? Du plus profond de mon cœur, j'invoque les dieux, démons et esprits des quatre coins du monde pour que le magazine ne soit pas vendu.

Élizabeth et sa mère franchissent le corridor menant à l'autre ascenseur qui se rend au hall d'entrée, quelques étages plus bas. Le nez levé, l'air hautain, elles semblent absolument furieuses. D'un pas rapide, elles atteignent les portes de l'ascenseur. D'un doigt rageur, Seins-Gorge mère appuie sur le bouton.

Je me risque à sortir la tête au complet de mon bureau, quitte à me la faire décapiter. Élizabeth et sa mère lancent un dernier regard meurtrier autour d'elles avant de disparaître, englouties par la cage de métal de l'ascenseur. Je m'approche de Camille qui poursuit son travail, un grand sourire sur les lèvres.

— Dis, Camille, est-ce que tu as une idée de ce qui vient de se passer ?

— Je sais que madame Saint-Georges venait faire une proposition d'achat au conseil d'administration pour intégrer *Féminine.com* dans son nouveau conglomérat et que l'offre a été refusée.

297

– Comment peux-tu être certaine de cela si rapidement ?

– Tu sais, Amélie, je travaille ici depuis plus de quinze ans et je connais bien les dessous de la *business*. Monsieur Dufour, le président du conseil, et monsieur Saint-Georges, le père de madame Saint-Georges, sont des ennemis de longue date. Je peux te dire que des coups bas, ils s'en sont fait plus d'un. Jamais monsieur Dufour n'aurait accepté que son rival mette la main sur la revue. Je crois qu'il aurait préféré fermer boutique plutôt que de voir son bébé entre les mains des Saint-Georges.

– Pourquoi accepter de la rencontrer alors, s'il n'avait pas l'intention de lui vendre ?

– D'après toi ?

Je commence à comprendre. Monsieur Dufour aurait accepté de rencontrer madame Saint-Georges, tout en sachant pertinemment qu'elle ferait tout cela pour rien, puisqu'il avait déjà décidé de refuser. Il lui a volontairement laissé croire le contraire. Je présume qu'il n'aura pas eu trop de mal à convaincre les autres membres du conseil de suivre son exemple, cet homme étant une véritable icône dans le milieu.

Monsieur Dufour aurait fait tout cela pour humilier madame Saint-Georges et sa fille. Oh là là ! C'est drôlement méchant ! Je ne pensais pas qu'en affaires, on pouvait être aussi abject. Mais, au fond de moi, je me découvre une admiration secrète pour monsieur Dufour. Peut-être qu'il n'est pas si mal que ça, en fin de compte.

*   *
*

Je me promène dans le quartier, déambulant d'une boutique à l'autre, pour me changer les idées et à la recherche de produits équitables. Partout, des décorations d'Halloween ornent les rues, les magasins, les vitrines, les maisons. Les sorcières, les fantômes, les chats noirs et les squelettes s'en donnent à cœur joie sous la pluie et les feuilles mortes qui virevoltent partout.

Ma vie est devenue un peu morne. Même si je me sens plus heureuse et soulagée – surtout après la déconfiture de la Seins-Gorge dont je me réjouis secrètement –, j'ai encore un goût amer dans la bouche. Je me sens un peu frustrée d'avoir été muselée par monsieur Perreault. Je n'apprécie pas qu'on ne m'ait laissé aucun choix.

Alors que j'examine une chemise dans une friperie, j'entends une voix qui m'appelle. Je me retourne pour tomber nez à nez avec Victor Paquette, l'un de mes professeurs d'université aujourd'hui à la retraite. Monsieur Paquette est une sorte de vieux sage. C'est sûrement le meilleur enseignant que j'ai eu avec qui je m'entendais le mieux par le passé.

– Monsieur Paquette, comment allez-vous ?

– Fort bien, Amélie, fort bien. Alors, comment vas-tu ? Où es-tu, en ce moment ?

– Oh... pas mal. Je travaille pour le magazine *Féminine.com*.

Je n'ose pas lui dire que je teste des produits domestiques. Monsieur Paquette était autrefois correspondant à l'étranger, il a couvert plusieurs guerres et j'ai l'impression que le travail que je fais est minable en comparaison du sien. J'hésite à lui poser la question qui me brûle les lèvres et à lui demander son opinion.

– En fait... je suis tombée, un peu par hasard, sur une affaire... bien... un peu louche...

Monsieur Paquette semble intéressé. La fibre journalistique se ranime en lui, on dirait.

– Ah oui ? Et quoi donc ?

Je lui explique brièvement la situation, sans lui donner les détails et sans lui mentionner le nom du fabricant ou du produit. Je lui parle de l'espionnage, des propositions et des menaces de toutes sortes qu'on m'a faites.

– Et ce produit, tu dis qu'il serait dangereux ? Qu'il pourrait causer la mort de plusieurs personnes ?

– Oui.

– Mais si tu parles, la revue pour laquelle tu travailles pourrait fermer et plusieurs personnes risquent de se retrouver sans emploi. Et tu ne veux pas leur faire subir cela.

– C'est exact.

– Quel risque préfères-tu prendre, Amélie ? Que des gens perdent leur emploi ou leur vie ? Et que fais-tu du droit du public à l'information ? Et de ton éthique journalistique ? Visiblement, tu détiens une information privilégiée qui peut sauver des vies. Si cette compagnie s'est autant acharnée sur toi, c'est pour une bonne raison. N'oublie jamais : quand on te fait des offres ou des menaces en échange de renseignements, c'est que ces derniers valent cher. Alors, pense bien à ce que tu vas faire.

Je suis à la fois heureuse et frustrée. Je suis soulagée d'avoir eu une réponse de la part d'un de mes mentors. L'ennui, c'est qu'il me suggère l'option la plus pénible. Hélas, comme certains disent : la chose la plus dure à faire et la bonne chose à faire sont géné-ralement la même.

Chapitre 18

Oui, je le veux !

(Novembre)

*C'est la compagnie des autres femmes qui pousse beau-
coup de femmes à se marier.*

Alain de Botton

Voilà près d'un mois qu'Audrey boude et ne m'a presque pas adressé la parole. Elle n'a même pas tenté de m'imposer un sujet d'article, ce mois-ci. Est-elle frustrée parce qu'elle a été prise en flagrant délit d'incompétence ? M'en veut-elle de l'avoir fait passer pour incompétente devant tout le bureau ? Qu'est-ce qui peut bien se passer dans sa tête ? Et pourquoi Léa m'a-t-elle mise en garde contre elle ? Elle sait sûrement quelque chose, mais quoi ?

Hier, j'ai trouvé une boucle d'oreilles sous mon bureau. En cherchant sa propriétaire, j'ai découvert, grâce à Camille, qu'elle appartenait à Audrey. Qu'est-ce que ce bijou faisait sous mon pupitre ? Je parie qu'Audrey est encore venue fouiller dans mes affaires. Qu'est-ce qu'elle peut bien chercher ?

*   *

*

Déprime ! Je déteste la vie... Me voilà au Sex-Symbol, mais ça ne va pas améliorer mon état mental. Le temps merdique de ce mois de novembre n'aide pas. Il fait environ 2 °C et les averses se succèdent sans répit. Je narre mon expérience au Salon à mes amis, ainsi que ma déconfiture. Sans compter les péripéties de mon enquête et l'attitude d'Audrey. Antoine et Gabrielle tentent de me remonter le moral, mais en vain.

Je ne sais pas ce qui me mine le plus. Le fait d'avoir perdu le numéro de téléphone de Samuel, le fait d'avoir été menacée de perdre mon emploi ou le fait de me sentir obligée de parler pour soulager ma conscience ? Je suis à la fois déprimée et terrorisée à cette idée.

Et en plus, je m'étais juré de ne pas m'attacher à un gars de sitôt ! Les promesses les plus difficiles à tenir sont celles que l'on se fait à soi-même. Quelles seront les conséquences si je me désobéis et qui me punira ? Certainement pas moi... Tout à coup, je remarque que Laurie n'est pas plus en forme que moi. Les choses se seraient-elles gâtées avec Félix ? Je tente de détourner le sujet de conversation sur elle, pour me divertir un peu et je lui pose la question.

– Hooo..., fait-elle avec un geste vague. C'est juste que j'ai discuté avec Félix de mariage, et il refuse catégoriquement d'en entendre parler, il ne veut rien savoir de ça.

– Voyons, Laurie, dit Antoine, il n'y a pas de quoi en faire un drame. D'autant plus que tu as toujours été contre ça. Vous n'êtes pas d'accord, les filles ?

– Lui en as-tu parlé sérieusement ? demande Gabrielle.

– Tu rigoles ? Je crois qu'il aimerait mieux se faire rouler dessus par un camion.

Malgré la compassion que j'éprouve à l'égard de Laurie et de ses problèmes émotionnels, ils me paraissent un peu futiles en comparaison des miens. Mais je saute sur l'occasion pour la consoler, histoire de me changer les idées.

— Antoine a raison, réponds-je avec conviction, tu ne devrais pas t'en faire. N'est-ce pas, Gabrielle ?

— Normalement, je répondrais, mais mon statut d'épouse me place dans une mauvaise position, rétorque Gabrielle d'un ton cynique.

— Mais, enfin, Laurie, pourquoi est-ce si important, tout à coup ? demande Antoine.

— Je ne sais pas, moi. C'est un peu comme... une sorte de témoignage, une preuve d'amour, si tu veux. Ou une façon de célébrer notre union. Mais Félix dit que ça coûte trop cher et que c'est inutile, puisqu'il ne m'aimerait pas davantage s'il m'épousait.

— Est-ce vraiment nécessaire ? reprend Antoine. A-t-on besoin d'une preuve ?

— Oui ! répondons-nous toutes les trois d'une même voix.

— Comment peux-tu savoir que ton conjoint t'aime vraiment s'il n'est même pas capable de le montrer aux autres, s'il n'est pas capable de faire le geste ultime qui honore les sentiments qu'il a pour toi ? Comment croire qu'il t'aime réellement s'il n'ose pas te présenter à sa famille, à ses amis, à son entourage comme étant la femme qu'il aime ? ajouté-je.

— Voyons, l'amour n'a pas besoin de preuve. Ce n'est pas un devoir, tout de même, de se marier. C'est quoi, ce syndrome du « Oui, je le veux » ? L'amour n'a surtout pas besoin qu'on dépense des fortunes et qu'on s'endette pour des cérémonies stupides et vides de sens ! L'amour véritable transcende ce genre de choses matérielles, il me semble.

— C'est curieux d'entendre ça de la bouche d'un type qui a déjà laissé une fille parce qu'elle avait de trop petits seins..., laisse échapper Gabrielle, sarcastique.

– Ce qui me fait penser, qu'est-il arrivé à Marianne, ta dernière copine ? demandé-je, un sourire en coin.

– Pour ton information, sache que je suis encore avec elle.

– Non ! Vraiment ? Mais, ça doit bien faire deux mois, maintenant ! C'était quoi, ton dernier record de longévité, déjà ? Trois ou quatre jours ?

Antoine me fait une sorte de grimace. Une partie de moi est d'accord avec Laurie, mais une autre l'est avec Antoine. L'amour n'a pas besoin de preuve matérielle ou qu'on s'endette pour le célébrer, après tout.

– Donc, si je comprends bien, entame Gabrielle, Laurie qui a toujours été contre le mariage veut maintenant épouser Félix et Amélie, qui a toujours été à la recherche de l'âme sœur se dit maintenant heureuse d'être célibataire. Il ne manquerait plus qu'Antoine, le célibataire endurci et coureur de jupons, commence à s'engager... Il y aurait vraiment quelque chose qui ne tourne pas rond sur cette planète...

– Pfff... je ne suis pas prêt de me caser, je te ferais savoir ! rétorque Antoine.

– Et moi, je ne suis pas si sûre d'être heureuse en étant seule..., réponds-je en me rappelant combien Samuel me manque.

*   *

*

Je viens d'avoir une autre bonne idée de reportage sur les objets destinés au commerce du sexe : la lingerie. Ce n'est pas aussi osé que les vibrateurs, mais ce n'est tout de même pas si mal. Je ferai les produits équitables une autre fois. Et puis, ça va me distraire un peu, je vais peut-être cesser de ruminer mon enquête. Et je pourrais oublier Samuel. En attendant, il faut que je continue à faire mon boulot.

Comme d'habitude, Laurie va m'accompagner. Cette fois-ci, elle n'achètera rien, car elle n'aime pas ce genre de dessous. Elle ne vient que pour m'aider à bien choisir. Après la chronique, je garderai tout pour moi. Je vais avoir l'air d'une vraie déesse du sexe avec tous ces trucs !

Surprise... À la dernière minute, Gabrielle m'appelle pour me dire qu'elle voudrait nous accompagner. Je suis étonnée, puisqu'elle n'a jamais manifesté le moindre intérêt pour nos séances de magasinage. J'avais peur que le fait d'être mariée ne change son comportement, mais jamais je n'aurais imaginé qu'elle voudrait nous voir plus souvent. J'espère que tout va bien avec Alexandre...

*   *

*

Si Laurie est celle qui détecte les rabais plus vite que son ombre, Gabrielle est celle qui détecte les « morceaux les plus chers » plus vite que son ombre. On voit bien qu'elle n'a pas un budget limité ! Même si c'est le magazine qui paie, je ne peux pas dépenser comme je veux. Et je n'ai pas intérêt à jeter l'argent par les fenêtres, sinon, adieu la neutralité et la liberté ! J'ai donc souvent recours – je l'avoue – aux escomptes et aux liquidations afin de pouvoir prendre plus d'articles.

Après avoir écouté les nombreux conseils de Laurie et de Gabrielle – et même ceux d'Alexandre, car Gabrielle, toujours aussi indépendante d'esprit, l'a appelé pour avoir son avis – et après avoir essayé plusieurs types de pièces de lingerie, j'ai fixé mon choix. Il va falloir que je porte chaque ensemble pendant au moins

305

plusieurs jours, afin de me faire une idée. Tout de même, on en apprend des choses ! J'ai su, à mon grand étonnement d'ailleurs, que Gabrielle avait porté un bustier dans le genre corsage et un porte-jarretelles à son mariage. Si je m'y attendais ! Je ne pensais même pas qu'elle avait besoin de cela, elle me semble tellement élancée.

J'ai décidé d'expérimenter un bustier en soie – genre corset guêpière, lacé au dos – malgré une certaine réticence et les récriminations de Laurie : « C'est ça ! On s'emprisonne dans des corsages, comme au XIXe siècle, pour avoir l'air plus mince ! C'est de l'esclavage ! » Ensuite, j'ai pris un déshabillé en dentelle, une nuisette de velours, une robe tube extensible et un porte-jarretelles en satin.

* *
*

Les premiers jours où j'ai porté le bustier guêpière, je me suis dit que Laurie avait bien raison : cette foutue gaine me serre les côtes et j'ai même l'impression de manquer d'air. Il faut vraiment être masochiste, non seulement pour porter un truc pareil de son plein gré, mais aussi pour débourser de l'argent pour cela. Si je le faisais, c'était bien parce que j'étais payée pour ça.

Par contre, lorsque je me regardais dans le miroir, je dois dire que j'avais l'air incroyablement *sexy*. Ma taille semblait minuscule et mes seins avaient l'air énormes et fermes en plus. Par ailleurs, je ne me suis jamais fait autant regarder que ces quelques journées où j'ai porté ce truc sous mes vêtements. Autant au travail que dans la rue.

Je devrais peut-être mettre mon bustier la prochaine fois que j'irai au Sex-Symbol. Si je le combine avec un *love spell*, je pourrais accrocher le beau guitariste. Qui sait ? Il vaut bien la peine que je mette fin à mon célibat.

Quant aux autres pièces de lingerie, elles avaient à peu près toutes un look d'enfer – surtout le déshabillé –, mais rien n'égalait la gaine, je dois l'admettre. Les autres morceaux de lingerie étaient un million de fois plus confortables, par contre. Je suppose qu'on ne peut pas tout avoir. Bon, il faut que j'écrive mon article sur les avantages et les inconvénients de la lingerie fine. Et maintenant, je vais devoir ranger ces vêtements à un endroit où Bingo ne pourra pas les trouver et me les grignoter.

*　　*
*

Justin me fait venir dans son bureau. Je me sens un peu nerveuse. Ces derniers temps, je me sens un peu paranoïaque, j'ai l'impression que tout le monde en veut à ma peau. Mais en voyant le grand sourire qui allume son visage, je vois bien que c'est une bonne nouvelle.

– Amélie, j'aimerais te donner un sujet de reportage un peu particulier ce mois-ci. Celui que tu as fait sur le Salon de la métamorphose était excellent et, quand il sortira le mois prochain, je suis certain que ça va faire un tabac. Dans deux jours, il y a un défilé de mode pour un organisme de bienfaisance. Coralie, notre styliste, y va, mais elle aimerait avoir un rédacteur avec elle pour couvrir l'événement. Alors, je me suis dit que ce serait une bonne idée de t'y envoyer. Qu'est-ce que tu en dis ?

Ce que j'en dis ? Je suis complètement en extase ! Après avoir parlé de sirop pour la toux, de nettoyant à four, de papier essuie-tout et d'autres machins insignifiants, je vais répéter l'expérience, pour la deuxième fois, de couvrir un sujet intéressant ! Yahou ! Je

307

commence à voir la lumière au bout du tunnel. Je vais peut-être aboutir à des sections autrement plus passionnantes que la bouffe à chat ou je ne sais quelles autres niaiseries. Enfin !

* *
*

Deux jours plus tard, jour de l'événement, je me pointe au bureau. Le défilé commence dans un peu plus d'une heure et je viens prendre ma petite enregistreuse et mon carnet de notes. Je dois rejoindre Coralie et Frédéric, notre photographe, là-bas. Suivant les instructions de Justin, j'ai sélectionné mes vêtements les plus chics. J'ai choisi une jupe noire, tombant au niveau du genou, de longues bottes noires et un chandail rouge moulant. La même chose que j'avais portée à Toronto, en fait. Il faut quand même avoir un look un peu crédible, pour une journaliste qui couvre un défilé de mode. Alors que je m'apprête à sortir, Audrey m'accroche.

– Qu'est-ce que tu fais ? Tu vas au défilé, là, tout de suite ?

– Heu... oui, je vais rejoindre Coralie et Frédéric sur place.

– Tu ne vas pas aller là-bas habillée de cette façon ! s'écrie Audrey. Tes vêtements ne sont pas assez bien. Un peu plus et on jurerait que tu as pris ça dans une poubelle. Tu représentes *Féminine.com* à un événement sur la mode, bon sang ! Pas question que tu y ailles ainsi vêtue, sinon, je vais envoyer quelqu'un d'autre.

Elle trouve que j'ai l'air d'avoir pris mes vêtements dans une poubelle ? Je suis insultée. J'examine mes habits. Ce n'est pas du Gucci ou du Dior, mais je n'ai pas l'air d'une clocharde, quand même ! Et puis, on ne m'a jamais fait le moindre commentaire sur ma tenue jusqu'à présent. Il faut dire qu'avec Justin, je pourrais

308

bien me présenter au boulot avec un pyjama à pattes et un abat-jour sur la tête, il s'en ficherait. L'important, pour lui, c'est que le travail soit bien fait.

— Écoute, le défilé commence dans une heure, alors tu as quarante-cinq minutes pour te trouver quelque chose de décent à te mettre sur le dos, sinon je vais envoyer Léa à ta place.

Envoyer Léa ? Mais elle est enceinte, merde ! Ce n'est pas une place pour elle, c'est bien trop fatigant. J'aimerais bien parler à Justin, mais il est en réunion avec le conseil d'administration et ça peut encore durer des heures. Je n'ai pas envie de laisser filer cette occasion ! Je connais Audrey, je sais qu'elle n'hésitera pas à m'enlever cette tâche si je ne satisfais pas ses désirs.

Par chance, notre bureau est au centre-ville et il y a des centres commerciaux tout près. Je me précipite sur le téléphone et j'appelle ma mère. Elle travaille aussi dans le coin. Je sais qu'elle saura m'aider, car je ne suis pas la personne la plus au fait en ce qui a trait à la mode, malgré le fait que je travaille dans un magazine féminin. Oui, je sais, cordonnier mal chaussé !

— Allô, maman ! J'ai besoin de ton aide, c'est urgent ! Je dois absolument me trouver des vêtements sophistiqués et chers en moins d'une heure et je ne sais pas quoi faire !

— Ne dis pas un mot de plus ! On se rejoint dans dix minutes rue Sainte-Catherine au coin de Peel, d'accord ?

*   *

*

Dix minutes plus tard, comme prévu, je rejoins maman au point indiqué. Je lui ai expliqué la situation très rapidement. Maman est un véritable ouragan. En à peine vingt minutes, elle m'a traîné dans un grand centre très chic et m'a trouvé des morceaux qui, ma foi, sont superbes ! Jamais, dans des circonstances normales, je n'aurais osé essayer de pareils habits !

Maman m'a aussi aidée à choisir une paire de chaussures et m'a forcée à me débarrasser de mon vieux sac en PVC à moitié mangé par Bingo. Elle m'a aussi interdit de regarder les prix des vêtements, m'annonçant qu'elle payait tout, que ça lui faisait plaisir. Me voilà donc équipée d'une jupe de satin noir à la mi-jambe, d'une camisole à paillettes dorées, d'une veste noire de lainage volantée, d'un sac à main Louis Vuitton et d'escarpins à talons hauts et à bout ouverts rose doré Pony Hair de Manolo Blahnik. Je vais avoir un *look* d'enfer. Ça me console : au moins, je ne suis pas un cas totalement désespéré. Avec un peu d'effort, je peux avoir l'air presque aussi sophistiquée que la Seins-Gorge.

Quand maman et moi passons à la caisse et que j'entends le prix pour tous ces achats, je tombe presque à la renverse ! Il y en a pour près de mille neuf cents dollars en comptant les taxes ! Je ne débourse même pas autant d'argent en une année pour toute ma garde-robe !

– Maman, tu ne vas pas payer un tel montant ! Ça n'a pas de sens, je ne peux pas te laisser faire cela !

– Ce n'est pas grave, Amélie, dis-toi que c'est à la fois ton cadeau de Noël et d'anniversaire, c'est tout. Et puis, il te reste moins de quinze minutes pour aller aux toilettes te changer et mettre ces jolis morceaux. Alors, on n'a pas le temps de discuter !

– Mais voyons, vous ne payez jamais si...

– Ta, ta, ta ! Ça me fait plaisir, voyons. Et puis, c'est pour ton travail, ce n'est quand même pas un caprice de ta part. Et ton père va approuver, c'est sûr.

Je n'en suis pas aussi certaine. Et je n'aime vraiment pas ça. Y a des limites à se faire entretenir, tout de même. J'ai ma fierté. Je suggère un compromis.

– Je débourse cinq cents dollars et toi, le reste, d'accord ? proposé-je.

– Top là ! dit maman.

*   *
*

Je réussis à me changer et à me rendre de justesse au défilé. Il n'y a pas à dire, j'ai vraiment l'air raffiné. En fin de compte, c'est peut-être un mal pour un bien qu'Audrey m'ait obligée à m'acheter des vêtements. Prendre en note : songer à mettre un peu plus d'argent sur ma garde-robe. Malheureusement, je n'ai pas le temps de retourner au bureau pour faire approuver ma tenue par Audrey comme elle le désirait. Tant pis ! Avec ce que j'ai sur le dos, je doute sérieusement qu'elle ne soit pas d'accord.

Je me pointe donc au défilé juste à temps et rejoins Coralie et Frédéric. Je me sens comme une autre personne. J'ai l'impression que je trône au sommet de l'univers et que le monde est à mes pieds. Je ne croyais pas puiser autant de confiance simplement avec des vêtements. Même les gens se retournent sur mon passage et j'en ai vu plusieurs chuchoter entre eux ! Je n'ai jamais créé un tel effet !

Quand je rejoins mes deux collègues, Coralie pousse un cri de surprise.

– Wow ! Ben dis donc, tu es superbe ! Comment as-tu trouvé ça ? Il faut que tu me donnes l'adresse, je vais aller magasiner là pour les *shootings* !

– Ma mère m'a aidée un peu.

311

— Es-tu sûre qu'elle ne voudrait pas travailler comme styliste pour la revue ? blague Coralie.

*   *

*

Le défilé s'est passé à merveille. La journée a été formidable. On a côtoyé des mannequins vêtus de superbes pièces de collection, des designers et tous les autres médias du milieu de la mode. Tout était en effervescence. J'ai même aperçu Élizabeth Saint-Georges et je suis certaine qu'elle m'a vue, mais elle m'a prodigieusement ignorée. Elle n'a sans doute pas encore digéré l'humiliation qu'elle a subie et devant moi, en plus. Bah, tant pis pour elle ! Et tant mieux pour moi si elle ne vient plus me parler !

À la fin de la journée, les médias sont admis dans les coulisses. C'est quand même extraordinaire de se sentir au fait de ce qui se passe derrière les rideaux. J'adore cette sensation d'en savoir plus que le reste des gens, ça me procure l'impression de faire partie d'une forme d'élite. Bon, d'accord, c'est ridicule et condescendant comme raisonnement, mais je n'y peux rien.

Coralie connaît pratiquement tous les designers, leurs mannequins, leurs collections, les dernières tendances. Elle m'explique tous les rouages et les rumeurs du milieu. Je suis impressionnée, je ne pensais pas que le milieu de la mode pouvait être aussi compliqué. Mes connaissances générales se résument à savoir la différence entre des pantalons et une jupe ! Les stylistes, modélistes, dessinateurs et créateurs déambulent autour de nous dans une atmosphère quasi irréaliste. Je suis dans un autre monde. Et le fait de ne pas me sentir comme une extra terrestre tombée là par hasard m'aide à être sûre de moi.

Je sens quelqu'un tirer d'un coup sec sur quelque chose dans le bas de mon dos. Je sursaute en me retenant pour ne pas pousser un cri. C'est comme si on avait tiré sur ma jupe. Je me penche pour regarder. Non, je la porte toujours. Je me retourne alors pour voir l'un des designers vedettes de la journée derrière moi, une étiquette et un fil de plastique à la main et un sourire moqueur sur le visage.

– La prochaine fois que vous magasinerez des vêtements, mademoiselle, n'oubliez pas d'enlever l'étiquette avec le prix avant de les porter, me dit-il sur un ton espiègle.

L'étiquette de ma jupe ! Je me suis changée si vite avant de venir que j'ai dû l'oublier ! Pendait-elle sur mes fesses depuis toutes ces heures ? Les gens qui se retournaient sur mon passage en chuchotant entre eux l'ont-ils vue ? Oh là là ! Et moi qui croyais faire bonne impression... J'ai eu l'air d'une véritable idiote ! L'association des gaffeurs anonymes, est-ce que ça existe ? J'aurais besoin de me faire désintoxiquer de cette manie de me mettre constamment les pieds dans les plats...

*　　*
*

– Amélie ! Viens dans mon bureau ! s'écrie Audrey.

Génial ! Vampirella ne se donne même plus la peine de me demander des choses, maintenant : elle ordonne, elle exige. La politesse la plus élémentaire est en train de foutre le camp. Et, à entendre le ton employé, ça urge. Tout le monde, dans le bureau, se regarde, pantois. La voix d'Audrey a résonné sur les murs et tous l'ont entendue. Les employés semblent se demander ce qui peut pousser notre chère patronne à crier ainsi. Je me lève péniblement, prête à monter sur l'échafaud. Qu'est-ce qui se passe, encore ? Qu'est-ce qu'elle me veut ?

J'ai l'impression que depuis que je suis allée au défilé de mode, son attitude à mon égard a empiré. On dirait qu'elle ne supporte pas que ça aille bien dans ma vie.

313

– Amélie, marmonne Audrey sans lever les yeux des épreuves posées sur son bureau, je veux que tu descendes au dépanneur m'acheter le quotidien *L'Express*.

Je sourcille, étonnée. Elle me fait sortir de mon bureau, m'habiller, marcher dans cinq pieds de neige, au froid, pour aller lui chercher le journal ? Rien que ça ? Et pourquoi ne demande-t-elle pas à Camille ? Je suis assaillie de questions sur le pourquoi de ce besoin soudain, mais il vaut mieux ne pas trop m'interroger. Je ne vais pas payer cela de ma poche, tout de même.

– Heu... avec quel argent...

– Prends celui de la caisse, à la réception ! me coupe-t-elle froidement.

Je m'empresse de sortir du bureau pour aller chercher le journal. Avec l'humeur massacrante d'Audrey, j'ai intérêt à me dépêcher, si je ne veux pas finir rôtie à la broche. Lorsque je lui ramène *L'Express* et le lui donne, elle explose littéralement et se met à hurler :

– Merde, Amélie ! Je t'avais demandé de m'acheter le journal *L'Engagement*, pas *L'Express* ! Retourne en bas et va m'acheter le bon !

Je reste un instant interdite. Pourtant, j'aurais juré qu'elle m'avait dit *L'Express*. Je suis sûre d'avoir bien entendu. Je n'ose pas trop la contredire, de peur d'être empalée sur place si j'ose ouvrir la bouche. Je n'y comprends plus rien. Est-ce ma mémoire qui fait défaut ? Comment ai-je pu me tromper à ce point ?

Je me rends, encore hébétée, à la réception pour demander un nouveau montant d'argent. Camille, en voyant mon air dubitatif, doit deviner à quoi je pense. Elle murmure :

314

– Tu as raison. C'est bel et bien *L'Express* qu'elle t'avait demandé...

Alors, je ne me suis pas trompée ! Ou Audrey a changé d'idée entre-temps et n'ose pas l'admettre, ou elle tente de me faire passer pour une demeurée et une incompétente. Léa avait raison, Audrey cherche à me nuire et sérieusement... Je n'aime pas cela du tout. Qu'est-ce qu'elle peut bien cacher ?

*   *

*

J'ai bien réfléchi. Le fait d'être allée au défilé de mode, il y a deux semaines, m'a administré un électrochoc. Après avoir vu tous ces mannequins et avoir parlé de mode, je me suis sentie mal. J'ai eu l'impression de me draper dans la superficialité, la frivolité et la futilité, alors que des choses bien plus graves se passaient dans le monde. C'est vrai qu'il y a toujours eu des événements beaucoup plus tragiques, mais le fait d'avoir côtoyé la légèreté et la vanité pendant une journée m'a soudain ramenée sur terre.

J'ai compris que la vie n'est pas qu'une fête où on regarde des vêtements en buvant du champagne et en discutant de couleurs, de lignes ou de tissus. C'est bien plus sérieux que ça. Alors, je me suis sentie rongée par la culpabilité. Alors que je détenais une information vitale pouvant protéger le public depuis des mois, je perdais mon temps en mondanités. Fini, l'attente et l'hésitation. Il faut que je parle du Vectorade.

Laurie m'a sorti un autre proverbe récemment pour m'aider : *Memento audere semper*. Souviens-toi de toujours oser. Au point où j'en suis rendue, ce n'est pas une maxime de plus qui va m'influencer.

Je me demande pourquoi tous les drames doivent m'arriver sur la tête en même temps. Comme si une tuile, ce n'était pas assez. Ma vie amoureuse est une véritable tragédie et je suis prise dans un dilemme moral depuis des mois. Et j'ai encore peur pour ma vie. Mais ma conscience me tiraille et je dois régler la situation. Ça ne peut pas continuer plus longtemps. Je dois faire une femme de moi et être courageuse, malgré les épreuves.

J'ai médité la question et je l'ai retournée dans tous les sens possibles. Il n'y a pas d'autre issue et, surtout, pas trente-six solutions. S'il n'y a pas eu d'autres morts depuis près d'un an à cause du Vectorade, c'est certainement par chance. Ça arrivera un jour ou l'autre et je n'ai pas envie de me dire que je n'aurai rien fait, alors que je savais tout. Je serais aussi coupable que les gens de Carbu-Drink si je me tais.

Je dois agir intelligemment. J'ai fait comme dans les films policiers d'Hollywood. J'ai pris tous les documents et toutes les preuves que j'avais, j'en ai fait plusieurs copies et j'en ai donné une à Justin, dans une enveloppe scellée. Je lui ai dit, les larmes aux yeux, que s'il ne me voyait pas demain, de faire parvenir ce dossier à tous les médias. Je l'ai prévenu que je risquais de m'absenter le lendemain. Il m'a regardée d'un drôle d'air, se demandant si j'étais sérieuse ou si je lui faisais une blague. J'ai ensuite appelé mes parents et leur ai demandé, exceptionnellement, d'aller chercher Bingo chez moi et de la garder avec eux pour la nuit.

Finalement, j'appelle le plus grand réseau de télévision de la province en leur annonçant que j'ai un *scoop* retentissant et je demande à les rencontrer. On envoie un taxi me chercher au bureau et, une autre copie du dossier dans mon sac, je me rends là-bas, où les journalistes m'attendent avec impatience.

*   *

*

316

J'ai enfin rencontré les journalistes dans une chambre d'hôtel où j'ai dormi toute la nuit. On m'a confirmé que le reportage sortirait au plus tard dans deux jours. On m'a demandé si je voulais garder l'anonymat, mais j'ai refusé. De toute façon, Carbu-Drink saurait très bien que je suis la source de la fuite, alors à quoi bon me cacher ? Et puis, une fois que l'information sera sortie, ils n'auront plus de raison de s'en prendre à moi. J'étais dangereuse parce que j'étais la seule à détenir un renseignement potentiellement destructeur, mais dès que la nouvelle sera de notoriété publique, je ne servirai plus à rien. En fait, j'aurais dû parler bien avant.

J'ai vidé mon sac et j'ai révélé tout ce que je savais devant la caméra : mon enquête, le produit causant les crises cardiaques, la mort du jeune Ryan Taylor, le don suspect fait à la famille du défunt, les études arbitraires, l'offre d'argent, les menaces, tout. J'ai failli sangloter comme une idiote devant l'animateur tant la tension était devenue vive. Mais j'avais enfin l'impression de me soulager d'un poids immense ! Enfin, je n'étais plus seule à détenir le secret, à connaître le scandale. Et maintenant que tout le monde saura, on ne pourra plus rien contre moi. J'ai enfin fait éclater la vérité. Ça fait tellement de bien !

*   *
*

Ce matin, je me suis réveillée dans ma chambre d'hôtel – le St-James, ouais ! – payée par la chaîne de télévision. En ouvrant les yeux, je suis restée un peu confuse, je ne me souvenais plus où j'étais. Puis, je me suis rappelé les événements de la veille et je me suis sentie à la fois remplie d'extase et de ravissement. J'étais enfin libre !

*   *
*

317

J'ai rencontré les journalistes de la télévision il y a deux jours et toujours aucune nouvelle. Je m'inquiète. Ont-ils décidé que mon histoire n'était pas assez vendeuse ? Ont-ils été menacés par Carbu-Drink ? Au moment où je me pose de sérieuses questions, je reçois un appel au bureau de la chaîne de télévision.

Coup de théâtre ! Alors que la chaîne venait d'annoncer la diffusion de l'entrevue pour ce soir, Carbu-Drink a déposé une injonction sur le reportage de l'affaire Vectorade. Ils veulent à tout prix empêcher la diffusion de l'enquête. Décidément, ils n'y vont pas avec le dos de la cuillère ! Ils sont prêts à tout pour que la vérité ne voie jamais le jour ! Apparemment, l'entreprise soutient que la diffusion du reportage risquerait de « causer un préjudice sérieux et irréparable à son image ».

Quelle ironie ! Monsieur Paquette avait bien raison : quand on vous fait des propositions ou des menaces en échange d'informations que vous détenez, c'est que ça vaut cher ! Si l'enquête sort, elle causera des dommages terribles à la réputation de la compagnie, c'est certain. Ils ont beaucoup à perdre, plus que je ne le pensais.

Le journaliste m'assure que la chaîne de télévision va se battre en justice pour que l'entrevue soit diffusée. J'ai bien hâte de voir cela. Sinon, j'aurai pris tous ces risques pour rien.

Chapitre 19

Un peu d'action ?
(Décembre)

Il ne faut jamais dire que l'espoir est mort. Ça ne meurt pas, l'espoir.

Gabrielle Roy

Toujours aucune nouvelle du réseau de télévision. Le mercure descend de jour en jour et il neige de plus en plus souvent. J'arrive au Sex-Symbol. Comme d'habitude, Antoine le clinquant est déjà là, et particulièrement radieux.

— Dis donc, tu as un de ces sourires, toi.

— Oui, on peut dire que ça va très bien, ces temps-ci.

Juste au moment où je m'assois, une superbe femme à la peau noire avec de longs cheveux ondulés et un corps de déesse sort des toilettes, s'approche d'Antoine et lui donne un baiser sur la bouche. Je reste surprise. A-t-il déjà une nouvelle blonde ? De plus, je ne crois pas avoir déjà vu l'une de ses copines auparavant. Ce serait vraiment une première.

— Amélie, je te présente Marianne Dubé.

— Salut, dit celle-ci en me tendant la main. Ne vous en faites pas, je pars tout de suite, j'étais juste venue accompagner Antoine quelques instants. Je sais que vos soirées du vendredi sont sacrées et que les conjoints sont interdits.

– Et ça ne vous dérange pas ?

– Non, dit-elle en haussant les épaules, je trouve ça plutôt drôle. Et je trouve bien qu'Antoine ait des amies. Ça le rend beaucoup plus sensible aux besoins et aux enjeux féminins. Alors, je ne vous importune pas plus longtemps, salut !

Antoine, sensible aux besoins féminins ? Tu parles ! Aux besoins qu'elles ont entre les cuisses, oui ! Aussitôt Marianne partie, je me tourne vers mon ami, et lui jette un regard interrogateur en plissant les yeux.

– Alors ? Depuis combien de temps es-tu avec elle ?

– Trois mois. C'est la meilleure copine que j'ai jamais eue, elle est vraiment super. Je vais dormir chez elle, ce soir.

– Vraiment ? Je croyais qu'il valait mieux ne pas s'engager dans une relation ? Et même que le célibat était ce qu'il y avait de mieux ?

– Qui te dit que je m'engageais ? Je vais juste dormir là, c'est tout. Ce n'est pas encore une relation et ça ne veut rien dire.

Sur ce, Laurie arrive, immédiatement suivie de Gabrielle – Madame-la-Mariée –, qui semble d'une humeur massacrante.

– Bien, qu'est-ce qui t'arrive ? s'enquit Antoine.

– Ça ! s'écrie Gabrielle en jetant une boîte de carton blanc enrubannée sur la table.

Je l'ouvre avec précautions, de peur d'y trouver une bombe qui va m'exploser à la figure. Je déballe l'objet mystérieux, couvert de papier de soie et de papier décoratif multicolore, pour découvrir un pyjama de bébé !

– Qu'est-ce que c'est que ça ? Es-tu enceinte ?

– Absolument pas ! rétorque Gabrielle en furie.

– Mais, quel est le problème ? interroge Laurie.

– Le problème, c'est que mes beaux-parents m'ont donné ce foutu vêtement de bébé en cadeau ! M'ont-ils jamais demandé si ça m'intéressait ? Non ! Merde, comment puis-je leur faire comprendre que je ne veux pas sacrifier ma carrière ! C'est plus facile pour l'homme de vouloir des enfants, il ne fait pas de sacrifices, alors, ils s'en fichent eux ! Leur fils chéri n'aura pas à mettre sa carrière sur la glace pendant des années, à être en retard sur tout le monde, à être dépendant financièrement, à perdre son statut social !

Laurie et moi tentons d'intervenir gentiment, mais Gabrielle est dans un tel état qu'elle ne nous laisse pas placer un mot.

– Je ne veux pas de bébé braillard et puant qui me priverait de ma liberté. Pas tout de suite, en tout cas. Il me semble que devenir parent, ce n'est pas l'unique but d'être en couple, non ? Ce n'est pas juste ! Pourquoi est-ce seulement les femmes qui subissent autant de pression ? Et en plus, les femmes qui ne veulent pas avoir d'enfants sont perçues comme égoïstes, des sans-cœur, des mégères, sans doute frigides, qui se renient en tant que femmes ! Comme si la maternité, c'était l'ultime finalité des femmes ! Merde !

Antoine, Laurie et moi, nous nous interrogeons du regard. La réaction de Gabrielle semble quelque peu exagérée.

– Et c'est ça qui te rend furieuse ?

– Il y a plusieurs choses qui me dérangent, soupire Gabrielle. D'abord, mes beaux-parents n'ont jamais pris la peine de me demander si je voulais avoir des enfants avant de me donner ça !

Ce geste est plein de sous-entendus que je n'aime pas. C'est comme s'ils avaient tenu pour acquis que je leur ferais une jolie ribambelle de bambins ! Est-ce qu'ils se sont souciés de savoir si j'en voulais, ou quels sont mes intérêts ? Mais non, ils s'en fichent complètement ! Ensuite, ça créé une sorte d'obligation. C'est comme s'ils me disaient : « Vite, dépêche-toi de faire des bébés pour satisfaire notre besoin d'être grands-parents. Maintenant que nous t'avons acheté un pyjama, tu es obligée de te grouiller d'avoir des enfants, sinon tu passeras pour une égoïste ! »

Nous observons Gabrielle avec étonnement. D'accord, les parents d'Alexandre ont été quelque peu maladroits, mais il n'y a pas de quoi en faire tout un drame. Gabrielle paraît vraiment survoltée.

— Est-ce que tout va bien ? Tu sembles un peu nerveuse. Il ne faut pas t'en faire pour si peu, ce n'est pas grave.

Gabrielle soupire en passant la main dans ses cheveux. Puis, elle se masse les tempes de ses ongles parfaitement manucurés. Comment fait-elle pour avoir des ongles aussi impeccables ? Les miens ressemblent à des croûtes colorées.

— Je suis désolée, dit Gabrielle. Depuis qu'Alexandre et moi sommes mariés, nous allons au moins une fois par semaine chez les Bélanger, et ils me rendent dingue ! Parfois, j'ai l'impression qu'ils ne font qu'une chose : me mettre de la pression sur le dos pour que je sois la parfaite belle-fille. Ils se foutent pas mal de respecter mon rythme de vie. Et on dirait qu'ils sont obsédés par le fait d'avoir des petits-enfants. Depuis un certain temps, ils ne parlent que de cela. Est-ce que j'ai l'air d'une machine à bébés, moi ? Comment suis-je censée leur faire comprendre que ce n'est pas sur ma liste de priorités ?

Wow ! Je ne pensais pas que la vie de femme mariée pouvait être aussi stressante. Je devrais traiter les épouses avec plus de compassion à l'avenir. Je n'ai pas d'homme dans ma vie, mais je n'ai pas de beaux-parents non plus. Il faut dire que ma famille, à elle seule, suffit amplement à la tâche.

– Ce n'est qu'une phase, dit Laurie. Après tout, Alexandre et toi venez tout juste de vous marier, ça change toujours un peu les choses.

– C'est vrai, renchérit Antoine. La poussière va retomber avec le temps, et la situation va sans doute se replacer.

– Vous avez sans doute raison, soupire Gabrielle.

Charmante soirée en perspective. Je sens qu'on va avoir droit à d'autres crises du genre à l'avenir.

*   *
*

Tôt le matin, en me levant, j'envoie Bingo faire ses besoins dans la cour avant. Encore à moitié endormie, flottant dans les limbes du sommeil, je lui ouvre la porte et la libère pour qu'elle aille courir à sa guise. Madame Picolli a accepté de me prêter les cours avant et arrière pour que mon chien puisse y faire ses besoins. Pourvu que je ramasse la journée même, bien entendu.

Je me promène dans ma chambre, les yeux bouffis de sommeil, dans mon peignoir usé et troué. Je choisis mes vêtements de la journée. Je me demande ce que Samuel fait en ce moment. Ça fait presque trois mois que je ne l'ai pas vu. Comment le retrouver ? Il doit sûrement y avoir un moyen. Après tout, j'ai bien réussi à retracer les Taylor dans le fin fond de leur Louisiane, alors pourquoi pas Samuel ? Il est dans la même ville que moi, tout bien considéré. Devrais-je faire tous les cabinets de dentiste pour le

323

rejoindre ? Ou appeler tous les « S. Gagnon » de l'annuaire ? Il doit sûrement y avoir une façon plus efficace. Peut-être y a-t-il un annuaire des dentistes de Montréal ?

* *
*

J'aurais bien dû me douter que c'était trop beau ! Que ça ne durerait pas ! Qu'il y avait anguille sous roche ! Mon article sur le Salon de la métamorphose a été très bien accueilli et a fait fureur parmi les lectrices. Celui sur le défilé de mode va sûrement avoir le même impact. De ce fait, Audrey semble estimer qu'elle m'a fait une immense faveur en m'accordant le droit d'écrire ce reportage. Elle m'a fait une fleur et elle estime que je lui dois un bouquet entier, le pot en plus. Je la soupçonne de m'avoir plus ou moins achetée avec ces cadeaux pour que je me sente coupable si l'idée me venait de me plaindre par la suite. Elle considère donc qu'elle peut revenir à sa routine habituelle et recommencer à m'imposer des sujets. Tout ça, c'était pour m'amadouer.

Ce matin, en arrivant au bureau, un message d'Audrey m'attendait sur ma boîte vocale. Puisque Vampirella est partie faire du ski et n'est pas au bureau, elle utilise encore la tactique du répondeur. Avec sa voix fielleuse, elle essayait de m'enjôler.

– Salut Amélie, c'est Audrey. Dis, j'ai pensé à un thème qui serait bien pour le prochain reportage de tests : le savon à lessive. Qu'est-ce que tu en penses ?

Ce que j'en pense ?! Tu le sais très bien, Audrey Vampirella Morin ! Je trouve que c'est un sujet stupide, insignifiant et imbécile ! Pourquoi ne me proposes-tu pas une chronique sur les bâtons de *popsicle*, tant qu'à y être ?

Je soupire en regardant par la fenêtre. Des flocons virevoltent devant la vitre, indifférents à ce qui peut se passer dans ma vie. Je détourne mon regard vers l'intérieur. Le bureau est orné de guirlandes colorées, de sapins brillants et de décorations chatoyantes. Mais ça ne me remonte pas le moral. Mon niveau de désespoir vient de remonter à quatre. De plus, je n'irai pas au *party* de bureau, cette année, même si j'ai de bonnes chances d'être encore dans le palmarès. Trop déprimée...

Mon premier réflexe est de piquer une crise. Il y a une chance sur deux que je cède, parce que je ne suis qu'une trouillarde. Ai-je encore envie de broyer du noir pendant des jours à l'idée que je n'ai presque aucun libre arbitre sur ce que je peux écrire ? Que je n'ai pas le droit à la liberté de presse ? Non, ça ne me tente pas. Je préfère baisser les bras et abandonner tout de suite, c'est moins épuisant.

Je suis mieux de m'y mettre immédiatement et de chercher les meilleures marques de savon, j'ai de la lessive à faire... Avec tous mes revers, j'ai perdu également toute volonté. Ah ! La ferme, Amélie ! Cesse donc de t'apitoyer sur ton sort !

*   *
*

Il ne reste que quelques jours avant les vacances de Noël. Enfin ! J'ai bien hâte de me payer le luxe d'avoir un peu de temps à moi et de relaxer. C'est aussi le temps des bonis de travail avec la paye. Yahou ! Je me régale déjà à cette idée !

Je suis impatiente de voir le montant du chèque. Avec tout ce que j'ai accompli cette année, mes nouvelles chroniques, mes reportages sur le salon et le défilé, je devrais avoir un assez bon rendement et être joliment récompensée ! Je déchire l'enveloppe.

Quelle n'est pas ma surprise de découvrir que non seulement, je n'ai pas de prime de Noël cette année, mais qu'en plus, on m'a retranché deux cents dollars sur le montant habituel de ma paye ! J'ai presque une syncope ! Qu'est-ce que c'est que cette blague ? Il doit sûrement y avoir une méprise !

Je me rends en quatrième vitesse dans le bureau d'Audrey pour avoir une explication au plus vite. Elle est mieux de me donner une bonne raison et de me dire qu'il y a eu erreur sur la personne, sinon, je crois que je lui enfonce son chignon jusque dans le fond de la gorge !

— Audrey, je crois qu'il y a un problème avec ma paye. Je n'ai pas de boni de Noël et on m'a enlevé...

— ... deux cents dollars, oui. Ce n'est pas une erreur, Amélie.

Quoi ? Elle se moque de moi, c'est certain ! Ça n'a aucun sens ! Et elle m'annonce ça avec le sourire aux lèvres. C'est à croire qu'elle éprouve du plaisir à me dire cela. Je soupçonne sérieusement qu'Audrey est membre d'une secte satanique qui danse dans les cimetières, pratique le vaudou et prend un malin plaisir à faire souffrir les gens.

— Et pourquoi m'a-t-on fait cela ? demandé-je sur un ton plus agressif que je ne l'aurais souhaité.

— Depuis que tu as ton chien, tu as négocié avec Justin de pouvoir quitter le bureau plus tôt, n'est-ce pas ?

Là, j'ai drôlement peur. Peut-être que je me suis fait avoir avec ça, en fin de compte. J'essaie de me rappeler si je n'ai pas, à un moment nébuleux dans ma vie, signé un contrat avec mon sang et fais un pacte avec le Diable qui se trouverait justement devant moi.

– Or, j'ai calculé ton temps de travail cette année et je me suis aperçue que nous t'avions payé certaines heures en trop. Alors, plutôt que de te demander de nous rembourser, nous avons coupé le même montant sur ta paye et ton boni de Noël.

Je suis complètement atterrée. Que répondre à cela, alors que j'ai demandé de rentrer plus tôt à la maison ? Je suis prise au piège. Je savais qu'Audrey était odieuse, mais j'ignorais qu'elle pouvait pousser le bouchon aussi loin. Je parie qu'elle m'espionne depuis des mois et qu'elle a comptabilisé chaque minute de mon boulot. Je ne croyais pas qu'elle me haïssait à ce point. Car, pour être aussi maniaque, il faut vraiment qu'elle me déteste. Et mes récents succès doivent lui être insupportables.

Prendre en note : me méfier d'elle comme de la peste ! J'ai vraiment le moral à plat et mon niveau de désespoir doit être monté à six ! C'est dangereux pour ma santé mentale.

* *

*

– Joyeux Noël, mademoiselle Tremblay !

Je reconnais la voix d'Alex Dumont, le journaliste qui m'a interviewée le mois dernier. Mon cœur fait un bond dans ma poitrine. Il ne prendrait sûrement pas la peine de m'appeler s'il n'avait pas de nouvelles. Son ton est joyeux. Visiblement, les nouvelles sont bonnes.

– Devinez quoi ? Nous avons gagné !

Je n'arrive plus à contenir ma joie et j'éclate en sanglots. Enfin ! Après toute cette attente, ces tensions, ce stress, ces hésitations, ces menaces, la vérité va sortir au grand jour ! Je n'arrive toujours pas à y croire. Je me débats dans cette affaire depuis déjà si longtemps, j'avais l'impression que je n'en verrais jamais la fin. Après toutes ces péripéties, les résultats arrivent finalement. Je suis si heureuse !

Il commençait à être temps qu'il m'arrive quelque chose de positif. Je sens le niveau de désespoir qui redescend à cinq. Ce n'est pas trop mal, presque acceptable.

— Le reportage sera diffusé dans deux jours, le 21 décembre prochain, annonce Alex Dumont. En attendant, si ça ne vous dérange pas, nous vous suggérons fortement de dormir à l'hôtel. C'est nous qui payons, alors pas de souci à vous faire de ce côté.

Je suis un peu étonnée par la suggestion. Pourquoi me proposent-ils cela ? Ont-ils eu des mises en garde à mon propos ? Je lui pose la question.

— Ne vous inquiétez pas, c'est par simple précaution... insiste M. Dumont.

Je suis un peu sceptique et je sens qu'on me cache des choses, mais je décide d'obtempérer. Je vivrai donc encore à l'hôtel, le Hilton Bonaventure, cette fois, pour les deux prochains jours et enverrai Bingo dormir chez mes parents. Que cette affaire en finisse une fois pour toutes !

*   *

*

20 décembre. J'ai hâte à demain pour voir enfin mon entrevue-choc. En attendant, comme la plupart des gens, je viens de commencer mon magasinage de Noël – autrement dit, à la dernière minute. J'ai le cœur léger. Dehors, il neige toujours autant, et les rues, les transports en commun et les magasins sont pleins à craquer. L'air, à l'extérieur, paraît blanc tant il est chargé de neige. On

dirait une sorte de brume qui virevolte en faisant des tourbillons. Le vent soulève de magnifiques nuages de flocons scintillants qui vont se déposer sur les passants pressés. Le sol est recouvert d'une épaisse couche blanche qui ressemble à de la ouate.

J'aime beaucoup la neige au mois de décembre. Elle est à la fois douce et paisible. J'adore regarder les tempêtes qui recouvrent tout d'une poudre blanche et brillante, comme une gigantesque couverture d'or. J'apprécie le calme après les grosses chutes de neige. Tout est blanc, clair, calme, silencieux et uni. Une fois que les vacances de Noël sont passées et que la neige se transforme en gadoue grisâtre et dégueulasse, je change d'avis, mais ça, c'est pour plus tard. Pour l'instant, je profite de la beauté des flocons tournoyant dans l'air et de l'ambiance des fêtes.

Les boutiques sont remplies de décorations de Noël qui jettent des étincelles dorées, vertes, rouges et argentées. Une musique d'ambiance joue un peu partout, dans les moindres recoins des centres commerciaux. Après avoir acheté quelques trucs au centre-ville, je me retrouve près de la sortie du magasin La Baie – maintenant américain –, juste à côté des comptoirs de joaillerie. C'est là que papa m'a donné rendez-vous. Il veut de l'aide pour choisir et acheter un bijou à ma mère.

Je suis vraiment touchée et honorée qu'il me demande de l'assister. Papa a toujours eu une confiance indéfectible en mon jugement. Je l'adore, mon père. Il se fie d'autant plus à mon opinion depuis que je suis dans le milieu journalistique et semble s'imaginer que je suis investie de toutes les connaissances en ce qui a trait à la société en général. À bien y penser, je n'imaginerais pas la vie sans mes parents, même si je ne les vois pas très souvent.

J'attends mon père, en regardant distraitement les superbes joyaux qui brillent de mille feux. Les diamants, entre autres, sont époustouflants. Ils jettent des reflets de lumière féeriques. On dirait de l'eau qui coule d'une source, tant leur éclat est pur. Je me laisse aller au tourbillon de couleurs du chatoiement des bagues, des bracelets et des colliers sertis de magnifiques diamants. Ah ! Ce que je donnerais pour en avoir un en cadeau ! Je suis si distraite que je ne me rends même pas compte que les gens, tout autour, me bousculent pour attraper des caissières et des employées. J'entends vaguement une voix familière, lointaine et étouffée :

— Tiens ! Si ce n'est pas ma chroniqueuse préférée !

Je suis arrachée à ma rêverie. Je me sens un tantinet gênée de m'être fait prendre alors que j'étais dans la lune et en admiration devant des bagues diamantées. Bien que sa voix semble différente, je me retourne, persuadée de voir papa. Mon cœur s'arrête de battre et mon sang se fige dans mes veines. C'est Samuel ! Je suis si étonnée que j'en oublie de respirer un instant. Aussitôt, mon sourire niaiseux, fendu jusqu'aux oreilles, réapparaît sur ma figure et je rougis.

— Samuel ! Mais, qu'est-ce que tu fais là ?

— Eh bien ! Comme tout le monde, je fais mes emplettes de Noël, dit-il en me montrant ses grands sacs.

Je suis sidérée. Quel hasard incroyable ! Et moi qui ne trouve rien de mieux à dire. De plus, Samuel est toujours aussi beau, *sexy* et souriant. Miam ! Je le vois se pencher sur la vitrine des bijoux où j'admirais les bagues, les colliers et les bracelets.

— Hum... comme ça, tu regardes les diamants ? fait Samuel avec un sourire en coin. Ouais, c'est drôlement cher pour des petites pierres qui brillent. C'est du vrai vol tout ça, non ?

Aaargh... J'avais perdu l'habitude de ses répliques qui ont le don de me laisser sans voix. Je me demande s'il fait exprès de me mettre mal à l'aise au point que je ne sais pas trop quoi répondre. Je n'ose pas lui montrer que je suis une fille superficielle qui attend impatiemment qu'un gars lui offre un bijou coûteux.

– Heu... oui... Une véritable arnaque...

Je me demande si Samuel n'est pas fâché contre moi. Après tout, je ne l'ai pas rappelé. Avant qu'il ne puisse me faire le moindre reproche, je prends mon air le plus piteux, je m'excuse à l'instant et parle aussi vite que possible pour éviter qu'il m'interrompe.

– Samuel, je voulais t'appeler, mais j'ai lavé la carte que tu m'avais donnée, et elle était illisible, et je n'arrivais pas à trouver le cabinet où tu travailles dans les pages jaunes, et je suis vraiment désolée.

Immédiatement, il se met à rire. Il n'est pas furieux du tout. Ouf ! J'avais peur qu'il n'avale pas mon histoire du tout et me traite de menteuse.

– Ne t'en fais pas, je ne t'en veux pas. J'avais pensé t'appeler au numéro de ton magazine, mais je me disais que tu étais trop occupée, que tu n'avais pas de sujet pour un dentiste ou que tu me trouvais emmerdant, conclut Samuel en haussant les épaules.

Le trouver emmerdant ! Comment peut-il croire ça ? Je n'ai fait que penser à lui depuis que nous nous sommes quittés ! Peut-être devrais-je montrer davantage à quel point il me fait de l'effet et à quel point il me manque...

– Dis, c'est quoi, le nom de ton cabinet ? Je l'ai vraiment cherché, tu sais !

– C'est le cabinet du Dr Williams. C'est lui qui l'a fondé avec le Dr Smith. Le cabinet garde son nom, même s'il est maintenant à la retraite.

– Eh bien ! Je l'aurais cherché longtemps.

– Dans tous les cas, ça ne fait rien, parce qu'il semble bien que le destin nous met toujours sur la route l'un de l'autre, n'est-ce pas ? annonce-t-il avec un grand sourire.

Encore une fois, je suis bouche bée par ses paroles. Croit-il vraiment à cette histoire de destin ? Essaie-t-il de me faire passer un message ? Il vaut mieux saisir la perche tendue.

– Écoute, j'ai une idée. Le mois prochain, au retour des vacances, je pensais faire un reportage sur la soie dentaire. Tu pourrais m'aider. C'est un sujet assez méconnu des lectrices, ça pourrait les intéresser.

Tu parles ! Rien de plus ennuyeux comme thème – regarder des escargots jouer au soccer serait plus palpitant –, mais je m'en fous, ça me prend une excuse pour le revoir. Dis oui, Samuel, s'il te plaît !

– Tu es certaine que tu ne me proposes pas ça parce que tu te sens mal de ne pas m'avoir appelé ? rétorque Samuel avec un regard narquois. Ou que tu m'utilises comme bouche-trou pour ta prochaine chronique ?

Il se moque de moi ou il est sérieux ? Suis-je si facile à lire ? Que suis-je censée répondre à cela ?

– Heu... non, non..., bégayais-je en déglutissant avec peine. Je... je...

Le sourire de Samuel s'élargit. Ce qu'il peut avoir de belles dents !

– Je te taquine, voyons ! Bien sûr, ça me ferait plaisir. Tiens, je te donne mon numéro de téléphone au travail et à la maison.

Super ! Ne fais pas de conneries, cette fois, Amélie. Ne le perd pas, ne le lave pas. Mais il vaut mieux assurer mes arrières, au cas où.

— Si je ne t'ai pas appelé au début de janvier, lâche-moi un coup de fil au magazine, d'accord ? Tu trouveras le numéro dans les premières pages de la revue.

— Parfait. Alors, on se revoit après Noël ?

— Oui, oui. Ah ! pendant que j'y pense, demain, tu dois impérativement regarder les nouvelles de dix-huit heures, d'accord ? Tu vas voir, il y aura un sujet très intéressant.

— J'y penserai.

Je regarde Samuel s'éloigner dans la foule jusqu'à ce que je ne puisse plus le voir. Je me sens tellement plus légère. Quelle chance incroyable, tout de même. J'aurai un beau Noël, en fin de compte. Mon entrevue sera diffusée demain et j'ai retrouvé Samuel. Et tout ça, en à peine deux jours. Une sacrée bonne moyenne ! Mon niveau de désespoir vient de passer à quatre. C'est super. Ah ! Si le temps pouvait passer plus vite ! Mon père arrive justement à ce moment-là.

— Eh bien ! Tu es bien souriante toi, aujourd'hui !

S'il savait combien je suis heureuse et quelle est la cause de mon bonheur !

* *
*

Pendant toute la séance de magasinage avec mon père et le trajet vers l'hôtel, j'ai conservé le papier de Samuel dans mon gant, histoire de ne pas le perdre. La sensation du papier contre ma peau me rassurait.

Dès que je suis arrivée à l'hôtel, j'ai tout de suite inscrit les deux numéros de Samuel partout où c'était possible. Dès que je le pourrai, je les inscrirai dans mon carnet de téléphone, dans mon agenda, sur mon calendrier, dans mon ordinateur et sur mon réfrigérateur. Je ne devrais pas les perdre, ces fichus numéros.

*   *

*

Au petit matin, la nouvelle diffusée hier sur le Vectorade a eu l'effet d'une bombe. Elle s'est retrouvée sur toutes les chaînes, ce matin. Même les journaux et la radio en ont fait leurs manchettes. Des titres plus accrocheurs les uns que les autres attirent l'attention : « La boisson de la mort », « Sport à risque », « Le scandale Carbu-Drink », « Du poison dans votre verre », et j'en passe. Mais le couronnement, ce fut l'entrevue que j'ai donnée à la télévision.

Après m'être bien réveillée, je me suis habillée, je suis sortie de la chambre et je suis descendue au restaurant de l'établissement. Je me suis servie au buffet et me suis assise dans un fauteuil, installé devant une table. Avec les autres clients, j'ai regardé les infos sur la gigantesque télévision.

Avec un plaisir indicible, j'ai regardé le lecteur de nouvelles parler du scandale Carbu-Drink. Tout y passait, du produit causant les crises cardiaques en passant par le contrat de silence avec les Taylor jusqu'à l'intimidation et le chantage dont j'ai été victime. On y montrait même des extraits de mon entrevue. La réaction des téléspectateurs dans la salle à manger – incrédulité, colère, étonnement, indignation – était comme une récompense et je me retenais pour ne pas sauter sur la table et hurler à tous en agitant les bras : « Regardez ! C'est moi ! Vous me reconnaissez ? La grande journaliste ! Voyez comme je suis courageuse ! »

334

Mon plus grand moment de réconfort fut quand le gérant du restaurant vint me féliciter et m'offrit le déjeuner. Je ne m'étais jamais sentie aussi fière ! Pour une fois, je suis capable d'accomplir quelque chose de bien et mon succès compense pour toutes les emmerdes que j'ai eues dans cette sale affaire. Enfin ! J'en viens presque à me percevoir comme une véritable héroïne, une ardente défenderesse des droits de l'Homme, une sauveuse de la vérité, de la veuve et de l'orphelin. Génial ! Sur l'échelle du désespoir, je suis maintenant à trois. Ça continue de baisser !

*   *

*

Ah ! Les vacances de Noël chez mes parents ! Je me sens si légère, j'ai l'impression de flotter. Je vais revoir Samuel ! Youpi ! Je suis si heureuse que j'aide maman à préparer ses mille et une gâteries. Même les récriminations de grand-mère granola me dérangent moins qu'à l'habitude. Le sapin artificiel me semble magnifique avec ses boules colorées, ses guirlandes dorées et argentées ! La pile de cadeaux m'apparaît plus belle et attirante encore que les années précédentes. Même la musique de Noël, que je trouvais si insupportable, me paraît douce et mélodieuse. Soudain, Grand-mère amène au salon un plat recouvert d'une pellicule de plastique.

– Qu'est-ce que c'est, grand-maman ?

– Je sais que tu as toujours raffolé des carrés *rice crispies*, alors je t'en ai préparé pour les fêtes, me répond-elle.

Ça, alors ! Grand-mère a raison : j'ai toujours adoré ces machins. J'aime leur texture à la fois légère et collante et leur goût sucré. Je suis étonnée non seulement qu'elle s'en souvienne, mais qu'elle ait préparé un tel plat, totalement contraire à son éthique gastronomique ! Je retire la pellicule de plastique pour en prendre un et faire honneur à la recette. Quelle n'est pas ma surprise lorsque je vois des carrés gris et durs, à l'apparence curieuse !

— Grand-maman, avec quoi les as-tu faits, tes carrés ?

— Mais avec de véritables grains de riz naturels et de l'extrait de plant de guimauve.

J'observe sa création et la teste sur la table à café. C'est dur comme du granit, ce truc. Bon ! Je vais devoir me sacrifier et en manger un pour ne pas lui faire de peine. J'espère ne pas me péter une dent là-dessus.

— Alors ? Est-ce que tu penses avoir des enfants bientôt ? me demande grand-maman à brûle-pourpoint.

— Grand-mère, je suis encore célibataire...

Grand-maman hausse les épaules, l'air de dire : « Quelle excuse minable et qu'est-ce qu'on s'en fout ! Il y a plein de mères monoparentales, alors pourquoi pas toi ! Ça n'a aucune impor- tance, maintenant, tu peux te faire inséminer pour quelques dollars et assurer la pérennité de notre lignée ! Ce n'est pas grave si tu devais t'éreinter et t'endetter pour faire vivre tes marmots ! Pour autant que j'aie d'autres arrière-petits-enfants que je puisse voir deux fois par année ! »

Génial, j'espère que les fêtes ne dureront pas trop longtemps, à bien y penser... Peut-être que Gabrielle avait raison quand elle parlait de la pression sociale pour se reproduire.

Chapitre 20

Un revirement important

(Janvier)

Lundi matin. Cette année, j'ai pris une seule résolution, et c'est de très loin la meilleure à laquelle j'ai jamais pensé : ne pas prendre de résolution ! Je suis belle, je suis bonne, je suis fine. Je suis parfaite telle quelle, je n'ai pas besoin de changer pour qui que ce soit. Et si certains ne sont pas d'accord, qu'ils aillent au diable ! Je sais, ça peut paraître quelque peu extrême, mais j'ai un incroyable regain d'énergie et j'ai repris confiance en moi ces dernières semaines. J'ai même hâte de retourner au travail. Du jamais vu !

Je me rends au magazine vers neuf heures – à l'heure, incroyable, il faut le faire ! Même après mon exploit, la vie ne s'arrête pas là et la Terre ne cesse pas de tourner. Je dois continuer de travailler pour gagner ma vie, quand même. Je me sens légère. Je peux profiter un peu de ma victoire, pour une fois. Je l'ai bien méritée.

Je suis accueillie par un tonnerre d'applaudissements. Tous les employés sont là et m'attendaient, on dirait. Sans doute m'ont-ils vue arriver par la fenêtre. Léa, à six mois de grossesse maintenant, a un ventre énorme. Autrefois si élégante, elle ressemble maintenant à une montgolfière avec sa robe colorée. Elle me serre dans ses bras de toutes ses forces. Enfin, comme elle le peut. On dirait qu'elle a pris vingt à trente livres juste pendant la période des fêtes. Elle est fatiguée, mais au moins, elle n'a plus mal au cœur. Il va falloir lui trouver un remplaçant dans peu de temps, car la date de l'accouchement approche.

C'est ensuite au tour de Camille et de Justin de m'enlacer, chacun leur tour, et de me féliciter. Apparemment, tout le monde est au courant de l'événement. Ils doivent l'avoir vu à la télévision, dans les journaux ou entendu à la radio. Il est vrai que la nouvelle circule sur presque toutes les tribunes depuis deux semaines. L'affaire s'est même rendue jusqu'aux médias des États-Unis qui parlent du scandale Vectorade. Et tout ça grâce à moi ! J'ai encore du mal à le réaliser !

Notre Audrey nationale, qui a passé ses vacances aux Açores, est toute bronzée. Elle ne semble pas au meilleur de sa forme, mais puisqu'elle n'est rentrée que la veille, c'est sans doute dû au décalage horaire. Elle me félicite du bout des lèvres avant de retourner prestement dans son bureau. De toute évidence, elle n'apprécie pas que ça aille bien dans ma vie.

Elle a dû s'échapper dessus une bouteille de parfum d'une autre marque que son Chanel n° 5, car elle n'a pas la même odeur que d'habitude.

Après moult félicitations, je réussis à me rendre à mon bureau. Je me sens si soulagée. J'avais peur que les employés m'en veuillent pour ce que j'ai fait. Il est vrai que personne ne sait que le magazine est menacé. D'un autre côté, je me dis qu'Carbu-Drink serait en bien mauvaise position pour s'en prendre à la revue ou à moi. Après tout, ils ont déjà perdu en cour contre la chaîne de télévision. Alors, je vois mal comment ils pourraient continuer.

J'ai apporté le numéro de téléphone de Samuel. J'hésite entre l'appeler tout de suite et le faire attendre un peu. Je veux lui montrer mon intérêt mais, en même temps, je n'ai pas envie d'avoir l'air misérable et qu'il sache que je n'attendais que la première occasion. En prenant mes messages sur ma boîte vocale, quelle n'est pas ma surprise de constater que Samuel m'a déjà appelée il y a environ une heure.

– Salut Amélie, c'est Samuel. Mes félicitations pour ta superbe prestation. Tu parais drôlement bien à la télé, en tout cas. Je suis vraiment très impressionné par ce que tu as fait, bravo ! C'est encourageant de voir que des gens se battent encore pour des questions de principe. En passant, si tu veux toujours faire ce reportage sur la soie dentaire, je serais libre jeudi prochain dès seize heures. On pourrait aller à la pharmacie et je pourrais te donner des conseils. Rappelle-moi pour me dire si ça te va. Salut.

Devrais-je me jeter sur le téléphone immédiatement et lui dire au plus vite que je suis disponible ou devrais-je le faire poireauter un tantinet ? Je ne veux pas lui montrer que je n'ai rien de mieux à faire et que je me soumettrais volontiers à son horaire, peu importe les conséquences. Je ne suis pas un bouche-trou, quand même. Je pourrais le faire attendre un brin, histoire de me faire désirer. Hum... pas très gentil, ça. D'autant plus que Samuel doit avoir un emploi du temps très chargé avec tous ses clients. Il vaut mieux que je lui confirme tout de suite. Je prends le combiné et appelle à son bureau. Une voix de jeune femme répond sur un ton très professionnel et impersonnel.

– Bureau du Dr Williams, bonjour. Marie-Anne Martel à l'appareil. Comment puis-je aider ?

– Heu... oui, heu... pourrais-je parler à Sam... au Dr Gagnon, s'il vous plaît ?

Ça sonne étrange de dire le Dr Gagnon, je n'ai pas l'habitude... Dans mon esprit, il n'a toujours été que Samuel – un gars super *sexy* et sympathique. Le titre de docteur fait pompeux et ne semble pas cadrer avec l'image mentale que je me fais de lui.

– Je suis désolée, répond la secrétaire, il est avec un patient. Désirez-vous lui laisser un message ?

Évidemment, j'aurais dû m'y attendre. Il aurait été étonnant qu'à cette heure-ci, il ne soit pas déjà en train de jouer dans la bouche de quelqu'un, pour lui obturer une dent, prendre une radiographie ou faire un nettoyage complet.

– Heu... oui... heu... dites-lui que... c'est Amélie Tremblay, et... que... heu... je suis libre jeudi prochain et... heu... qu'il peut me rappeler s'il le veut.

La réceptionniste prend tout en note mécaniquement sans broncher. Je crois que si je menaçais de me suicider en avalant le combiné ou que je lui racontais une histoire cochonne, elle ne s'en ficherait pas plus. Elle me demande si c'est tout et raccroche. Elle avait l'air drôlement pressée.

Je n'aime pas tellement attendre. Je ne sais pas si je dois faire confiance à cette secrétaire. Peut-être devrais-je aussi l'appeler chez lui. Tiens, je pourrais aussi mettre un nez de clown et une pancarte d'homme-sandwich avec « Attention : cas désespéré » écrit dessus, ça serait pareil. Je vais attendre un peu. Je tente de me concentrer en faisant une recherche sur Internet sur les marques de soie dentaire. Au moins, je n'aurai pas l'air totalement néophyte en la matière lorsque je verrai Samuel. Finalement, ce dernier m'appelle tout juste avant l'heure du dîner. Ouf ! La sortie est confirmée pour jeudi.

*   *

*

Voilà près de trois semaines que l'affaire Carbu-Drink est sortie et elle est déjà en train de s'estomper. Pendant les jours

340

suivant l'éclatement de la nouvelle, les gens me reconnaissaient parfois dans la rue et me félicitaient. Maintenant, cette histoire est en train de retomber dans l'oubli.

Fama volat, ou la renommée vole, comme disait Laurie, l'autre jour. Bof, je ne suis pas étonnée. En matière d'actualité, la mémoire du public est bien courte. Le prochain événement va certainement enterrer le scandale Carbu-Drink pour de bon. L'important, c'est que je n'aie plus de problèmes et que quelqu'un d'autre s'occupe de ça. Les magouilles de Carbu-Drink se trouvent entre les mains de Santé Canada et des autres médias, maintenant.

*   *

*

Aaaarrggghhh !! Mercredi soir. Ça fait sept fois que je sors tout le contenu de ma garde-robe et que je l'étale sur mon lit. On dirait que rien ne fait mon bonheur. Je veux avoir l'air absolument impeccable pour voir Samuel demain. Je révise mes tenues – trop peu nombreuses à mon goût – encore une fois. Je fixe finalement mon choix sur une paire de jeans assez *sexy* et un chandail à manches longues, mais juste assez moulant et décolleté. Je ne veux pas porter la même chose qu'au défilé, ça me paraît bien trop chic pour l'occasion.

*   *

*

Jeudi, fin d'après-midi. Enfin ! Il m'a semblé que cette journée n'en finissait plus et je me suis rongé les ongles jusqu'au sang depuis que je me suis levée ce matin. Je flotte au-dessus du trottoir. Samuel et moi avons rendez-vous dans une pharmacie du centre-ville, rue Sainte-Catherine, près de Saint-Alexandre. C'est à

341

mi-chemin entre mon travail et le sien, nous avons donc choisi ce lieu. Il n'est pas encore dix-sept heures et il fait presque noir. Vivement l'été !

Nous arrivons à peu près en même temps. Je ressens comme une bouffée de chaleur dans mon cœur quand je l'aperçois. Il va vraiment falloir que je m'arrange pour le voir plus souvent et lui montrer, une fois pour toutes, à quel point il me plaît. Mais je suis paralysée. J'ai tellement peur qu'il ne veuille pas de moi, ou qu'il me fuie dès qu'il s'apercevra que mon intérêt ne relève pas que de l'amitié.

Pourquoi ai-je si peur ? Pourquoi est-ce que les autres auraient le droit d'être aimés et de vivre heureux en couple et pas moi ? Est-ce que mon estime de moi-même est rendue basse au point où je crois que je n'ai même plus droit au bonheur ? Voyons, ressaisis-toi, Amélie ! Toi aussi, tu peux vivre heureuse et avoir beaucoup d'enfants, comme Cendrillon, Blanche-Neige et toutes les autres princesses de contes de fées. Maintenant, passons aux choses sérieuses : la soie dentaire.

Nous entrons dans la pharmacie. Je prends un chariot, mon carnet avec mon crayon pour prendre en note ce que Samuel me conseillera. Nous entrons dans la rangée de tout ce qui se rapporte aux soins pour les dents. Samuel se dirige tout de go vers les étagères et commence à piger des boîtes de soie dentaire une par une. Chaque fois, il m'explique les qualités et les défauts de chacune d'elles.

Bientôt, appuyée sur mon chariot, je n'écoute plus du tout ce qu'il me dit, je ne fais que l'admirer – avec son sourire, ses cheveux bouclés aux reflets auburn, ses yeux, ses mouvements gracieux. En plus, il a l'air passionné par ce sujet. J'adore les gens passionnés. Hmmm... ce qu'il peut être *sexy* ! Je ne prends même plus de notes tant je suis en extase.

— Amélie ? Amélie, tu as bien compris ? Il vaut mieux prendre une soie cirée. Dis, tu m'écoutes ? demande Samuel en riant.

Je fais un brusque retour à la réalité. Je suis complètement perdue et je n'ai pas saisi la moitié de ce qu'il a pu me raconter.

— Heu... oui, oui, cirée, la soie, bégayé-je.

— Tu as l'air dans la lune, me fait remarquer mon compagnon.

— Non, non, je... je suis juste un peu fatiguée. Désolée. Vas-y, continue, je t'écoute.

Je me concentre sur ses conseils afin d'éviter que cela se reproduise.

*   *
*

Après la séance de magasinage, nous allons manger au restaurant. Le plus drôle, c'est qu'après chaque service, nous nous mettons à tester les soies dentaires. Les employés et les clients nous regardent avec étonnement et semblent nous prendre pour deux fous, mais on s'en fiche ! Samuel me donne des trucs afin de mieux tenir la soie et me montre comment la passer entre mes dents. Je viens de m'apercevoir que lorsque je l'utilisais – ce qui n'est pas arrivé souvent ! – je ne le faisais pas correctement.

J'adore regarder Samuel parler ou bouger. Quand il réfléchit, il frotte les cuisses de son pantalon de ses grandes mains aux doigts fins. Ce que j'adore ses mains !

Il est presque minuit et ça fait près de six heures que nous bavardons. Samuel en est venu à parler de sa vie personnelle. Il m'a entretenue à propos de sa passion pour la dentisterie, de son meilleur ami Charles aux préoccupations écolos, de sa sœur qui voue un véritable culte aux chats et de ses parents qui prévoient, à leur retraite, ouvrir un gîte du passant dans la région de Lanaudière.

J'observe Samuel. C'est étrange, j'ai l'impression que je l'intéresse, mais si c'est le cas, pourquoi ne me demande-t-il pas un rendez-vous galant ? Aurait-il les mêmes craintes que moi ? Aurait-il peur que je refuse ? On dirait qu'il se retient de me montrer ses vrais sentiments. N'est-ce que mon imagination ?

Après m'être fait berner par le beau Laurent, je suis un peu plus méfiante qu'autrefois. J'ai peur de me tromper, je n'ose plus me fier à mon instinct.

*   *

*

Je reçois un courrier recommandé chez moi. L'adresse de l'expéditeur est celle de Carbu-Drink. Bon sang, qu'est-ce qu'ils me veulent encore ? C'est quoi, leur dernière invention pour m'embêter ? Je commence à en avoir marre. Quand vont-ils me foutre la paix ?

La lecture de la lettre me fait presque perdre connaissance. Carbu-Drink me poursuit en justice pour diffamation. Elle me réclame cinquante mille dollars en dommage-intérêts, plus vingt-cinq mille dollars en dommages exemplaires. Un total de soixante-quinze mille dollars ! Elle poursuit également la chaîne de télévision sous le même chef d'accusation, mais pour un montant quatre fois plus élevé. Elle prétend que toute l'histoire est fausse et que nous avons terni sa réputation. Aucun document ne prouverait que l'entreprise était au courant du danger jusqu'à tout récemment. Bande de salauds !

344

Quel culot ! Quand je pense à tout ce qu'ils ont fait, comment peuvent-ils seulement se regarder dans un miroir et prétendre que tout cela est un mensonge ? C'est inimaginable ! Ils veulent me mettre sur la paille ! Comment vais-je pouvoir me défendre ? Je n'ai pas les moyens de me payer un avocat !

Bon, du calme. Les procédures judiciaires, c'est toujours très long. Ça va prendre des mois avant même que je ne passe en cour. Peut-être même que l'histoire sera réglée entre-temps, qui sait ? Allez, je dois me concentrer sur les aspects positifs. Ne t'en fais pas, Amélie, tu as amplement le temps de trouver une solution. Va falloir que j'appelle mes parents pour leur demander leur aide.

*   *
*

Le lundi matin, l'ambiance au bureau n'est pas normale. Tous les employés déjà arrivés sont réunis dans la salle à manger. Justin, l'air sombre, est debout devant le groupe déjà formé. Léa est assise près de lui et caresse son ventre maintenant gigantesque. Elle n'a pas très bonne mine et semble encore plus fatiguée qu'à l'habitude. Il y a quelque chose d'autre d'inhabituel, mais je n'arrive pas à mettre le doigt dessus. Oh, mon Dieu ! J'espère que Carbu-Drink n'a pas attaqué le magazine en justice comme ils avaient menacé de le faire ! Je ne me le pardonnerai jamais ! Les retardataires arrivent enfin. Justin gonfle le poitrail et nous parle d'une voix solennelle.

– J'ai une mauvaise nouvelle à vous annoncer. Audrey, notre chère rédactrice en chef, a fait un infarctus du myocarde cette fin de semaine et est à l'hôpital. Elle est hors de danger, mais elle est en congé de maladie pour une période indéterminée. Nous ignorons encore si elle va même revenir au magazine. Elle doit subir un triple pontage. En attendant, nous allons sans doute tenter de trouver quelqu'un pour la remplacer, nous ne savons pas encore. Je tenais à vous en informer. Je compte sur votre soutien

345

et j'espère que vous lui enverrez un petit quelque chose. Je pensais lui faire parvenir au moins une carte et des fleurs au nom de nous tous. Si vous désirez lui rendre visite, vous pouvez vous renseigner auprès de moi ou de Léa pour obtenir son numéro de chambre.

Voilà ce qui me paraissait curieux : l'absence d'Audrey. Pas étonnant que Léa soit si mal en point. Après tout, Audrey est tout de même sa tante, même si c'est juste par alliance. Je suis sous le choc, même si, d'une certaine façon, je suis soulagée. Même si Audrey m'emmerdait royalement, je ne lui aurais jamais souhaité un tel châtiment. Et même si une partie de moi envie de dire « bon débarras ! » et de danser la claquette debout sur une table, je ressens tout de même de la compassion à son égard et surtout, je me sens coupable de l'avoir tant détestée. Bien qu'elle ait tout fait pour me maintenir dans un état de quasi-servitude et m'empêcher de monter les échelons, je suis profondément triste pour elle.

Et si c'étaient mes ondes cérébrales négatives, provenant de toute la haine que j'avais pour Audrey, qui auraient causé cet infarctus ? Mais non, Amélie, cesse de dire des bêtises ! Prendre en note malgré tout : cesser de souhaiter trop de mal aux gens que je n'aime pas, on ne sait jamais !

Je devrais peut-être aller la voir à l'hôpital. C'est la moindre des choses, je présume. Dès que nous retournons à nos bureaux, je vais soutenir Léa, comme la plupart de mes collègues d'ailleurs. L'ambiance est lourde. Tout le monde a une tête d'enterrement. Je crois que la plupart des employés vivent la même chose que moi. Je me demande qui Justin va nous dénicher comme prochain rédacteur en chef. Sera-t-il mieux ou pire qu'Audrey ? Il sera difficile d'avoir pire, tout est possible ! J'ai un peu peur de ce que l'avenir nous réserve.

*   *

*

Pendant le reste de la journée, j'ai tenté de me concentrer sur la rédaction de mon article, sans succès. Cette histoire me paraît tellement insensée. On ne croit jamais que les gens autour de nous – même ceux qu'on abhorre – vont subir de tels malheurs, et pourtant, ça arrive. On souhaite aux personnes qui nous font damner les pires punitions – dans nos rêves, on les écorche vifs, on les fait bouillir dans l'huile, on les égorge et on leur inflige d'autres traitements encore pires –, mais lorsqu'une tragédie leur arrive réellement, on culpabilise encore plus de leur avoir souhaité un malheur. Et Samuel qui ne m'a pas redonné signe de vie. Je suis gênée, moi aussi, de l'appeler. Je ne devrais pas me plaindre, car je ne suis guère mieux que lui.

En fin d'après-midi, Justin me demande de le suivre dans son bureau. Que me veut-il ? Va-t-il me demander de l'aider à trouver un nouveau rédacteur en chef ? Ou me renvoyer ? Pense-t-il que je pratiquais du vaudou sur une poupée faite des cheveux d'Audrey ? Et s'il connaissait la consigne que j'avais reçue du conseil d'administration ? Un vent de panique coule dans mes veines. Un frisson me parcourt l'échine. Mon petit doigt me dit que je devrais m'inquiéter. Justin me fait asseoir en face de lui.

– Amélie, tu sais comme moi que nous avons besoin de remplacer Audrey au plus vite...

Tiens, je parie qu'il va me demander si j'ai des connexions – comme des anciens profs de l'université – qui seraient intéressées par le poste ! Ça, ou alors il veut que je lui propose quelqu'un parmi les chroniqueurs. J'ai remarqué qu'Étienne Grenier était particulièrement ambitieux. Quelque chose me dit qu'il convoite la place d'Audrey.

– J'ai bien réfléchi, et je préférerais quelqu'un à l'interne pour prendre sa place. Ça y est, on y vient ! C'est beaucoup moins compliqué. Il me faut quelqu'un en qui j'ai confiance. Je ne passerai pas par quatre chemins, j'ai pensé à toi pour prendre le poste de rédactrice en chef.

Je reste sans voix. Moi, remplacer Audrey ? Incroyable ! Suis-je en train de rêver ? Est-ce bien vrai ?

— Mais... sans vouloir paraître ingrate, pourquoi moi ?

— Tu sais, Amélie, depuis que Jessica est partie, tu es la plus ancienne parmi nos journalistes, ici. Comme tu le sais, la majorité des rédacteurs qui travaillent au magazine ne restent qu'un an ou deux. Toi, tu es là depuis près de six ans...

J'aurais envie de lui répondre que la plupart des chroniqueurs ne seraient pas partis si Audrey n'avait pas été une patronne si tyrannique et que si je suis encore là, c'est bien parce que personne d'autre n'a daigné me faire d'offre intéressante, mais la décence me retient.

— De plus, poursuit Justin, tu as un style d'écriture remarquable et un excellent sens critique, deux qualités requises pour faire ce travail. J'ai révisé ton dossier. Tes notes étaient très bonnes. Tu as remporté des prix d'écriture et de rédaction tant au cégep qu'à l'université. Si on exclut la grande expérience d'Audrey dans le monde du journalisme, ton profil est plus impressionnant que le sien ! Il paraît que tu as même effectué des corrections à sa place. Tu es un peu jeune, mais je crois que tu as ce qu'il faut et que tu dois apprendre à te faire confiance. Si j'apporte ta candidature au conseil d'administration et que je la recommande, les membres l'accepteront sans problème.

Je suis indécise. L'offre est exceptionnellement alléchante. Je pourrais enfin dire adieu aux reportages imbéciles sur des sujets insignifiants et faire quelque chose d'intéressant, de motivant et avoir des responsabilités, me sentir importante et utile.

Par contre, c'est aussi effrayant. J'aurai plus de pression sur les épaules et plus de comptes à rendre également. De plus, c'est la place d'Audrey. J'ai l'impression de devoir remplacer une sorte de monstre sacré qui aurait laissé des traces gargantuesques sur son passage et que je devrais remplir à mon tour avec mes petits pieds. Perspective inquiétante. D'autant plus que je suis allée à l'encontre des ordres venus des grands patrons. Accepteront-ils vraiment ma candidature ? Je devrais y réfléchir plus longuement avant de donner une réponse, le temps d'évaluer le pour et le contre.

— Heu... je peux réfléchir jusqu'à demain ?

— Bien sûr, prends ton temps. Dis-moi, combien gagnes-tu actuellement, déjà ? Trente-cinq mille dollars par année ?

— Heu... oui, réponds-je, incertaine de savoir où il veut en venir.

— Si tu acceptes le poste, j'augmente tout de suite ton salaire à cinquante mille.

Hum... argument de taille, bien que bassement pécuniaire. Ça fait tout de même des années que je me démène comme un diable dans l'eau bénite pour payer ne serait-ce que mon loyer – qui, avec la crise du logement actuelle, me coûte une véritable fortune – et mon épicerie, sans compter Bingo. Et puis même une journaliste comme moi, assoiffée de vérité et d'idéal, ne vit pas que d'amour et d'eau fraîche. Les principes, c'est bien beau, mais ce n'est pas ça qui me nourrira.

Après tout, c'est une occasion unique, qui va me permettre enfin de grimper dans les échelons de l'entreprise et de faire avancer ma carrière comme jamais. Si je la refuse maintenant, elle risque de ne pas se représenter.

— Eh bien, je crois que je serais cruche de dire non.

— Ah ! Tu me fais bien plaisir ! Alors, on arrangera ça cette semaine, d'accord ?

– D'accord.

Je sors du bureau de Justin, encore sous le choc. Deux émotions fortes dans une même journée, c'est beaucoup. Lorsque j'arrive à mon cubicule, Léa remarque mon air hagard.

– Ça va ? me demande-t-elle. Tu es toute blême.

– Léa, je... je sais que ça peut sembler un mauvais moment pour te dire ça, mais Justin vient de m'offrir le poste d'Audrey.

Je m'attends à ce qu'elle soit outrée et crie à l'assassinat, mais elle sourit, enthousiaste.

– C'est merveilleux, ça ! Tu as dit oui, j'espère ?

– Oui, pourtant je me sens... coupable. Ça ne te met pas à l'envers, toi ? J'ai l'impression de profiter du malheur d'Audrey. En fait, je me sens comme si je venais de danser la rumba sur un cadavre que je venais de tuer en le criblant de balles.

Léa me prend les deux mains et me regarde dans le blanc des yeux.

– Écoute, James Bond, j'aime bien ma tante. Cependant, elle n'a jamais eu ce qu'il fallait pour ce job, à mon avis. Les relations humaines, ce n'est pas son fort. Tu es l'une des rédactrices les plus talentueuses du magazine. Ce travail te revient de droit. Ne le crois-tu pas ?

– Je ne sais pas trop. Je ressens un mélange de joie, de peine et de culpabilité, tout cela à la fois !

Léa hausse les épaules.

– Le malheur des uns fait le bonheur des autres. Audrey a eu sa chance et elle en a profité abondamment, et même abusé, je dirais. Maintenant, c'est à ton tour. Ne rate pas ton coup et profites-en. De toute façon, Audrey avait tenté de te faire mettre à la porte, alors c'est une douce revanche, non ?

— Quoi ?! Audrey voulait me renvoyer !

Je suis totalement médusée ! Voilà pourquoi Léa m'avait mise en garde ! Elle devait savoir des choses. Je comprends enfin l'attitude d'Audrey, ces derniers mois. Mes apparentes bavures étaient un coup monté. Et Audrey devait fouiller dans mon bureau à la recherche de tout ce qui pouvait être compromettant pour moi. J'en ai encore les bras coupés ! Mais, comme dit Léa, ma promotion est une douce revanche...

— Et puis Justin t'aime trop pour te licencier, alors tu es encore là..., ajoute Léa.

Chère Léa ! Elle est tellement gentille et me veut tant de bien. Parfois, je ne sais pas ce que je ferais sans elle. Elle va me manquer pendant son congé de maternité. Prendre en note : cesser de me sous-estimer.

*   *
*

Enorgueillie par mon succès au travail – le seul que j'aie en ce moment, en fait ! –, je décide d'appeler Samuel. Il est tout à coup incroyablement difficile à joindre ; je ne parviens à lui parler qu'après plusieurs jours. Donc, à la suite de plusieurs tentatives infructueuses et d'heures à m'inventer une excuse minable pour le rejoindre – la raison que j'ai trouvée : savoir s'il s'était remis de sa séance d'information sur la soie dentaire –, je finis par mettre le grappin dessus.

Samuel s'excuse de ne pas être là souvent. Apparemment, il a beaucoup de rendez-vous le soir et rentre souvent tard. Difficile, donc, de le rejoindre. Je le mets au courant de ma situation. Samuel me dit connaître un bon cabinet d'avocats qui pourrait m'assister. Je note le tout en espérant ne jamais en avoir besoin.

Après moult hésitations, je propose à Samuel qu'on prenne rendez-vous pour se revoir. Je prétexte que, le mois prochain, j'aurai la revue contenant l'article pour lequel il m'a aidée et à l'intérieur duquel son nom figure comme consultant. Brillant, comme plan ! Bravo, Amélie ! Samuel me propose encore mieux : il veut visiter une exposition dans un musée et aimerait que je l'y accompagne.

– Je n'y connais rien en matière d'art, me dit-il. Peut-être que toi, qui es journaliste, tu en saurais un peu plus que moi et que tu pourrais m'enseigner des trucs...

Je ne connais presque rien en arts visuels, mais je m'improviserais Léonard de Vinci pour Samuel s'il le fallait ! Quitte à suivre un cours accéléré en histoire de l'art !

*　　*

*

Deux jours plus tard, Samuel et moi arrivons au musée. L'exposition consiste essentiellement en un montage de pelles mécaniques suspendues à sept pieds du sol et traversées par des barres de fer. Il y en a un peu partout, dans toutes sortes de poses ou d'angles différents : à l'envers, sur le côté, penchée vers l'avant.

Je longe les murs, intimidée par ces monstres mécaniques qui semblent flotter entre ciel et terre. J'ai l'impression qu'à tout moment, l'un d'eux va tomber et s'écraser sur le sol. Je n'ai pas envie de me trouver trop près quand ça arrivera. Samuel, quant à lui, rigole comme un écolier.

— D'après toi, qu'est-ce que l'artiste a voulu démontrer par ces œuvres ? La légèreté du travail ? ajoute-t-il, railleur. L'envol de l'employé moderne ?

— Je n'en sais rien. Tout ce que je sais, c'est que cet assemblage ne m'a pas l'air sécuritaire du tout.

— Voyons, il n'y a pas de danger. Ils n'auraient pas ouvert ça au public si ce n'était pas le cas.

Sans cesser de rigoler, Samuel va se placer juste au-dessous de l'une des pelles mécaniques. Je lui crie de s'enlever de là. Il est complètement malade ! Et si tout le fourbi lui tombait dessus ?

— Allez, Amélie, viens ! Il n'y a aucun risque, tu vas voir.

— T'es pas un peu malade ? Je n'approche pas de ce machin, moi !

Sans me laisser le choix, Samuel m'attrape par le bras et me tire de force sous la pelle mécanique suspendue. Quand il me touche, c'est comme si je recevais un choc électrique. Samuel m'entoure les épaules de son bras et me colle contre lui. Je suis soudain partagée entre la nervosité de me trouver sous un truc qui doit peser plusieurs tonnes et le bonheur d'être pressée tout contre Samuel, qui a sa main posée sur moi.

J'ai des papillons dans l'estomac et je me sens toute chose. Les mains de Samuel sont chaudes et il a de si grands doigts ! Samuel tend l'autre main pour toucher le dessous de la pelle en insistant sur le fait qu'il n'y a pas de danger... Pour se faire interpeller par l'un des gardiens qui lui ordonne de ne rien toucher !

Nous sortons finalement du musée en pouffant de rire. Je suis si détendue, j'aimerais que la sensation dure éternellement.

Samuel m'invite à venir manger chez lui, jeudi, dans environ deux semaines. Youpi ! Mais, quel genre de rendez-vous est-ce ? Je l'ignore...

Chapitre 21

Pas de Gagnon

(Février)

Le désespoir est cet état où l'homme désire toujours être ce qu'il n'est pas et ne consent pas à être ce qu'il est.

Sören Kierkegaard

Pour célébrer ma promotion, mes parents ont organisé une fête en famille, chez eux, le clan des morveux y compris. Pendant que Jacob tente désespérément de faire fonctionner le lecteur vidéo de mes parents – il est toujours aussi nul avec la technologie, celui-là –, Noémie et moi aidons mes parents à préparer le repas.

— Les filles, j'en profite pendant que nous sommes tous réunis dans une même pièce et que nous sommes seuls pour vous dire que votre mère et moi avons pris une décision..., commence soudain papa.

Noémie et moi, nous nous regardons, inquiètes. Que veulent-ils nous dire ? Qu'ils ont décidé de fonder une entreprise de karaoké pour vieux ? Qu'ils vont se convertir à l'hindouisme par correspondance ? Qu'ils ont décidé de s'adonner au naturisme douze mois par année ? Qu'ils veulent faire du *bungee* en couple en Afrique ? Déjà, des visions d'horreur, plus loufoques les unes que les autres, me viennent en tête.

— Nous voulons discuter avec vous de nos arrangements funéraires...

– Beurk ! Papa ! Maman ! C'est horrible ! protestons-nous toutes les deux. Pourquoi désirez-vous nous mêler à ça ? Vous ne devriez pas faire ça entre vous ?

– Écoutez, répond papa, il faut bien s'en occuper, et puisque c'est vous qui allez administrer cela après notre mort, il faut bien que vous soyez au courant et que vous nous indiquiez vos préférences, si vous en avez.

Des préférences ? Mais quel genre de préférences voudraient-ils que nous ayons, Noémie et moi ? Que la pierre tombale soit rose bonbon, qu'on garde chacune une moitié de leur crâne sur notre table à manger en les présentant aux visiteurs : « Voilà, je vous présente mes parents ! Dites-leur bonjour ! » Ou alors qu'on les congèle ? Grande Sœur et moi ne pouvons nous empêcher de nous imaginer des trucs horribles et bizarres.

– Ne grimacez pas comme cela, les filles, c'est sérieux, dit mon père. Et nous, tout ce que nous voulons, c'est d'être ensemble dans la mort, après tout.

Noémie et moi jurons finalement, sur nos âmes, que jamais ils ne seront séparés. Après avoir promis que nous reviendrons sur le sujet plus tard, nous poursuivons notre tâche.

– Alors ? Pas d'autres succès en vue, Amélie ? me demande soudain papa.

– Je ne sais pas trop, réponds-je. Rien de prévu pour l'instant. Je commence à donner un entraînement rapide au remplaçant de Léa, ma collègue qui est enceinte.

– Moi, Jacob va m'emmener dans un grand restaurant chic du centre-ville pour la Saint-Valentin, s'empresse de répondre Grande Sœur, pour attirer l'attention.

– Et toi ? Toujours pas de rendez-vous galant, ma chérie ? me demande maman.

J'hésite entre leur cacher ma rencontre avec Samuel – et avoir la paix – ou la leur révéler – et être bombardée de questions, mais créer un agréable effet de surprise. Après tout, je ne sais pas trop à quoi m'attendre. Finalement, je ne peux résister.

– J'ai un rendez-vous dans près de deux semaines avec un garçon.

J'ai l'impression d'être encore au secondaire en disant cela ! Ça sonnait bébé immature de douze ans qui sort avec un garçon après avoir joué à la bouteille.

– C'est merveilleux, ça ! Qui est-il et que fait-il dans la vie ? questionne maman.

La question à cent dollars... Pourquoi cela intéresse-t-il tant les gens de savoir ce que les autres font comme travail dans la vie ?

– Il s'appelle Samuel Gagnon et il est dentiste, réponds-je, comblée malgré tout d'avoir un sujet de conversation fascinant, pour une fois.

– Wow ! C'est un bon parti, ça, ajoute papa.

– Papa ! On ne dit plus ça, maintenant. Ça fait vieux jeu. Et son emploi n'a aucune importance, tu sauras. Je suis une femme indépendante, après tout. Je n'ai pas besoin d'un gars riche pour m'entretenir.

– Alors, tu as un rendez-vous amoureux ? glousse maman.

– En fait, j'ignore encore quel genre de rendez-vous c'est, mais je le saurai bientôt, c'est jeudi, dans deux semaines.

– Amélie, mais sur quelle planète tu vis ? s'écrie Noémie en riant. Jeudi, dans deux semaines, c'est le 14 février : la Saint-Valentin. Tu sais ? La fête des amoureux !

Je m'aperçois avec consternation qu'elle a raison. Alors, Samuel m'a invitée à souper chez lui pour la Saint-Valentin ! Ce que je peux être idiote, je n'avais même pas remarqué ! Hum... Je crois que j'ai déjà une meilleure idée de mes chances avec lui. Ou alors, c'est un pur hasard et je me fais des idées.

*   *
*

Nouvelle surprise ! J'ai reçu un appel d'un éditeur qui m'a demandé si j'étais intéressée à écrire ma biographie. La maison s'appelle Les éditions incorruptibles. L'éditeur m'a expliqué qu'il aimerait beaucoup la publier si je décidais de rédiger un tel ouvrage. J'ai été très étonnée. Je ne pensais pas que ma vie avait un tel intérêt. D'autant plus que je n'ai même pas encore trente ans. Je me demande ce que j'aurais à raconter, dans le fond. Je n'ai pas un parcours existentiel si extraordinaire que cela, il me semble.

Détail non négligeable : l'éditeur me propose de payer une partie de mes frais d'avocats pour ma défense en échange de l'exclusivité sur les droits de ma biographie. Cette option n'est pas à balayer du revers de la main. Après tout, pourquoi pas ? Si un éditeur y croit et est prêt à investir, c'est que ça doit valoir la peine, non ? J'ai répondu que j'y réfléchirais.

*   *
*

Jeudi, 14 février. Je me sens incroyablement nerveuse. J'ai passé un nombre incalculable d'heures à examiner tous mes vêtements – encore, y en a marre ! Je veux être *sexy*, mais pas trop, au cas où ça ne serait pas un rendez-vous galant. Par contre, Samuel m'a tout de même donné rendez-vous un 14 février, jour de la Saint-Valentin. Alors, ça augure bien. Malgré le froid mordant, j'ai opté pour les vêtements que j'avais portés pour le défilé. C'est ce que j'ai de plus beau. Tant pis si j'ai l'air trop chic. J'ai aussi fait l'achat de nouveaux *love spells*, au cas où ça m'aiderait à ensorceler Samuel. J'en doute.

J'ai acheté un gigantesque os fumé assaisonné au bacon pour occuper ma pauvre Bingo et me faire pardonner de l'abandonner une soirée entière.

Merde ! Qui est le débile qui a décrété que la Saint-Valentin serait en plein milieu de l'hiver ? Sûrement un crétin qui habitait dans un pays chaud. C'est en été qu'on doit se promener en tenue *sexy*, bon sang ! Pourquoi faire une fête des amoureux lors d'une saison glaciale, où l'on est tous emmitouflés dans nos manteaux, avec nos foulards, nos tuques, nos grosses bottes et nos millions de couches qui font qu'on ressemble tous à des bonhommes de neige et qu'il est impossible de séduire qui que ce soit !?

J'approche de l'immeuble situé à Saint-Laurent – et qui semble tout neuf – et sonne à sa porte. J'ai le cœur qui bat la chamade et les mains qui tremblent tellement que j'ai peur d'échapper la bouteille de vin que j'ai achetée. J'ouvre mon manteau, car, malgré le froid, je suis en nage. La porte automatisée s'ouvre, et je prends l'ascenseur jusqu'au troisième étage. L'édifice est quelque peu luxueux, ça sent la peinture fraîche. Samuel m'attend à la porte. Encore vêtu d'un jean, il porte un chandail de laine bourgogne, avec un col roulé, détaché sur le côté gauche. Hum... vraiment très joli !

Il me fait entrer. C'est curieux, je me serais attendue à un appartement plus grand, étant donné que Samuel doit être à l'aise financièrement. Il n'y a pas de division entre le salon et la salle à manger, et celle-ci n'est séparée de la cuisine que par un îlot. Le style est très nu et sobre, mais c'est pas mal.

Samuel prend ma bouteille de vin et l'observe attentivement. Il semble pensif. Il m'aide ensuite à me débarrasser de mon manteau. Bon, il vient de voir comment je suis vêtue. Reste à savoir comment il va l'interpréter. Je tente de dissimuler mon anxiété.

– Dis donc ! me lance Samuel. Tu es pas mal chic. Tu as un rendez-vous galant, ce soir, dont tu ne m'as pas parlé ?

Je le regarde, complètement abasourdie et figée, la bouche grande ouverte, les yeux ronds comme des assiettes. Qu'est-ce qu'il me chante là ? Il se fiche de moi ? Oh non ! Alors, c'est bien un rendez-vous d'affaires ? Je me sens horriblement embarrassée !

– Tu sais, dit Samuel avec un air espiègle, tu es très séduisante avec la bouche grande ouverte comme ça. Ce n'est pas que je n'aime pas mon boulot, mais si tu veux absolument un nettoyage ou un examen, on pourrait se reprendre une autre fois.

Je referme ma mâchoire avec un claquement sec. Je continue d'interroger Samuel du regard, pour voir si je pourrais y trouver un indice sur ses intentions, fouiller dans son esprit. Il agit comme si nous avions une rencontre intime, tout en tentant de le dissimuler. À quoi dois-je donc m'attendre ?

– En passant, ajoute Samuel en allant porter la bouteille dans le réfrigérateur, tu as de très jolis plombages...

Je suppose que je dois prendre ça comme une forme de compliment. J'ai l'impression que Samuel joue avec moi et qu'il cherche à me tester. On jurerait, par moments, qu'il aime me mettre mal à l'aise. Quelle conclusion devrais-je en tirer ?

J'entends une musique en bruit de fond. Je reconnais *The Look of Love*, de la chanteuse Diana Krall. Exactement le genre que j'aurais mis pour un rendez-vous d'amoureux ! Je me sens un tantinet anxieuse. Samuel m'emmène à la cuisine, qui est assez petite, et me propose un vin blanc. Il a fait un plat de pâtes au poulet à la sauce alfredo et une salade César.

Pendant qu'il prépare le tout, j'examine sa bibliothèque dans le salon. Un livre me saute aux yeux : *Comment faire jouir votre femme comme une folle*. Je recule brusquement, comme si j'avais été brûlée vive et je me retiens de ne pas pousser un cri. Je me sens comme si j'avais pénétré dans son jardin secret. Je préfère m'éloigner, de peur de tomber sur un autre truc cochon.

Soudain, la musique change et j'entends la chanson *Kissing a Fool*. Je suis vraiment anxieuse. Si Samuel ne tente pas de créer une ambiance romantique, je ne sais pas ce qu'il essaie de faire. Hum... cette chanson, c'est la version interprétée par George Michael, je crois. Jolie voix d'ailleurs.

Quand je pense que ce chanteur est gai ! Le jour où je l'ai appris, je suis tombée en bas de ma chaise. Quand j'étais adolescente, je le prenais pour un gros macho, avec son manteau de cuir, son visage mal rasé et des bonnes femmes à moitié nues dans ses vidéoclips ! Il faut croire que lorsqu'il chantait *I Want Your Sex*, ce n'était pas tout à fait ce à quoi les gens devaient penser. C'est drôle comme notre perception des choses change avec l'âge...

– Dis donc ! Tu peux me confirmer quelque chose ? demande soudain Samuel. J'ai des photos sur mon ordinateur d'une fille qui te ressemble drôlement. Est-ce que c'est toi ?

Je me sens soudain très mal. Et si c'était mes photos en bustier ? Je me précipite sur l'ordinateur en question, dans une pièce voisine. Quelle horreur ! C'est bien moi ! En sous-vêtements *sexy* !

Oh mon Dieu ! Samuel m'a vue en petite tenue ! Au secours ! Salopard de Thomas Lévesque ! Si je savais qui c'est, je prendrais la souris et la lui enfoncerais dans l'anus, tiens !

À moins que... Samuel ne soit Thomas Lévesque ! Après tout, je n'ai jamais su qui c'était ! Samuel vient juste d'arriver et voit mon expression horrifiée.

– À voir ton air, la réponse à ma question est oui.

– Est-ce toi qui as demandé ces photos ?

– Seigneur, non ! Moi, les flirts sur le Web, ce n'est vraiment pas mon truc. Draguer une fille qui se prétend mannequin et médecin pour s'apercevoir après que c'est un laideron qui travaille comme concierge, non merci ! C'est un ami à moi qui passe son temps à regarder des photos cochonnes et qui m'a envoyé des photos sur Internet. Il n'arrête pas de m'en envoyer, même si je trouve ça con.

Quoi ! Alors non seulement Samuel m'a vue en sous-vêtements, mais un de ses amis aussi ! Quelle horreur ! Combien de gars se sont envoyé ce cliché ? Je savais que ça me retomberait sur le nez ! Maintenant, j'ai une nouvelle identité : photo cochonne ! Super... Samuel n'aura aucune surprise, en tout cas, il m'a vue presque nue ! Il éclate de rire devant ma mine déconfite.

– Bah, ce n'est pas bien grave, tu sais. Et puis, tu es très jolie. J'aime bien la façon dont la lumière de la fenêtre fait ressortir ton teint... Et on voit que ta pose est directement inspirée de Mona Lisa.

Je tente de ne pas déprimer. Que puis-je vraiment faire, de toute façon ? Pas grand-chose. Et puis, je me console en me disant qu'aujourd'hui, il y a des milliards de photos et de vidéos bien plus obscènes que ça qui circulent sur le Web. La mienne est relativement sage comparée à d'autres. Pas de quoi fouetter un chat, je suppose...

362

Finalement, le souper est prêt. Nous nous installons à table. La cuisine n'est pas mal du tout. Nous sommes tous les deux tendus. Je préférerais que Samuel me saute dessus et m'embrasse avec fougue immédiatement que de traverser une autre heure dans l'incertitude. J'en profite pour lui montrer l'article – notre article ! – sur la soie dentaire. Nous l'examinons en mangeant. Ça devrait nous changer les idées un peu. Au bout d'un moment, nous sommes plus détendus et discutons de nos vies profession-nelles respectives.

Samuel me parle de quelques-uns de ses clients, car certains ont des lubies étranges ! Il y a des hypocondriaques qui prennent un paquet de rendez-vous chaque année, et des vieillards qui prennent leur visite chez le dentiste pour une rencontre au club social et racontent leur vie entière aux employés – ou du moins, tentent de le faire, car ça ne doit pas être facile avec quelqu'un qui leur joue dans la bouche !

Quant à moi, je lui parle de ma récente promotion et de mes sentiments mitigés face à cette situation. Samuel approuve le raisonnement de Léa, ce qui me rassure. J'ai même un nouveau bureau, plutôt qu'un petit cubicule, et beaucoup de nouvelles tâches qui m'épuisent quelque peu. Bientôt, à mesure que le repas avance et que la bouteille de vin se vide, nous sommes plus enjoués.

– J'ai acheté des pâtisseries, dit Samuel en desservant la table. Il y en a une aux fruits et une au chocolat. As-tu une préférence ?

– Celle au chocolat. Le chocolat, c'est ma drogue !

– Vraiment ? me dit Samuel en riant.

– Si tu veux me donner un cadeau qui va me rendre vraiment heureuse, donne-moi du chocolat !

363

Hum... en ai-je trop révélé sur ma vie privée ?

— Ts ts, pas très bon pour les dents, ça...

— Alors, j'irai te voir pour que tu me les répares.

* *

*

Après avoir mangé les délicieuses pâtisseries et avoir entamé la deuxième bouteille de vin, l'atmosphère est pas mal détendue. Samuel et moi, nous nous installons sur le sofa et parcourons le dernier *Féminine.com* en riant. Car certains reportages sont carrément hilarants ! Surtout avec un taux élevé d'alcoolémie dans le sang.

Ça y est, je crois que je suis encore soûle ! Ou du moins, pas très loin de l'état d'ivresse totale. Je rigole pour un rien. Après s'être esclaffé des conseils et remarques comiques du journaliste, Samuel, l'air plutôt pompette, se laisse glisser et s'enfonce plus profondément dans le sofa. Je l'imite pour rester à sa hauteur. Est-ce l'effet du vin, de la digestion ou d'autre chose, mais je suis calme, détendue et même un brin fatiguée.

Samuel me sourit, puis passe une main dans mes cheveux, tout près de mon visage. Il replace derrière mon oreille l'une de mes mèches, tombée sur ma figure. Je le laisse faire. Le contact de sa peau contre la mienne est incroyablement doux. Je ferme les yeux un instant pour savourer le moment. Mon cœur se remet à battre à toute vitesse et je sens une bouffée de chaleur gagner mon corps. Je n'ai qu'une envie, c'est de m'abandonner. Est-ce vraiment ce petit pincement au cœur qu'on appelle l'amour ?

Finalement, il s'approche de moi et pose sa bouche sur la mienne. Enfin ! Pour la première fois depuis un bon bout de temps, je peux me laisser aller complètement. Bientôt, Samuel et moi sommes enlacés dans les bras l'un de l'autre, les lèvres soudées. Je peux caresser sa merveilleuse chevelure et le serrer dans mes bras. Il caresse mon visage avec douceur, alors que je me colle à lui et que je sens sa chaleur contre moi. Depuis le temps que j'en rêvais !

Tout à coup, la sonnette du système d'interphone résonne. Nous nous arrêtons, stoppés dans notre élan d'intimité. Je regarde Samuel, hésitante. Qui peut bien sonner chez lui à cette heure et va-t-il répondre ? Il hausse les épaules et m'embrasse à nouveau. Mais la sonnette retentit une deuxième, puis une troisième fois. Génial... Rien de mieux pour gâcher l'ambiance...

– Tu attends quelqu'un ?

– Non, pas du tout.

Il se lève, un peu agacé, alors que la sonnette se fait entendre à nouveau. Je reste assise sur le sofa et l'admire alors qu'il se dirige vers la porte d'entrée.

– Mais je suis prêt à parier que c'est l'un de mes copains qui s'imagine que tu es déjà rentrée à la maison, et qui veut des nouvelles de ma soirée avec toi. Ne te surprends pas trop si tu entends dans l'interphone un truc du genre : « Alors ? Tu l'as baisée ? »

J'éclate de rire.

– Tu as parlé de moi à tes amis ?

– Oui, et ils sont très curieux.

Sur ce, Samuel appuie sur le bouton du système de communication.

– Charles, si c'est toi, je vais t'étrangler, dit-il dans le microphone.

– Non, ce n'est pas Charles ! rétorque sèchement une voix de femme.

Le visage de Samuel change instantanément. Son sourire disparaît pour faire place à une expression inquiète, étonnée, voire très contrariée. C'est la première fois que je vois une telle émotion sur sa figure.

– Aryane ! Mais, qu'est-ce que tu fous là ?! s'écrie Samuel.

– Je suis venue te parler de ces saloperies de documents que tu m'as envoyés !

Le ton de cette Aryane est agressif et revanchard. J'essaie vainement de comprendre la situation. Qui ça peut bien être et de quoi parle-t-elle ? Si ça continue, je sens que je vais m'affoler.

– Aryane, ce n'est pas un bon moment. On devrait en discuter avec nos avocats ! réplique Samuel, toujours collé à l'interphone.

Avocats ? Mais de quoi parle-t-il ? Ça ne me dit rien qui vaille, ça... Je vais vraiment paniquer, là.

– Non ! Je monte tout de suite ! rétorque Aryane.

– Non, Aryane ! Ne monte pas ! Ne monte pas ! Aryane ! Allô ?

Aryane ne répond plus. Elle est sans doute en chemin. Samuel passe une main nerveuse dans ses cheveux, puis sur son visage et soupire. Il vient me voir, l'air dépité, et me parle doucement. Clairement, quelque chose ne tourne vraiment pas rond.

– Amélie, écoute. Je crois qu'il va falloir mettre fin à notre rendez-vous tout de suite. J'aurais voulu que ça se passe autrement et je suis vraiment désolé que tu aies à vivre ça. Malheureusement, je n'ai guère le choix, Aryane va être ici d'une minute à l'autre.

– Qui est Aryane ?

Samuel baisse les yeux et soupire à nouveau. Ça semble être très difficile pour lui.

– C'est mon ex-femme.

Alors là, je ne pourrais pas être plus stupéfaite. Il a déjà été marié ? En quatre mois, nous avons passé une fin de semaine entière ensemble, nous nous sommes parlé pendant des heures et des heures de tout et de rien, de nos vies professionnelles et personnelles et il ne me l'a même pas dit ! Quand allait-il me révéler ce petit détail ?

– Et... heu... ça fait longtemps que vous êtes séparés ?

– J'ai demandé le divorce il y a sept mois et, comme tu peux voir, ce n'est pas réglé, dit Samuel avec un sourire forcé.

Sept mois ! Il est en plein dedans ! Et c'est tout récent ! Si je ne me trompe pas, ça veut dire que lorsque nous nous sommes rencontrés à Toronto, il avait demandé le divorce depuis... seulement deux mois ! Il aurait donc laissé sa femme en août, un mois à peine après mon déménagement. Merde, alors ! Je suis peut-être pleine de préjugés, mais il me semble que c'est un peu rapide. Mes réflexions sont interrompues par des coups à la porte d'entrée. Samuel s'y dirige comme s'il allait vers l'échafaud.

Il ouvre la porte à une jeune femme en furie. Grande et mince, avec de longs cheveux blonds – nuance *Blé entier* n° 5,8 – et vêtue d'une façon qui laisse peu de place à l'imagination, elle se précipite dans l'appartement. Elle brandit une pile de papiers sous le nez de Samuel qui lui jette un regard glacial, les bras croisés.

– Si tu crois que je vais me laisser faire, tu te trompes, Samuel Gagnon ! hurle-t-elle.

Elle s'immobilise et me regarde, visiblement consternée de me voir là.

– Et ça, c'est qui ? dit-elle en me désignant. L'une de tes maîtresses ?

Quoi ? Je vais lui en faire, moi, des maîtresses ! Non contente d'interrompre ma soirée romantique avec Samuel – et sans doute de mettre fin aux seules chances que j'avais de m'envoyer en l'air ce soir –, il faut qu'elle m'insulte également ?

– C'est ma copine, répond calmement Samuel. Et si tu permets, je vais la reconduire à la sortie.

– Tu ne m'as pas prévenue que tu avais un rendez-vous comme nous avions convenu, rugit Aryane, furieuse, tu devais attendre mon approbation !

– Non, Aryane, réplique froidement Samuel. TOI, tu avais décidé, seule, que je devais te mettre au courant de ma vie personnelle, ce que je refuse de faire. Je n'ai plus de comptes à te rendre désormais. Et maintenant, accorde-moi deux minutes, veux-tu ?

J'ai l'impression d'assister à un spectacle à la Jerry Springer où les invités s'engueulent et se jettent des chaises à la figure. Mais tout ça est bien réel, et se passe en chair et en os devant moi et non pas à la télévision. Sous le regard meurtrier d'Aryane, mon amoureux dépose lentement mon manteau sur mes épaules et m'aide à m'habiller. Il s'excuse à nouveau. Encore sous le choc, je suis bien dégrisée. Il y a quelques minutes, je nageais en plein bonheur et j'étais certaine de me faire baiser dans les heures, voire les minutes à suivre, et maintenant, j'assiste à une scène de ménage – enfin, de divorce – dont j'ignorais tout.

– Je te rappelle demain, d'accord ? me dit Samuel d'un air désolé.

Sur ce, il m'embrasse – devant son ex-femme. Je sors de l'appartement, encore éberluée. Dès que la porte s'est refermée, Aryane se remet à crier. Je rentre chez moi, en ressassant les derniers événements. On dirait un cauchemar. Je suis abasourdie et je ne sais plus quoi penser de toute cette histoire.

Je me sens un peu comme Jane Eyre lorsqu'elle découvre avec stupeur que l'homme qu'elle aime et qu'elle va épouser est déjà marié à une aliénée mentale.

Samuel n'avait demandé le divorce que depuis une courte période de temps quand nous nous sommes rencontrés. Nous avons parlé de tellement de choses ensemble, et il n'a jamais abordé le sujet de son mariage. Était-ce parce que le souvenir en était trop pénible ? Il ne voulait pas que je connaisse cet aspect de sa vie ? Je n'y comprends plus rien, tout allait si bien, et tout à coup, l'horreur me tombe en plein devant la figure.

Je n'arrive pas à croire que Samuel a déjà été marié. Et avec cette hystérique, en plus ! Qu'est-ce qui a bien pu clocher entre les deux ? Et c'était quoi, cette histoire de maîtresses ? Samuel trompait-il sa femme ? Et s'il draguait vraiment sur Internet et qu'il se procurait des photos cochonnes comme la mienne ? Peut-être qu'il est accro au porno sur Internet ?

* *
*

Je viens de passer une nuit horrible. Non seulement j'ai attendu en vain jusqu'à deux heures du matin que Samuel me rejoigne – je n'osais pas appeler et risquer de tomber sur un volcan en éruption –, mais en plus, j'ai fait des cauchemars et dormi d'un sommeil agité. Beurk ! J'ai une mine affreuse.

Très tôt en matinée, je n'y tiens plus et je me décide à appeler Samuel. Il faut que j'en sache plus ! Je ne peux pas vivre ainsi dans l'ignorance, à toujours m'interroger, me demander ce qui se passe. Quitte à entendre des choses qui ne me plairont pas. Je suis prête à accepter bien des folies pour être avec lui. Samuel répond, il ne semble pas très en forme, lui non plus.

– Ah... Amélie..., dit-il d'un ton peu enthousiaste.

– Écoute, Samuel. Je... j'aimerais beaucoup te voir, ce matin. Je sais que tu es très occupé, mais j'y tiens vraiment. J'aimerais savoir ce qui se passe. S'il te plaît.

– Je suis vraiment navré, Amélie, mais je n'ai pas passé une très bonne nuit. Je suis très fatigué et je n'ai malheureusement pas le temps de te voir ce matin. J'ai un rendez-vous. Mais on se verra ce soir, d'accord ?

– D'accord.

Je suis déçue. Après réflexion, je décide de partir plus tôt pour le travail et de m'arrêter en chemin chez Samuel, même si ça m'impose un grand détour et que j'arriverai en retard au bureau. Je m'en fous ! Il faut que je sache et que je lui demande des explications. Je déteste l'incertitude. Au moins, je serai fixée. Je saurai pourquoi j'ai cette boule au creux de l'estomac.

Après un départ précipité et environ quarante-cinq minutes de déplacement, je sors du métro et me dirige vers l'appartement de Samuel. Je l'aperçois dans un café au coin de la rue... avec une autre femme ! Il la regarde, tout sourire, et semble très heureux. La dame – ou plutôt devrais-je dire la salope –, vêtue d'une mini jupe malgré le climat très froid, passe une main dans ses longs cheveux aux reflets d'or. J'ai l'impression de recevoir un poignard en plein cœur et de manquer d'air. C'est alors que Samuel remarque ma présence. Ça semble avoir l'effet d'une bombe sur lui.

Les larmes me montent aux yeux. Ça suffit ! Je n'en peux plus ! Je croyais pouvoir vivre avec les problèmes maritaux de Samuel, mais le mensonge, non ! Combien de mauvaises surprises de ce genre vais-je avoir avec lui ? Deux en moins de douze heures, c'est trop ! Il lui en reste beaucoup, des femmes comme ça, à sortir de sa poche secrète ? Combien d'amantes et d'ex-femmes vais-je encore trouver ? J'aurais dû m'en douter, avec un type qui drague des filles alors qu'il vient tout juste de laisser sa femme. Quand je pense qu'il a refusé de me voir ce matin pour rencontrer une autre femme, ça me renverse ! Était-ce comme ça chaque fois qu'il se disait occupé au bureau avec des clients ?

Je fais demi-tour en courant. J'entends Samuel qui me poursuit et me crie de l'attendre, mais je m'en fiche ! Je suis trop bouleversée pour discuter avec lui. Je m'élance en courant dans le métro, là où il ne pourra pas me rejoindre. Je ne m'arrête qu'une fois rendue au quai, persuadée qu'il ne peut pas passer les tourniquets. Je voulais être fixée, je le suis !

*   *
*

Samuel m'a laissé un message au bureau, me suppliant de le laisser m'expliquer. Mais, m'expliquer quoi, bon sang ?! La situation est très claire, pourtant. Je suis tellement furieuse que je n'arrive même pas à penser ! Je laisse le message à sa secrétaire, aussi glaciale qu'un *popsicle* : « Ne me rappelle plus. Je crois qu'il

371

vaut mieux en finir là. » Rendue chez moi, j'efface toute trace de lui dans mon courriel et mes bases de données informatiques. Chaque fois que je vois son nom, j'ai envie de pleurer.

Je me sens comme dans le rêve que j'avais fait à Toronto. Cette fois-ci, ce n'est pas dans ma dent qu'il y a un trou, mais dans mon cœur. Prendre en note : ne plus jamais me fier à mon instinct !

*   *
*

Je croyais être au bout de mes peines. Hélas, j'étais tellement, tellement loin du compte ! Une tuile monumentale m'est tombée sur la tête. C'est pire que tout ce que je pouvais imaginer. Ce matin, j'ai été convoquée au bureau de monsieur Perreault. J'étais un peu inquiète. Et pour cause !

Monsieur Perreault m'annonce que le magazine me renvoie, sous prétexte que j'ai refusé de suivre leur consigne et que, maintenant, ils ont des problèmes avec Carbu-Drink. De plus, il prétend que je ne fais vraiment pas l'affaire en tant que rédactrice en chef. Je suis atterrée ! Le ciel me tombe sur la tête ! Que va-t-il m'arriver, maintenant ?

La pièce tourne autour de moi et mon cœur bat à toute vitesse. J'ai une boule dans la gorge et les larmes me montent aux yeux. Mais la fierté me retient. Je ne donnerai pas la satisfaction à monsieur Perreault de me voir pleurnicher ! J'ai trop d'orgueil pour cela. Je ne me rabaisserai pas en lui donnant la satisfaction de me voir effondrée.

Monsieur Perreault me fait escorter par sa secrétaire de glace jusqu'à mon bureau, où je prends mes affaires, puis jusqu'à la porte. Je quitte le bureau de *Féminine.com* où j'ai passé les six dernières années à m'échiner et à me donner, corps et âme, pour faire des articles intéressants. Je suis accompagnée par le silence des autres employés, qui me regardent partir, sans oser dire un mot. Je laisse ce monde que je commençais justement à aimer, la mort dans l'âme... Mon niveau de désespoir doit être à sept. Dangereux.

Chapitre 22

Une misérable décennie

(Mars)

L'habitude du désespoir est plus terrible que le désespoir lui-même.

Albert Camus

Une petite surprise m'a presque remonté le moral aujourd'hui. Voilà quelques jours que j'ai été mise à la porte de *Féminine.com*. Alors que je me promenais dans mon vieux peignoir troué et qu'il était déjà passé midi, on sonne à ma porte. Je reste bouche bée en voyant Justin, Camille et Léa sur le seuil.

Aïe ! Je dois avoir l'air moche, avec mes cheveux mêlés, mes yeux rouges, cernés et bouffis et ma tenue débraillée. Je ne peux m'empêcher de me sentir gênée d'être surprise ainsi par mes anciens collègues de travail.

– On peut entrer ? me demande Justin.

J'hésite un peu. Le plancher de mon salon est jonché d'emballages de tablettes de chocolat, de pots de crème glacée vides. Il y a aussi une bouteille d'alcool à demi pleine qui traîne sur la table. Tant pis, qu'est-ce que j'ai à perdre, de toute façon ? Je suis complètement démolie. Ma vie amoureuse est un désastre et ma vie professionnelle, une catastrophe. Je les laisse entrer. Je leur offre d'aller dans la salle à manger. Justin prend la parole.

– Amélie, nous sommes venus te dire que nous avons pris position contre la décision des patrons de te renvoyer. Ce geste est totalement inacceptable de leur part, surtout que tu as agi selon tes principes et que tu as respecté l'éthique journalistique.

J'aurais envie de leur répondre que c'est bien gentil de leur part, mais je me sens trop faible sur le plan moral pour répondre quoi que ce soit. Je me demande ce qu'ils ont fait ? Envoyer un communiqué pour protester ? Manquer une demi-journée de travail ?

— Nous avons remis notre démission à la direction de *Féminine.com.*

— Quoi ! Mais vous êtes fous ! Vous ne pouvez pas faire ça !

Je suis renversée ! Comment ont-ils pu remettre leur démission ? Ça n'a aucun sens ! De quoi vont-ils vivre, maintenant ? Comment vont-ils se trouver un emploi après cela ? Et Léa qui attend un bébé !

— Voyons, c'est absurde. Je ne vous permettrai pas de faire ça ! Vous allez foutre votre avenir en l'air !

— Et toi, alors ? réplique Léa. Que crois-tu avoir fait en dénonçant Carbu-Drink dans les médias ? Tu as pris des risques terribles, mais c'était la bonne chose à faire. Tu as suivi tes principes et nous faisons la même chose. Il faut que l'on réagisse face à une telle attitude. On ne peut pas rester les bras croisés.

— Ne t'en fais pas pour nous, insiste Camille. Nous allons retomber sur nos pattes tôt ou tard.

— Il est trop tard pour nous faire changer d'idée, de toute façon, ajoute Justin.

Je ne sais plus quoi dire, touchée par tant de sollicitude. Dire qu'ils ont fait ça pour moi. Je n'en aurais jamais attendu autant. Bon, ça ne me redonnera pas mon boulot, mais ça me fait chaud au cœur de voir qu'ils ont fait un tel sacrifice pour me soutenir. Ça me fait un petit velours. Je les remercie chaudement, émue aux larmes. Ce n'est pas grand-chose, mais c'est mieux que rien. C'est comme un petit baume sur la plaie.

*   *

*

Beurk ! Je hais la vie. C'est la seconde fois que je me retrouve toute seule à la suite d'un désastre de la Saint-Valentin. Cette maudite fête ne m'apporte que des problèmes. Je hais la Saint-Valentin ! Samuel m'a laissé deux messages, mais je n'ai ni l'envie ni le courage de le rappeler.

Je regarde distraitement par la fenêtre la pluie ruisseler sur la vitre de mon salon. Ça fait plusieurs jours que je suis à la recherche d'un nouvel emploi, mais ça ne se déroule pas très bien. Les boulots ne pullulent pas et les seuls trucs disponibles sont minables. Sincèrement, je commence à regretter de ne pas avoir accepté l'argent de Carbu-Drink et de ne pas m'être fermé la gueule. Au moins, je serais riche, j'aurais encore un boulot et je n'aurais pas tous ces soucis.

Je n'arrive pas à croire que je me suis fichue dans un tel pétrin. Je comprends les problèmes que certaines personnes ont rencontrés pour faire éclater la vérité. Je me sens comme le docteur Jeffrey Wigand qui, en 1994, avait donné une entrevue à CBS pour dénoncer les pratiques des compagnies de tabac et avait bien failli tout perdre. Ce genre d'histoires de complots, de chantage et de mensonges ne semble arriver que dans les films, et pourtant, ça m'arrive à moi. Comment ai-je pu m'embarquer dans une telle affaire ?

De plus, les médias qui ont sauté sur l'affaire Carbu-Drink et en ont profité pour faire monter leur cote d'écoute ou vendre plus de copies de leur journal ne me soutiennent pas beaucoup.

Après avoir récolté les fruits de ce scandale sans même avoir fait un effort, ils ne m'apportent à peu près aucun support, alors que je paie le gros prix pour avoir dit la vérité. La prochaine fois, je m'en souviendrai.

Et, par-dessus le marché, je m'ennuie à mourir de Samuel. Que peut-il bien faire en ce moment ? J'ignore si son esprit est tourmenté comme le mien et ça me martyrise. Une partie de moi voudrait qu'il souffre, pas par vengeance, mais juste pour me prouver que je peux provoquer des élans d'amour et d'affection chez un homme et qu'il peut souffrir à cause de moi. Oui, je sais, c'est minable... Une autre partie de moi voudrait courir à ses pieds et le supplier de me pardonner et de me reprendre auprès de lui.

Je m'ennuie tant de son sourire qui me faisait fondre, ou même des silences que nous échangions sans gêne et sans malaise. Le monde, sans lui, me paraît sans vie. À quoi bon passer à travers la journée, si ce n'est pas pour le voir à la fin ? À quoi bon vivre, quand je ne peux partager mes problèmes avec lui ? Je sais qu'il pourrait me comprendre et m'apprécier mieux que quiconque. Que vaut la vie sans lui ?

Ce que je donnerais pour être avec Samuel en ce moment... Ah ! Et puis, zut ! Pourquoi ne puis-je cesser de penser à lui ?

*　　*

*

Après avoir envoyé de nombreux curriculum vitæ, je n'ai obtenu aucun résultat. C'est toujours la même réponse : « Il n'y a aucun poste disponible pour l'instant, mais nous conservons votre CV dans nos dossiers, et il nous fera plaisir de faire appel à vos services dans le cadre de projets ultérieurs. » Et dire que les prestations d'assurance-emploi n'arriveront que vingt-huit jours après ma demande ! Sans compter qu'il y a une période d'attente non payée de deux semaines ! Charmant...

* *

*

J'ai finalement réussi à me trouver un petit emploi pour subvenir un peu à mes besoins. Ce n'est pas la job du siècle, loin de là. Si j'ai accepté de faire cela, c'est vraiment parce que je suis dans la merde jusqu'au cou car, autrement, je n'aurais jamais accepté de faire un tel truc.

J'ai obtenu un boulot à temps partiel dans un *sex-shop* tout près de chez moi. Je m'y étais arrêtée par hasard, j'ai aperçu leur annonce et j'ai offert mes services. Apparemment, ils ont aimé les chroniques que j'avais faites pour le magazine et m'ont proposé de travailler pour eux, à un salaire bien moindre, évidemment. C'est franchement dégradant, mais au point où j'en suis, je n'ai plus vraiment le choix. Il faut que je paie ma nourriture et mon loyer.

Mon emploi consiste à revêtir le costume d'une *bunny girl* et à distribuer des coupons-rabais aux clients qui entrent dans la boutique. L'horreur ! Je suis ridicule ! J'aurais envie de m'enfoncer six pieds sous terre ! Je ne voudrais pas que mon entourage me voie ainsi. J'ai des oreilles de lapin sur la tête, une toute petite minijupe qui ne couvre quasiment rien et un chandail moulant décolleté qui fait remonter mes seins jusqu'à mon menton.

Toute la journée, je suis entourée de *baby-dolls*, de vibrateurs, de lubrifiants aux fruits, de menottes, de costumes *sexy*, de gode-michés, de kit pour sado-maso, de boules chinoises, d'œufs vibrants, de pompes à vagin, de *cock ring*, de *Kāma Sūtra* et autres trucs lubriques.

379

Et ce travail n'est tellement pas motivant ! Aucune stimulation sur le plan intellectuel, des conditions merdiques, un milieu ennuyant et il me faut rester debout pendant des heures sur une surface d'environ deux mètres carrés. Enrichissant, comme expérience... Jamais je ne croyais pouvoir descendre aussi bas !

*   *
*

Voilà près d'un mois que je n'ai pas vu Samuel. Il m'a rappelée plusieurs fois et m'a envoyé quelques courriels, me suppliant de le rappeler. J'hésite à lui répondre. J'ai trop peur de le confronter. Je suis sûre que je n'entendrai pas ce que je veux et que son explication va me décevoir. Ou alors, je vais me laisser endormir par ses mensonges, céder à son charme pour me retrouver blessée à nouveau, un jour ou l'autre. Je le sens déjà. Mon cœur est déjà en miettes, je n'ai pas envie d'en rajouter.

Ça n'a aucun sens, mais je m'ennuie de Samuel. Son sens de l'humour me manque. Je crois que je donnerais n'importe quoi pour entendre son rire cristallin à nouveau, pour pouvoir le serrer dans mes bras, pour l'embrasser et caresser ses cheveux. J'ai parfois l'impression que tout ce que je partageais avec lui n'était qu'un mensonge, même si mon cœur me crie que c'est faux, que Samuel est l'homme de ma vie, que je ne suis qu'une immonde connasse, et que je devrais le revoir au plus vite. Je me sens comme si on m'avait troué le cœur et vidé l'âme.

Je comprends Lamartine quand il disait : « Un seul être vous manque et tout est dépeuplé. » Les journées me paraissent mornes, les repas que je mange, insipides. Même la musique que j'écoutais et qui m'a toujours fait tant de bien a perdu toutes ses couleurs. Il me semble que ma vie serait moins pénible si j'étais avec lui.

Pourquoi a-t-il fallu que je m'entiche de Samuel ? Et pourquoi a-t-il fallu que ce soit un salaud ? Je le savais bien, pourtant, que l'amour faisait souffrir. Je m'étais bien juré de ne plus jamais m'amouracher d'un homme et j'aurais dû tenir ma promesse. Prendre en note : ne plus jamais tomber amoureuse !

Je n'ai plus envie de rien et j'ai constamment une boule au fond de la gorge. Comment ai-je pu perdre le goût de vivre aussi brusquement ? On dirait que ma tristesse s'est contractée en un paquet bien serré et qu'elle est venue se loger au cœur de ma poitrine. C'est comme si on m'avait arraché le cœur et installé cette boule de douleur à la place. Je viens de subir deux énormes défaites sur l'échiquier du destin et ça me rend malade.

Je me demande ce que Samuel fait, en ce moment. Bon sang, Amélie ! Pourquoi ne puis-je cesser de penser à lui ? Ah ! S'il existait une pilule miracle qui guérissait la souffrance des imbéciles comme moi ! « Il n'est point entré dans le plan de la Création que l'homme soit heureux », a écrit Freud. J'ai parfois l'impression qu'il a écrit cette déclaration spécifiquement pour moi. Et puis, de toute façon, il n'y a pas de questions à se poser, Samuel est certainement en train de farfouiller dans la bouche d'un client en cet instant.

Gabrielle, Antoine et Laurie ont bien tenté de me remonter le moral, mais sans succès. À la maison, je me couche contre Bingo et enfonce mon visage dans son poil doux et soyeux pour pleurer. J'ai dû ingurgiter une quantité record de chocolat de toutes sortes depuis ces dernières semaines. J'essaie vainement de noyer mon chagrin dans le cacao et dans l'alcool, mais tout ce que je fais, c'est reprendre le poids que j'avais perdu après ma rupture avec Olivier.

*   *

*

381

Nouveau coup de théâtre ! Je viens de recevoir une lettre recommandée de la compagnie Carbu-Drink. Cette dernière me propose de me rétracter publiquement concernant les allégations que j'avais faites à la télévision sur le Vectorade. En échange, elle laisserait tomber la poursuite contre moi. Pour ce qui est de la chaîne de télévision, cela ne dépend que d'eux. Ils ont le choix entre se dédire ou continuer à se défendre en cour. J'ai l'impression que la compagnie tente de m'avoir à l'usure.

Même après avoir traversé toutes ces épreuves, j'hésite encore. Je ne sais pas trop si je dois avouer avoir commis une erreur pour me sortir de ce pétrin. Même si j'ai dit la vérité. En quelque sorte, si j'accepte ce marché, je risque de tout perdre, malgré tout. Après un tel aveu, je n'aurais plus de crédibilité en tant que journaliste. Quel employeur accepterait de me donner des articles ou des enquêtes si j'admets avoir fait une telle bourde ? Ma carrière journalistique serait définitivement terminée.

Que ferai-je, moi, si je ne peux exercer mon métier ? C'est ce que j'aime faire le plus au monde et je ne pourrais pas imaginer faire autre chose. J'ai toujours assumé qu'une fois les tourments passés, je finirais par me retrouver un autre boulot dans mon domaine. Mais si je me rétracte en public sur l'affaire du Vectorade, je peux mettre une croix là-dessus. Maître Dumas, mon avocat, me propose une entente à l'amiable avec Carbu-Drink. Je dois réfléchir. Les honoraires de mon cher avocat sont en train de me ruiner. Arrêter la procédure dès maintenant serait peut-être la solution.

*   *

*

Samuel semble avoir compris que c'était fini, car il ne m'a pas rappelée depuis quelque temps. Je suis à la fois soulagée et déçue. Je n'aurai pas à parlementer avec lui – car j'aurais du mal

382

à expliquer ma position et j'ai peur d'être trop faible, de ne pas résister à son maudit charme qui agit toujours sur moi et de lui pardonner n'importe quoi –, mais j'aurais aimé entendre de sa bouche la phrase magique qui aurait tout arrangé, comme dans les films où tout finit bien. Je sais pertinemment qu'il n'y en a pas et que le cas est perdu d'avance. Comment expliquer toutes ces coïncidences bizarres, après tout ?

*   *
*

Après mûre réflexion, j'ai rappelé Samuel. J'ai accepté au moins de l'écouter et de lui donner sa chance, même si j'appréhende ce que je vais entendre. Je ne veux pas être injuste avec lui. Avant, par contre, je tiens à expliquer ma réaction.

– Samuel, je dois te dire ceci : tu me plais beaucoup, mais je ne sais plus que croire à ton sujet. J'avais l'impression de te connaître et, soudain, tout a changé. Je ne sais plus qui tu es. Je songe encore beaucoup à toi, toutefois je crains d'autres mauvaises surprises. J'envisagerais peut-être de reprendre notre relation là où nous l'avons laissée, mais j'aimerais que tu me promettes une chose : il n'y aura plus de squelettes dans le placard, d'accord ?

Un soupir, suivi d'un silence.

– Non, je ne peux pas. Désolé.

Et il raccroche. Cette fois, c'est bien fini.

*   *
*

Aujourd'hui, c'est l'anniversaire de mes trente ans. Yé... Quelle joie... Quel début de décennie merdique ! J'ai refusé qu'on me fasse une fête. Mes parents et amis ont protesté, mais, honnêtement, je ne veux voir personne. Après avoir beaucoup insisté, ils ont finalement compris que je voulais être seule.

À quoi me sert de célébrer mon anniversaire lorsque la personne que je désire le plus au monde n'est pas avec moi et que je me sens comme la dernière des incapables. Et de plus, c'est quoi cette idée absurde de fêter les anniversaires, alors que les gens ne font que devenir de plus en plus vieux, de plus en plus gros et laids, et vont demeurer de minables célibataires désespérés, sans avenir et sans le sou jusqu'à leur mort horrible ! Bouhoouu !!

J'avais bien raison d'affirmer que l'amour était un sentiment indésirable qui ne pouvait causer que du mal et rendre malheureux. Jamais je n'aurais dû retomber dans ce piège à la con et me dire que quelqu'un pouvait vraiment m'aimer et me rendre heureuse. Pas moi. Je viens d'avoir une bonne leçon. Plus jamais je ne me ferai avoir par une telle bêtise que celle de tomber amoureuse.

Et comment ai-je pu croire que j'allais faire tomber Carbu-Drink à moi toute seule ? Dire que je me prenais pour une grande héroïne, une ardente défenderesse des droits de l'Homme, une sauveuse de la vérité, de la veuve et de l'orphelin ! Je suis une incapable et je me suis plantée royalement. Comment vais-je me sortir de cette merde ? Et comment arriverai-je à me trouver un autre job dans le milieu journalistique après cela ? Impossible ! Ma crédibilité est fichue !

Laurie m'a envoyé une parole douce par Internet : un proverbe de Muhammad Al-Faytury, du Soudan, qui dit : « À l'envers des nuages, il y a toujours un ciel. » Je lui ai envoyé une parole douce à mon tour pour la remercier. Ça me remonte un peu le moral, mais bien peu. Mon niveau de désespoir est à huit. Là, j'ai vraiment franchi une frontière historique ! Je vais me rapprocher du point de non-retour, si ça continue. Je suis à proximité du niveau maximal et ça n'augure pas bien du tout.

Je regarde la télévision, assise sur le sofa avec Bingo roulée en boule à mes côtés, la tête sur mes genoux, lorsque la sonnette retentit. Je me lève pour aller ouvrir. Une partie de moi souhaite secrètement que ce soit Samuel, qui vient effacer toute ma souffrance d'un coup de baguette magique, tel un *deus ex machina*, judicieusement placé dans mon histoire. Mais c'est Antoine, qui m'apporte un gâteau au chocolat.

– Je sais que tu ne veux voir personne, mais je ne vais pas te laisser toute seule le jour de ton anniversaire.

Cher Antoine... S'il est un piètre conjoint – du moins, d'habitude, car il est toujours, à ma grande surprise, avec Marianne qui est sans doute la plus incroyable bombe sexuelle du monde –, il est le meilleur ami que l'on puisse avoir. Je crois que je ne connais personne, à l'exception de mes parents, qui tienne autant à moi.

– Où est Marianne ?

– Chez son frère.

Antoine nous découpe deux morceaux de gâteau. Il s'assoit à mes côtés. Il sait à quel point je suis déprimée. Je crois qu'aucun homme, avant Samuel, ne m'avait fait autant d'effet – bon comme mauvais. Il me manque comme jamais. Je sais qu'Antoine va encore me dire de sortir le méchant, mais je n'en ai pas envie. J'ai l'impression que si je laisse couler la source, ça ne s'arrêtera plus jamais. Je suis épuisée de garder toutes mes émotions en moi. Antoine sait toujours ce qui se passe dans mon for intérieur et, tôt ou tard, finit invariablement par m'aider à surmonter mes épreuves.

Sans dire un mot, Antoine brise mes défenses internes et, assise sur le sofa entre Bingo et lui, la tête sur son épaule, je pleurniche comme un bébé une bonne partie de la soirée, alors que mon ami se contente de me caresser la tête pour me consoler.

*   *

*

Hier, en marchant en direction du travail, j'ai cru entrevoir Samuel dans une voiture, parlant dans son téléphone cellulaire. Mon cœur a fait un bond dans ma poitrine et mon sang n'a fait qu'un tour. Aussitôt, je me suis précipitée en direction du véhicule, mue par une énergie probablement issue de mon désespoir profond.

Je n'ai pas quitté des yeux l'automobile et j'ai parcouru presque un pâté de maisons complet à la course pour rattraper cette satanée voiture ! Arrivée à sa hauteur, je me suis aperçue que le conducteur n'était pas Samuel. Je me suis rappelé, au même moment, que ce dernier n'avait même pas de téléphone portable. Essoufflée, déprimée et embarrassée à l'idée de m'être fait avoir par une bêtise pareille, j'ai rebroussé chemin et suis allée au magasin.

*   *

*

Je fais une petite emplette à l'épicerie du coin, lorsque j'ai soudain la surprise de ma vie : je tombe – littéralement – sur Olivier, mon ex, accompagné d'une femme... et d'un minuscule bébé ! Le voilà, une nouvelle fois, qui vient d'apparaître dans ma vie ! Comme si j'avais besoin de ça ! À ma grande surprise, Olivier semble incroyablement heureux de me revoir.

– Salut ! me dit Olivier enthousiasmé, comment vas-tu ?

– Heu... pas trop mal... et toi ?

Je me doute que pour lui, ça va probablement très bien.

– Super ! Je t'ai vue à la télévision, l'autre jour, mais je n'ai pas remarqué de quoi tu parlais. Je te présente ma femme, Rosalie Leblanc, et notre fille, Florence. On s'est rencontrés en mai dernier. Nous nous sommes mariés à Cuba, il y a trois mois, et Flo est née peu de temps après !

Alors là, je suis bouche bée ! Olivier, l'égoïste par excellence, s'est marié et a eu un bébé, et ce, en moins d'un an ! Et moi, je n'arrive même pas à garder un copain ! Si je comprends bien, il était déjà avec elle quand je l'ai rencontré à Toronto et Rosalie était déjà enceinte à cette époque.

– Alors, que se passe-t-il dans ta vie ? me demande Olivier.

Rien que d'entendre cette question me porte un coup de poignard au cœur. J'aimerais lui dire que j'ai un super boulot, que je suis amoureuse par-dessus la tête et que j'ai un homme qui m'adule telle une déesse, pour lui montrer que j'ai réussi ma vie, mais je me sens incapable de mentir.

– Oh... je ne travaille plus chez *Féminine.com*. J'avais quelqu'un dans ma vie, mais ça n'a pas marché. Je l'ai laissé...

– Si c'est le cas, c'est qu'il ne devait pas en valoir la peine et ne devait pas être assez bon pour toi, conclut Rosalie avec toute sa grande sagesse.

Je la regarde avec de grands yeux et dois me retenir pour ne pas lui foutre une claque sur la figure. J'ai bien envie de lui dire d'aller chez le diable. Non seulement sa remarque me fend le cœur, mais je ne supporte ni son intervention déplacée ni son attitude du genre : « Moi, je te comprends, entre femmes, il faut toujours s'entraider. » Bon sang, elle ne me connaît même pas et ne sait rien de Samuel, comment peut-elle porter ce genre de jugement ?

Je remarque, du même coup, que je ne tolère pas l'idée que quelqu'un pense ou dise du mal de Samuel. Ce qui est idiot.

– Oui, eh bien..., salut, je dois y aller.

Je continue mon épicerie, en état de choc. Je me retiens pour ne pas éclater en sanglots. Mon moral est de plus en plus bas. Olivier, malgré son égocentrisme flagrant, a réussi à se trouver une femme qui l'aime et à faire un bébé. Ce n'est vraiment pas juste ! Je commence à me demander si je n'ai pas tué quelqu'un dans une vie antérieure pour avoir mérité une malchance pareille.

De plus, je dois reconnaître que cette Rosalie semble avoir changé Olivier pour le mieux – même si son attitude de miss-je-sais-tout m'énerve. Je me dépêche de terminer cette damnée épicerie et de partir au plus vite.

*   *

*

Depuis près d'une semaine, j'ai remarqué un client bien particulier au *sex-shop*. Il est franchement bizarre, et ce, pour plusieurs raisons. D'abord, il a une allure carrément simiesque. On dirait un gros gorille qu'on aurait rasé, habillé et jeté tête première dans la société pour faire croire aux gens que c'est un humain. De plus, il a un énorme tatouage représentant une tête de mort sur le bras. Cela fait au moins trois fois qu'il vient dans la boutique pendant mes heures de travail.

Chaque fois, il est resté près d'une demi-heure, à arpenter distraitement les allées du magasin, pour repartir les mains vides. C'est bien étrange, pour quelqu'un qui reste si longtemps à magasiner, de ne rien acheter. Mais surtout, il n'a cessé de m'observer toutes les fois qu'il est venu.

Je soupçonne que c'est une sorte de pervers qui aime probablement regarder les filles en petite tenue, mais est trop timide ou trop radin pour aller se rincer l'œil dans un bar de danseuses nues. Je n'aime vraiment pas sa façon de m'examiner. Il a l'air louche et j'ai l'impression qu'il prépare un mauvais coup. Et si c'était un violeur ? Peut-être qu'il m'a choisie comme sa prochaine victime et qu'il veut m'étudier avant.

Brrr... Cette perspective ne me rassure pas du tout. À moins qu'il n'ait été engagé par Carbu-Drink pour m'espionner ? Ça ne me surprendrait même pas. On ne sait jamais, avec eux. Par mesure de précaution, j'ai demandé à un autre employé de m'accompagner jusque chez moi lorsque je rentre tard. Ça me rassure déjà un peu, mais je n'aime pas ça du tout.

*   *

*

Ce matin, je reçois un paquet particulier par la poste. Pas d'adresse d'expéditeur. Bon sang, mais que me veut-on, encore ? Quelle mauvaise surprise vais-je encore avoir ? Décidément, ils m'agacent ! D'un côté, on me propose une trêve, et de l'autre, on me fait des menaces ! Y en a marre ! Tout en ronchonnant, je tombe des nues. C'est une boîte de chocolats ! Et des chocolats chers, en plus.

Qui peut bien m'envoyer cela ? Le type bizarre du *sex-shop* ? Et si ces bonbons étaient empoisonnés ? Non, ce serait trop stupide de m'assassiner ainsi. Si vraiment Carbu-Drink avait fait cela, ce serait imbécile de leur part. Tout le monde sait qu'ils ont un motif et ils seraient immédiatement pointés du doigt. Ils n'ont pas besoin de ce genre de publicité et ce serait le meilleur moyen de ternir leur image. En attendant, je ne sais toujours pas si je dois donner suite à leur proposition.

Je fouille dans la boîte à la recherche d'autre chose. Je trouve une enveloppe à l'intérieur, avec mon nom écrit à la main. La calligraphie est légère, aérée et soignée. La main qui a rédigé cela est alerte. Je déchire le papier. Une lettre écrite à la main s'y trouve.

Je découvre également un chèque de... deux mille dollars à mon nom ! J'examine le nom de l'expéditeur. Mon sang se fige dans mes veines. C'est nul autre que Samuel ! Je n'arrive pas à y croire ! Mais pourquoi fait-il cela ? Je regarde la lettre pour trouver une réponse.

« *Amélie, je t'ai vue travailler au magasin l'autre jour en passant près de chez toi. Cette situation est inacceptable. Je t'en prie, sors de ce costume ridicule et quitte cet emploi ! Tu mérites mieux que cela. En attendant, accepte ce petit montant comme un cadeau. Si tu as encore besoin de quoi que ce soit, surtout n'hésite pas à me le demander. Ton avocat, maître Dumas, m'a dit que les choses allaient un peu mieux pour toi. Alors, profites-en. À bientôt, Samuel.* »

Je suis stupéfaite. Pourquoi Samuel est-il si gentil et généreux avec moi ? Pourtant, il ne m'a laissé aucun espoir lors de notre dernière conversation ! Je suis plus perplexe que jamais. À bien y penser, Samuel a sans doute raison. J'aimerais quitter cet emploi merdique. Mais, même avec l'argent qu'il me prêterait – jamais je n'oserais lui en demander davantage –, je ne peux pas cesser de travailler là. Tout de même, je suis incroyablement touchée et émue par le geste de Samuel. On dirait qu'il tient à moi, malgré tout.

Je me demande pourquoi il a parlé à mon avocat. Il est vrai que maître Dumas m'avait été recommandé par Samuel et que, puisque je n'en connaissais aucun, j'avais suivi sa recommandation. Pourquoi Samuel est-il allé s'informer de ma situation auprès de lui plutôt que de me rejoindre directement ? Encore un mystère...

Que devrais-je faire ? J'ai trop peur et trop honte de lui parler. Peur d'espérer encore et d'avoir le cœur brisé à nouveau. Honte de savoir qu'il m'a aperçue dans ce costume affreux et honte de me montrer à lui alors que je me sens comme la pire des perdantes dans la vie. Je devrais au moins lui envoyer une carte de remerciement. Ce serait la moindre des choses.

Bien que je sois incroyablement touchée par l'attention de Samuel, je suis un peu perplexe. S'il tient vraiment à moi, pourquoi se manifester de cette façon ? Pourquoi ne pas m'appeler ou tenter de me rejoindre ? Je lui en ai pourtant offert l'occasion...

Chapitre 23

Mégacatastrophe !

(Avril)

Ce n'est pas la récompense qui élève l'âme, mais le labeur qui lui valut cette récompense.

Multatuli

La matinée est frileuse avec un maigre 6 °C. Je n'ai pas eu de nouvelle de Samuel depuis presque une semaine. Je ramasse mon courrier dans la boîte aux lettres. Une enveloppe rose et parfumée attire mon attention. Un peu plus et j'étais prise de frayeur. Tout ce qui ressemble de loin ou de près à une boîte, un paquet ou une lettre anonyme me fait un peu peur. Le papier de l'enveloppe est orné de roses. Je m'empresse de l'ouvrir, le cœur battant. Est-ce que...

Je déplie le papier rose orné de fleurs rouges. Un doux arôme s'en dégage et des confettis en forme de cœur tombent sur le sol. Je me sens rougir alors que mes mains tremblent en tenant le message écrit à l'encre rouge. Je dois m'asseoir sur le divan pour ne pas défaillir.

> « *Amélie, je t'aime plus que tout et je te veux dans ma vie*
> *Sans toi, mon existence est morne et fade*
>
> *La lumière du soleil n'est plus la même si tu n'es pas là*
>
> *La beauté de ton visage n'a d'égale que celle des étoiles*
> *Tu es ma raison d'être et je déplacerais des montagnes*
> *pour t'avoir auprès de moi*

Je t'en supplie, donne-moi une seconde chance de te rendre heureuse

Signé : l'esclave de ton cœur »

J'ai l'impression d'étouffer et mon cœur bat à grands coups. Des bouffées de chaleur me montent à la tête, la pièce tourne autour de moi, ma vue se couvre de points noirs, mes oreilles cillent et je m'affale sur le divan.

*   *

*

Je reprends mes esprits. Il me semble que j'ai perdu connaissance pendant quelques secondes. J'ignore si j'étais vraiment inconsciente ou si j'ai juste pété les plombs. Tout va bien, je ne me suis pas effondrée par terre, au moins.

Je me verse un verre d'eau et l'avale d'un trait, encore tremblotante. Je relis le courrier une fois, dix fois, quinze fois, incrédule. Samuel m'a réellement envoyé ça ? C'est hallucinant ! Que devrais-je faire ? Il semble affreusement malheureux, et moi, je ne suis toujours pas remise de ma rupture avec lui, même si nous avions à peine commencé à nous fréquenter.

Je me lève et tourne en rond dans mon salon, comme un lion en cage. Je suis atrocement troublée et à l'envers. Je réfléchis à toute vitesse. Ses paroles sont si touchantes, si vraies, si émouvantes, si attendrissantes, si sincères, si bouleversantes, si... je ne sais pas, je n'ai même pas les mots pour décrire ce qui se dégage de cette lettre ! Ça vient me chercher jusqu'au plus profond de mon être. Comment puis-je résister à lui offrir mon âme une nouvelle fois ? Une personne si sensible et si douce ne peut que m'ébranler.

Je n'ai qu'une envie, sortir d'ici et me précipiter vers Samuel pour lui dire que je l'aime, que je lui ouvre mon cœur et que je suis prête à réessayer avec lui. Tant pis, je fonce ! Le bonheur ne me passera pas deux fois sous le nez. Je dévale presque les quelques marches en courant pour quitter la maison et prendre le métro.

Après environ une demi-heure de route, j'arrive finalement devant le cabinet de Samuel. Je me suis rongé les sangs pendant tout le trajet. J'ai la gorge sèche et je meurs de chaleur, même si le temps est frisquet. J'espère que je ne m'apprête pas à commettre la pire erreur de ma vie. Je prends une grande inspiration et entre dans le bureau.

— Bonjour, pourrais-je parler au Dr Gagnon, s'il vous plaît ? C'est très important.

— Il est encore avec un client, il devrait avoir fini dans une dizaine de minutes.

Je m'assieds dans la salle d'attente adjacente à la réception, anxieuse à mort. Un autre client s'y trouve. Je me dandine sur ma chaise, ronge mon frein en essayant tant bien que mal de feuilleter une revue pour passer le temps. J'ai les membres flageolants. L'autre client doit me trouver bien nerveuse pour une simple visite chez le dentiste et me croire un brin cinglée. Il n'a peut-être pas tout à fait tort...

Je n'arrive pas à réaliser que Samuel m'a envoyé cette lettre et que j'accepte sa proposition. Ça semble quasiment irréel. Ma patience et ma santé mentale s'égrènent avec les secondes. Qu'est-ce que je vais bien dire à Samuel ? Je n'ai toujours pas trouvé les mots en réponse à son message si merveilleux.

Enfin, il a terminé ! Il sort, précédé d'une cliente. Il s'arrête en me voyant, stupéfait. Il reste là un moment, les yeux ronds, la bouche grande ouverte. Puis, un large sourire s'affiche sur son visage. Il se précipite vers moi, l'air rayonnant.

— Amélie, mais... qu'est-ce que tu fais là ?

— Heu... j'aimerais bien te parler quelques instants, si tu veux bien.

— Bien sûr... je m'occupe de reconduire cette cliente et je suis à toi dans un instant.

Après quelques instants, je me retrouve assise dans le bureau de Samuel, face à lui. Il semble vraiment ébahi. Il ne devait pas s'attendre à une visite-surprise. Je prends une grande inspiration pour me calmer, je décide de me jeter à l'eau et je sors la lettre de mon sac. Samuel paraît un peu étonné.

— Écoute Samuel, je... j'ai reçu ta seconde lettre ce matin et je voulais te dire... que j'acceptais ta proposition. J'ai été très émue par ton message, je trouve merveilleux que tu m'aies écrit cela, et je suis prête à ce qu'on recommence, toi et moi. Tu sais, je crois que je n'ai jamais cessé de t'aimer.

Ouf ! Enfin, je l'ai dit ! Je me sens soulagée de m'être délestée de ce poids. Samuel m'observe. Il a encore cette expression stupéfaite, les yeux ronds et la bouche grande ouverte. Il doit être abasourdi par ma réponse.

— Amélie, je... je n'ai pas écrit de seconde lettre...

Hein ? Non, je dois avoir mal entendu. Il aurait dû dire : Amélie, je t'adore, tu es mon seul amour, viens que je te serre dans mes bras. J'ai certainement mal compris. Ne panique surtout pas.

— Je suis vraiment désolé, mais je ne t'ai pas envoyé de courrier du tout. Ce message, il n'est pas de moi.

Ça y est, je panique ! La pièce se referme sur moi, je suffoque, j'ai la tête qui tourne. Je crois que j'ai la nausée, mon cœur bat à toute vitesse. Des sueurs froides me coulent dans le dos. Je suis sans voix. Je dois être blanche comme un drap ou rouge comme une tomate, je ne sais plus. Je viens vraiment d'entendre cela ? Pourtant, Samuel paraissait si heureux de me voir, tout à l'heure. Me serais-je trompée à ce point sur son compte ? Je viens de lui offrir mon âme sur un plateau d'argent et tout ce qu'il trouve à me répondre, c'est qu'il ne m'a pas envoyé ce message ?

L'horreur ! La gaffe ! La méga catastrophe ! Je ne pourrais pas être plus mal qu'en cet instant précis. Mais, à quoi ai-je pensé, aussi ? Comment ai-je pu m'imaginer qu'il était l'auteur du message ? Comment ai-je pu ne pas le vérifier avant de lui ouvrir mon cœur ? Si je réfléchissais avant d'agir, aussi ! Quelle gourde je fais !

– Amélie, est-ce que... tu as quelqu'un d'autre dans ta vie ? Quelqu'un qui aurait pu t'envoyer ce courrier ?

Je lève les yeux et regarde Samuel, mais je le vois à peine, je suis encore sous le choc. Il veut jouer au détective, maintenant ? Il est jaloux, peut-être ? De quoi se mêle-t-il, il ne m'a même pas parlé depuis des lustres ! Je me sens comme si je n'avais jamais rencontré cet homme avant. Comme si c'était un parfait inconnu.

– Je ne t'ai pas fait parvenir cette lettre, mais il faut que je te dise...

Je ne l'entends déjà plus. Comme un automate, je me lève brusquement et sors sans même demander mon reste. Je n'en peux plus ! Je ne veux plus rester ici, c'est trop douloureux. Samuel m'appelle et me demande de l'attendre, mais je suis incapable de rester et de le regarder en face. Je me sens bafouée et insultée, et c'est entièrement ma faute. Je cours pendant un long moment, sans même m'arrêter. Encore une fois, je me suis sauvée de Samuel.

*   *
*

Je ne me souviens plus exactement comment j'ai fait, mais je me rappelle vaguement avoir appelé au travail pour m'absenter, d'avoir marché pendant ce qui a semblé des heures, d'avoir bu une quantité considérable d'alcool et de m'être réveillée sur le tapis dans mon salon. Samuel a laissé six messages sur mon répondeur, me demandant de le rappeler. Qu'il aille se faire foutre, celui-là ! Ah zut ! J'ai oublié la lettre anonyme dans son bureau. Décidément, me voilà plus que jamais revenue à la case départ.

*   *
*

Ce matin, j'ai un mal de crâne épouvantable. Mais je n'en ai pas fini. Un livreur m'apporte un bouquet de jonquilles jaunes et une boîte de chocolats. Alors, mon admirateur secret se manifeste à nouveau ! Qui cela peut-il être ? Pour une fois, ce n'est pas moi qui m'envoie des fleurs. Sur le bouquet, il est inscrit « Alors, tu ne m'as toujours pas répondu, ma belle Amélie ». Comment le pourrais-je ? Je ne sais pas qui c'est. Sur la boîte de chocolats, une carte avec une seule lettre : S.

Me voilà plus consternée que jamais. Qui est l'auteur de toute cette mise en scène ? Qui est assez fou pour m'envoyer tout cela ? Un employé de *Féminine.com* ? Un de mes ex-copains ?

*   *
*

Le lendemain, me voilà avec deux bouquets de fleurs : un de lys blancs et un de roses rouges. Sur le premier, une carte disant : « Je finirai par trouver les fleurs qui feront fondre ton cœur, belle Amélie » et sur le second, toujours la même carte avec le S mystérieux. Il les a pourtant trouvées, mes préférées, ce sont les roses

398

rouges. Et ce, sans compter les chocolats d'hier. Il a misé juste. Sûrement est-ce quelqu'un de mon entourage immédiat, qui me connaît ? Mais qui ?

*   *

*

Le surlendemain, je reçois encore deux bouquets : un d'œillets roses et le second, toujours de roses rouges, est accompagné d'une autre boîte de chocolats. Pourquoi m'envoyer un bouquet de plus avec le bouquet de roses rouges ? Mon admirateur avait pourtant fait mouche hier. Je suis à la fois perplexe, quelque peu paniquée et flattée. J'ai la sensation d'être espionnée et c'est angoissant.

Mais, par ailleurs, ce type doit tenir à moi, non ? Il ne me ferait certainement pas de mal. Sur le premier bouquet, la carte dit : « Si tu veux savoir qui je suis, viens me rejoindre au café Capuccino, demain, à midi. » Quant à l'autre, elle a toujours le curieux S.

J'ai décidé d'organiser une réunion d'urgence chez moi, pour avoir l'opinion de mes amis. Ils déclarent unanimement que je dois aller à ce rendez-vous et découvrir qui est ce mystérieux admirateur. Laurie trouve son comportement totalement déplacé et inapproprié. Elle considère cette façon de fonctionner franchement lâche. Gabrielle trouve cela extraordinairement romantique et souhaiterait qu'Alexandre ait fait quelque chose de semblable avec elle. Quant à Antoine, il ne peut s'empêcher de se marrer. C'est, comme il le dit si bien lui-même, le genre de connerie qu'il ne ferait jamais.

*   *

*

Me voilà au café Capuccino, à midi. Le commerce se trouve en fait tout près de mon travail. Je suis vraiment anxieuse. Quelle est l'identité de mon soupirant ? J'ai des papillons dans l'estomac. D'un certain côté, je ne suis pas sûre que je veuille savoir qui il est. Je pourrais être déçue ou choquée. Et que dois-je faire s'il ne m'intéresse pas et que je suis forcée de le revoir après cela ? Ce serait gênant. Et si c'était vraiment Samuel, après tout, et qu'il avait voulu me le cacher ? Peut-être a-t-il eu peur en me voyant et qu'il s'est désisté ?

J'ai apporté un livre pour me détendre, m'occuper l'esprit, et ne pas avoir l'air d'une pauvre gourde qui attend toute seule dans un café. Je sirote tout de même nerveusement mon breuvage en tentant de ne pas jeter des regards constamment à la porte. J'aperçois du coin de l'œil quelqu'un qui tire une chaise devant moi. Mon cœur fait un bond quand je comprends que c'est mon admirateur. Je vais enfin savoir qui c'est. Je lève les yeux pour voir... Olivier !

Non ! Ce n'est pas lui, mon mystérieux soupirant ! Ce n'est pas possible, je dois faire un cauchemar ! Mon sang se fige dans mes veines. Je me sens blêmir, à la fois de surprise et de frayeur. Comment cela est-il possible ? Il y a à peine plus d'un an, il me traitait comme une moins que rien et maintenant, il m'envoie des fleurs et du chocolat ? Et il est marié, par-dessus le marché ! Que compte-t-il faire avec son épouse et sa fille ? Il doit y avoir une explication ! Et pourquoi signerait-il avec un S, alors ?

— Olivier ! Qu'est-ce que tu fous ici ? Est-ce toi qui m'envoyais ces lettres ? Dis-moi que ce n'est pas toi !

— Amélie, je dois te l'avouer, ça faisait très longtemps que j'y pensais. Je n'aurais jamais dû te traiter comme je l'ai fait. J'ai été odieux. Tu sais, après que tu m'as laissé, j'ai rencontré Rosalie, et c'est une fille très bien que j'aime beaucoup. Mais quand je t'ai vue à Toronto, l'autre fois, je ne sais pas, ça a réveillé quelque chose en moi. Tu étais si belle, avec ce maquillage qui t'allait à ravir et ta teinture à cheveux...

Je suis ébahie. Je n'arrive pas à croire qu'Olivier est en train de me déballer tout ça. Et il continue, sans accorder la moindre attention à mon air ahuri. On dirait qu'il en a beaucoup à dire et qu'il a retenu ça longtemps.

— Tu avais l'air d'être avec quelqu'un à ce moment-là, le type que tu allais voir. Alors, j'ai décidé de ne pas me mêler de ta vie. J'ai tout réprimé ça en moi et j'ai continué à faire comme si de rien n'était. Mais, tu sais, ça m'a fait un sacré effet de te voir comme ça, surtout avec ta petite jupe et ton chandail ajusté, tu étais très *sexy*. Et Rosalie était déjà enceinte, alors le sexe, ce n'était pas fort à ce moment-là. Quand je t'ai vue à la télévision et qu'on s'est parlé, l'autre jour, ça s'est réveillé encore en moi, cette émotion. Puisque tu es seule maintenant, je ne peux m'empêcher de penser à toi constamment. Je me suis dit que c'était ma chance et que je devais absolument la saisir. D'autant plus que le sexe est pourri, en ce moment pour moi. Si tu veux, on peut essayer de reprendre, qu'est-ce que tu en penses ?

J'en pense que c'est un con et un salaud ! Comment ose-t-il me proposer cela, il est marié et vient d'avoir un bébé ! Quel genre de crétin irresponsable est-il ? Et je ne suis pas un bouche-trou, prête à dépanner monsieur quand il est en manque et que ça va mal dans son couple !

— Mais... et Rosalie ? Et Florence ? Qu'est-ce que tu fais d'elles ?

— Bien, si tu veux, on peut juste commencer par s'envoyer en l'air de temps en temps et, quand tu seras prête, je demanderai le divorce.

401

Je suis stupéfaite. Je songe à la femme et à la fille d'Olivier. Espèce de traître ! Comment pourrais-je faire cela ? Je ne suis pas une casseuse de ménage, moi ! Je ne fais pas aux autres ce que je ne veux pas que l'on me fasse ! Et, de toute façon, je ne ressens plus rien pour ce type ! Je me lève et prends mes affaires, furieuse.

– Désolée, Olivier, mais c'est non.

– Tu sais que tu es superbe quand tu es fâchée ?

Encore horrifiée, je quitte les lieux illico.

*   *

*

Olivier m'envoie des fleurs presque tous les jours. Des chrysanthèmes, des orchidées, des marguerites et j'en passe ! Ce qu'il peut avoir la tête dure, celui-là ! Étrangement, les roses rouges et les chocolats ont disparu. Trouvait-il ça trop cher à la longue ? Comment a-t-il fait pour passer à côté de mes fleurs favorites, cet idiot ? Je lui avais pourtant dit lesquelles plusieurs fois. Ça me rappelle soudain que je n'ai pas eu de nouvelles de Samuel depuis quelques jours.

Néanmoins, je me demande si Olivier n'est pas vraiment sincère, après tout. Sinon, pourquoi mettre autant d'efforts pour me reconquérir ? Devrais-je lui donner sa chance ?

Ce n'est pas bien de faire souffrir Olivier ainsi – décidément, on aura tout vu ! –, mais je ne peux m'empêcher de songer à Rosalie et à Florence. Je me sens mal pour elles. Je ne voudrais pas qu'il les abandonne pour moi. Mais le mieux serait que je cesse de fuir comme je le fais tout le temps et que je confronte vraiment Olivier à propos de ses sentiments. Une bonne discussion entre moi et lui ne serait pas à proscrire. Ainsi, je pourrai mettre les points sur les i et lui aussi.

*   *

*

J'ai appelé Olivier à son travail, mais j'ai exigé qu'on se voie dans un endroit public, au cas où. Il a convenu d'un restaurant où je pourrais le rencontrer à l'heure du souper. C'est l'un de ses favoris. Il est situé tout près du cabinet de Samuel. Bravo, génial ! Il ne manquerait plus que je le rencontre ! La totale... C'est une journée chaude en cette troisième semaine d'avril, nous avons droit à un joli 11 °C ensoleillé. Je m'assieds en face d'Olivier, prête à l'écouter plus longuement. Je ne commande rien, je me sens incapable de manger.

– Tu sais, j'aime beaucoup Rosalie, mais elle est difficile. Et puis, ça doit bien faire des mois qu'il ne se passe plus grand-chose entre nous, elle n'a plus envie de baiser depuis la naissance de la petite. Et de toute manière, elle baise comme une casserole. D'autant plus que Flo pleure sans arrêt. Avec toi, le sexe a toujours été super, et ça me manque beaucoup, tu sais. Rosalie a dû prendre vingt livres et elle est incapable de les perdre. Elle a beaucoup épaissi et ce n'est pas très excitant de la regarder nue. Toi, tu as encore ta jolie taille de guêpe et tes seins sont magnifiques. Pas comme ceux de Rosalie, ils sont tout pendants, maintenant. Et ses fesses sont énormes et flasques, pas comme les tiennes. Et tes cuisses...

Olivier poursuit son monologue en m'examinant comme un morceau de viande appétissant. Si ses commentaires sont flatteurs, je ne suis pas certaine d'apprécier. On dirait quelqu'un qui n'a bouffé que des biscuits secs pendant un bout de temps et qui découvre les pâtisseries fines. C'est tout juste s'il ne se pourlèche

403

pas les babines. Il ne parle que de mon physique. On dirait qu'il ne voit que mon corps, sans vraiment me voir, moi. Je me suis trompée sur son compte. Ce qu'il veut, c'est pouvoir baiser, rien d'autre ! Désolée, très peu pour moi.

Je mets fin à son discours et je lui explique que je ne suis pas intéressée. Je décide de mettre fin à notre entretien en lui disant de ne plus m'appeler, ni m'envoyer de fleurs, ni de boîte de chocolats. Olivier me regarde d'un air ahuri. Je me lève, fatiguée, et prends mon manteau. Olivier s'arrête et me saisit brusquement le bras.

– Amélie, je n'ai pas baisé depuis des lustres et j'en ai besoin !

– Trouve un autre moyen ! réponds-je en me dégageant le bras.

Je me dirige vers la sortie à toute vitesse, un peu effrayée. Olivier attrape mon manteau pour me retenir. Il ne veut vraiment pas me laisser partir. Je commence à avoir vraiment peur. Je dois choisir entre laisser mon veston ou rester. Je décide que ma sécurité est plus importante qu'un morceau de vêtement et le lui abandonne. Mais Olivier le jette par terre et me poursuit alors que je sors à l'extérieur.

C'est un vrai maniaque ! Prise de panique, je tente de rejoindre la station de métro en courant. Olivier me suit. Je traverse la rue aussi vite que je peux, mais une voiture, qui ne m'a pas vue en effectuant un virage à toute vitesse, m'effleure et doit dévier sa route brusquement. J'entends des cris, des crissements de pneus, un brutal coup de frein et je m'affale de tout mon long sur l'asphalte.

Je me relève péniblement et m'assois sur le sol. Mes mains et mes genoux sont écorchés et mon pantalon est fichu. Quelle série de catastrophes ! Je n'ai qu'une envie : éclater en sanglots. Ma vie ne sera-t-elle qu'un long gâchis ? J'entends des voix autour de moi. Certaines crient, d'autres parlementent. Je perçois des bribes de conversation. Chacun essaie de comprendre ce qui est arrivé. Quelqu'un s'approche et se penche devant moi.

– Amélie, est-ce que ça va ?

Surprise monumentale : Samuel est en face de moi et me regarde, inquiet. Je l'avais oublié, celui-là. Pourquoi faut-il qu'il arrive au plus mauvais moment ? Une partie de moi a envie de le chasser, car je n'ai pas envie qu'il me voie ainsi, mais une autre veut se blottir dans ses bras pour mieux pleurer. En fin de compte, je cède à la seconde option.

J'entends Samuel et d'autres personnes, témoins de l'accident, relater les faits à des policiers. Olivier est introuvable, il a dû se sauver. Après un certain temps, je m'aperçois qu'une ambulance est sur les lieux, que plein de voitures sont arrêtées et que de nombreuses paires d'yeux m'observent. Je demande si une ambulance est vraiment nécessaire. Samuel m'explique que les médecins doivent me soigner et m'examiner pour voir si je n'ai pas d'autres blessures plus sérieuses.

Samuel m'a accompagnée lors du trajet à l'hôpital. Il m'a soutenue tout le temps et a pris soin de moi. Il a été d'une gentillesse exceptionnelle. À l'hôpital, on soigne mes écorchures et on me fait passer un examen complet. Tout est correct et je suis prête à retourner chez moi. Samuel, en chemin vers la sortie, finit par m'expliquer qu'il avait terminé sa journée et sortait de son cabinet à peu près au moment où je sortais du restaurant. Il a vu Olivier me poursuivre et moi me jeter dans la rue comme une écervelée. D'autres personnes ont été témoins de l'incident.

– Tu devrais porter plainte à la police, me suggère Samuel. Ce type pourrait être dangereux. Vu la façon dont il te pourchassait, ça m'inquiète.

405

Samuel, anxieux pour moi ? Ça me fait un petit velours. Et s'il avait encore des sentiments pour moi, après tout ? Pourquoi ne pas me le dire, tout simplement ? Pourquoi se cacher ? Pourquoi ne pas tout avouer ? Moi, je lui ai déjà ouvert mon cœur une fois, j'ai fait les premiers pas à deux reprises. À lui de faire le reste, s'il le veut.

– Si tu veux, je peux rester avec toi quelques jours, qu'en penses-tu ? propose Samuel. Je me sentirais plus tranquille si...

Un téléavertisseur attaché à la ceinture de Samuel se met à bourdonner. Il s'excuse et se dirige vers un téléphone tout près. Je regarde les bandages qui couvrent mes mains en soupirant. J'ai vraiment fière allure. Je vais avoir droit à une panoplie des questions de la part de mes collègues et de ma famille. Puis, j'entends Samuel parler au téléphone.

– Oui, Élodie, dit-il. Non, je ne sais pas si je vais rentrer à la maison ce soir. Non, ne t'en fais pas, je te rembourserai l'épicerie demain. Allez, bonne nuit, ma puce.

Il y a déjà une autre femme dans le décor ! Et elle dort chez lui, en plus ! Ça a l'air sérieux, en tout cas. Je crois que je peux oublier Samuel, il a déjà refait sa vie sans moi, à ce que je vois. Comment ai-je pu m'imaginer qu'il avait encore des sentiments pour moi après tout ce temps ? Il y a deux mois que notre relation a pris fin. Espèce de gourde ! Peut-être l'ex-femme de Samuel avait-elle raison d'être jalouse, après tout. Peut-être qu'il couche à droite et à gauche. Après tout, il doit avoir plein de jolies clientes qui viennent le voir chaque jour.

– Bon, alors, si tu veux, je te raccompagne chez toi, d'accord ? dit Samuel.

– Heu, non, c'est gentil, mais je vais rentrer seule.

– Heu... tu en es sûre ? Tu ne veux pas...

– Non, vraiment, je vais me débrouiller. Merci pour tout. Salut.

Et je quitte Samuel, une fois de plus, le cœur brisé. Y en a marre, à la fin.

*   *

*

Olivier n'ayant pas redonné signe de vie, j'ai décidé de ne pas porter plainte contre lui comme le suggérait Samuel. Ce dernier m'a rappelé quelques fois pour prendre de mes nouvelles, mais rien de plus. Quelle vie de merde !

*   *

*

Tout va toujours aussi mal dans ma vie. J'ai le cœur encore plus brisé qu'avant, je suis toujours prise avec mon emploi merdique et, étrangement, je ne suis toujours pas prête à me rétracter pour éviter la poursuite de Carbu-Drink. Je ne peux pas me résigner à faire cela. Ce serait un suicide sur le plan professionnel. L'ennui, c'est qu'en ce moment, je pratique le suicide sur le plan financier.

Je rentre chez moi après une journée abominable passée à distribuer des coupons en petite tenue. Je suis éreintée et écœurée. J'ai hâte de changer de boulot. De plus, j'ai des horaires atroces. Je travaille souvent les jeudis et vendredis soir, ce qui fait que je rentre rarement à la maison avant vingt-deux heures.

Alors que j'arrive devant chez moi, mon sang se fige dans mes veines. Une ombre se profile devant mon appartement. En quelques secondes, j'ai reconnu l'inquiétante silhouette : le type

407

louche du *sex-shop* ! Il m'attend devant chez moi ! Impossible de rentrer, il me bloque le chemin. Je suis pétrifiée par la terreur. Mon Dieu, que me veut-il ? Visiblement, il m'a déjà suivie pour retrouver mon logis. J'hésite entre hurler à mort, prendre mes jambes à mon cou ou savoir ce qu'il désire.

Avant même que je ne puisse réagir, il est sur moi. Je me sens étouffer et défaillir. Je maudis intérieurement mes réflexes inexistants et ma stupidité. J'aurais dû me sauver dès l'instant où je l'ai aperçu. Mais, à ma grande surprise, il semble peu agressif.

— Miss Amélie Tremblay ?

Je vois, à son accent, que c'est un anglophone. Il a toutes les difficultés du monde à prononcer mon nom sans le massacrer.

— Heu... oui...

— *May I speak with you ?* me dit-il. *It's about the Carbu-Drink company...*

* *
*

Nous nous sommes rendus dans un resto-bar pas très loin de chez moi. J'avais encore trop peur de laisser entrer un parfait inconnu dans ma maison, surtout sans connaître ses intentions. Et ce, malgré la présence de Bingo. Je suis encore très méfiante et je me tiens aussi loin de lui que possible, assise sur mon banc devant le bar.

Tout au long du trajet, j'ai marché sur le trottoir et l'étranger dans la rue. Il tenait à me rassurer en se tenant à bonne distance. Je sentais que ce qu'il avait à me dire était important, mais je ne savais pas à quoi m'attendre. L'individu m'a dit s'appeler Michael Davis.

Assis à mes côtés devant le bar, il joue avec un sous-verre, les yeux fixés dans son verre de bière. J'attends qu'il parle. Je le sens tiraillé et torturé par quelque démon intérieur. À maintes reprises, il ouvre la bouche pour la refermer immédiatement. Bon sang, mais quel message a-t-il pour moi ? J'ai les mains qui tremblent de nervosité. Finalement, Michael se décide. Je remarque alors l'accent vaguement familier, profond et chantant, du sud des États-Unis.

– J'ai... j'ai déjà travaillé pour Carbu-Drink, il y a quelques années, dit-il en anglais.

Il prend une pause et prend une gorgée. Je n'ose dire un mot, attendant le reste.

– Mes supérieurs, un jour, m'ont demandé de détruire des dossiers prouvant que le Vectorade, encore en attente d'approbation, était dangereux. Il y avait des rumeurs, à cette époque, de réductions imminentes de personnel. Puisque je m'attendais à perdre mon emploi, j'ai conservé les documents plutôt que de les détruire. Peu de temps après, j'ai effectivement été mis à pied. Je pensais me servir des papiers pour me venger ou faire chanter la compagnie, mais j'ai laissé tomber. Mais... j'ai encore les dossiers avec moi. Je les ai apportés si vous les voulez. Je crois qu'ils peuvent vous servir.

Il sort des documents d'une enveloppe. Je les parcours à toute vitesse, feuilletant à travers le rapport. Des mots éloquents, éparpillés un peu partout dans l'étude, attirent mon attention : résultats insatisfaisants, danger mortel, produit à proscrire, risque élevé, études décevantes, nocif pour la santé, etc.

Je manque tomber en bas de ma chaise ! Là, sous mes yeux, j'ai la preuve vivante que Carbu-Drink savait son produit mortel et qu'elle a tout fait pour le cacher. Je l'ai enfin, ma preuve ! Je suis si émue que j'éclate en sanglots. Avec ça, je vais pouvoir m'en sortir ! Je vais les écraser en cour et faire annuler la poursuite ! Enfin !

409

Je suis finalement récompensée ! *Ad Augusta per angusta :* des résultats excellents par des voies étroites ou on n'arrive au triomphe qu'en surmontant maintes difficultés, comme m'a déjà dit Laurie.

* *
*

J'ai présenté les documents à mon avocat, maître Dumas. Il jubilait littéralement. J'avais déjà entendu un proverbe qui disait : derrière une grande fortune se cache un grand crime. C'est on ne peut plus vrai ! Maître Dumas et moi avons rencontré les avocats de Carbu-Drink. Monsieur Boisvert, le relationniste de la division canadienne, était présent. Des éclairs jaillissaient de ses yeux lorsqu'il a dû accepter l'annulation de la poursuite étant donné la preuve écrasante. Et vlan dans les dents !

Mieux encore : les documents vont me servir dans les médias. La chaîne de télévision et Alex Dumont, le journaliste, ont sauté sur l'affaire et m'ont traitée en héroïne. Tu parles ! Ils me doivent bien cela ! Je leur ai dit que je voulais être mise en priorité dans leur banque de rédacteurs en échange de la primeur sur les dossiers compromettants. Après tout, ils m'en doivent une. Alors, aussi bien m'assurer une carrière à la télévision.

Chapitre 24

Comme dans un épisode de Dynastie
(Mai)

L'espérance d'un destin n'est jamais aussi forte que dans notre vie sentimentale.

Alain de Botton

Ouais ! Tout va pour le mieux, enfin ! À la suite de mes nouvelles révélations et de la présentation des dossiers compromettants, Carbu-Drink se retrouve, une fois de plus, dans l'eau chaude. Génial ! Et, cette fois, ils ne peuvent plus se défiler. Nous avons les rapports qui prouvent tout. L'affaire a éclaté avec encore plus d'ampleur que la fois précédente. Il paraît que même les médias américains se sont jetés sur la nouvelle et que Carbu-Drink aurait un procès qui leur pend au bout du nez.

En effet, on aurait dénombré un certain nombre de morts suspectes possiblement causées par le Vectorade. Qui plus est, la Food and Drug Administration serait furieuse qu'on lui ait caché des renseignements. Des groupes de consommateurs parlent d'intenter un recours collectif contre l'entreprise. Bref, ça va mal pour eux !

Bien fait ! Après tout ce qu'ils m'ont fait endurer, ils ne méritent rien de moins. Je me doutais bien que ça valait la peine de suivre mes principes. Bon, d'accord, il y a des fois où j'en ai douté, mais enfin... ça a bien tourné, en fin de compte.

*   *
*

Une surprise de taille est arrivée. Grande Sœur a mis la main sur une information privilégiée. Je sais qu'elle a dû tirer bien des ficelles pour trouver cela et que ce n'est sans doute pas légal. Il faut vraiment qu'elle soit motivée pour prendre de tels risques. Je n'ai donc pas posé de question quant à la provenance du renseignement. Noémie, ma géniale et parfaite de grande sœur, a découvert que monsieur Perreault, celui-là même qui m'avait fichue à la porte de *Féminine.com*, possédait un important nombre d'actions de Carbu-Drink !

Les pièces du casse-tête se mettent en place. Si la vérité sur le Vectorade sortait au grand jour, monsieur Perreault perdait de l'argent, beaucoup d'argent. Il a alors fait pression sur moi pour m'empêcher de parler. Peut-être même a-t-il eu des contacts directs avec les gens de la compagnie ou parlé avec monsieur Boisvert. Sinon, comment aurait-il su ce que je faisais ? Quelqu'un l'avait renseigné à mon sujet. Quant au prétexte employé pour me renvoyer, ce ne serait que de la poudre aux yeux. La menace pesant sur le magazine si je dévoilais tout n'existait probablement même pas.

Avec une telle information entre les mains, que demander de plus ? J'ai réussi à rencontrer monsieur Dufour, le président du conseil d'administration de la revue. Autrefois, j'aurais été paralysée par la terreur de rencontrer l'énigmatique et mystérieux fantôme en chef du conseil d'administration. Plus maintenant. Envolée, la peur et l'intimidation devant ce géant. Cette fois, c'est moi qui ai les bonnes cartes en main.

Monsieur Dufour a été très ébranlé par mes révélations. Apparemment, monsieur Perreault aurait agi seul, en secret, à son propre compte. Avec un dossier monté de toutes pièces, il n'a pas eu de difficulté à convaincre les autres membres du conseil de mon incompétence. En faisant cela, il a agi contre les intérêts de *Féminine.com*. Et il était clairement en conflit d'intérêts.

Ma demande était simple : je voulais ravoir mon emploi et que ceux qui avaient démissionné pour me soutenir reviennent. Sinon, les médias me prêtaient déjà une oreille attentive, espérant que je leur fournisse un nouveau sujet à scandale. Je n'avais qu'un coup de téléphone à donner. C'est plutôt odieux comme méthode, mais je m'en fiche. Comme disait Laurie : Ruse ou courage, qu'importe contre l'ennemi ?

Monsieur Dufour a réagi très vite. Dès le lendemain, monsieur Perreault était expulsé du conseil d'administration lors d'une assemblée extraordinaire. De plus, Justin, Camille, Léa et moi avons été réintégrés à l'équipe de rédaction de la revue. Youpi ! J'ai laissé ma job merdique de *Bunny girl* et je suis redevenue rédactrice en chef !

*   *
*

Je sais que je ne devrais pas, mais je déteste la vie. Jeudi après-midi, dans les derniers jours de mai. Dehors, il fait beau, le vent souffle dans les arbres et les oiseaux chantent. Je m'en fous complètement. Je me suis prétendue malade pour revenir plus tôt du bureau. Je me sentais tellement démoralisée que je suis rentrée à la maison. Près d'un mois s'est écoulé depuis mon accident. Depuis, je n'ai pas cessé de penser à Samuel. Il n'y a vraiment rien à faire, je n'arrive pas à l'oublier.

Je devrais être en train de planifier la disposition des articles du prochain numéro de *Féminine.com*, mais je suis incapable de me concentrer. En temps normal, j'aurais sauté de joie à l'idée de faire ce boulot. Ah ! Ce que mon travail me paraît insignifiant en ce moment !

En arrivant au travail ce matin, je n'avais qu'une envie : pleurer toutes les larmes de mon corps. Je regardais les piles de papier sur mon bureau et j'avais le goût de vomir dessus. Ce job me paraît si difficile et insignifiant à la fois ! Qu'est-ce que ça peut me fiche, moi, que l'article sur les habiletés politiques au travail soit placé avant ou après celui qui parle des résultats cognitifs des enfants en garderie ? Ou encore que l'illustration d'untel soit à gauche du sondage sur les hommes du Québec ? Et on ne parle même pas de notre débat du mois : pour ou contre les chaussures jaunes !

Ce genre de considérations est entièrement superficiel, alors que mon cœur est en lambeaux et que j'ai perdu toute joie de vivre. Oui, je sais, je devrais être heureuse. J'ai retrouvé mon emploi que j'adore – sans Audrey –, j'ai à nouveau un salaire décent, je n'ai plus de poursuite judiciaire contre moi et Carbu-Drink a tellement de problèmes qu'elle va me foutre la paix pour de bon. Mais je me sens encore malheureuse. Je n'ai personne avec qui partager mon bonheur et ma joie. Et surtout pas la personne que je désire le plus.

Khalil Gibran aurait dit : « La vie sans amour est comme un arbre sans bourgeon ou sans fruit. » Ça exprime tout !

Après avoir vainement tenté de me concentrer sur mon boulot, j'ai laissé tomber. Mon état psychologique ne fait que s'aggraver, on dirait. Je me suis acheté une grosse boîte de chocolats et une grande bouteille de vodka. Mon niveau de désespoir doit être à douze sur dix. J'ai complètement pété le plafond, cette fois ! Personne ne m'aime donc, sur cette planète ?

Ça doit bien faire deux heures que je tente de me remonter le moral en dégustant mon chocolat et ma bouteille de vodka devant une comédie louée au club vidéo, mais ça me donne davantage le cafard. Bingo, quant à elle, profite du printemps pour se prendre pour un loup sauvage dans la toundra et courir après les oiseaux et les écureuils dans la cour arrière, sous le regard amusé de madame Spaghetti heu ! je veux dire Picolli, ma propriétaire, qui habite juste au-dessus de moi.

414

Désespérée et complètement soûle, j'appelle mes amis pour me remonter le moral. Je ne réussis qu'à rejoindre leur répondeur. Je ne suis plus tout à fait sûre de ce que j'ai raconté, mis à part que je les aimais, que c'était les meilleurs amis du monde et que je n'étais qu'une idiote paumée et malheureuse. Enfin, quelque chose qui ressemble à ça.

Pataugeant dans mon brouillard éthylique, je continue à faire des appels téléphoniques en fouillant dans la base de données de mon téléphone, car je suis incapable de composer un numéro. Je retrouve le numéro de téléphone d'Olivier sur mon afficheur et laisse un message à Rosalie, pour lui dire que même si c'est une fichue de miss-je-sais-tout, c'est une fille bien et qu'elle mérite un homme qui l'aime vraiment et ne la trompera pas. Hum... peut-être n'aurais-je pas dû. Bof, tant pis. Poursuivant sur ma lancée, je décide de joindre ceux qui se trouvent dans ma banque de numéros, pour leur signifier que je les adore et puis... bordel ! Je n'ai plus rien à perdre.

J'appelle Samuel chez lui. Une voix féminine me répond. Probablement sa foutue nouvelle copine, Élodie. Je crois lui avoir dit que j'aimais Samuel comme une folle, que c'était l'homme de ma vie et que je l'avais perdu, que c'était un type extraordinaire, qu'il était sûrement un amant fabuleux, qu'elle en avait de la chance, que je ne lui souhaitais que du bonheur à tous les deux. Et j'ai raccroché.

Hum... J'ai déjà vidé les trois quarts de la bouteille de vodka et je commence à me sentir somnolente. Un café me ferait le plus grand bien et me réveillerait un peu. Je me rends à la cuisine en m'appuyant sur les murs – pour ne pas tomber – et je prépare, avec le plus grand mal, un café sur ma machine. Merde... Maudits boutons qui se ressemblent tous ! S'ils cessaient de danser, aussi, ça irait beaucoup mieux. Hum... encore soif, moi. Je vais me pré-parer un dernier cocktail à l'aide du malaxeur. Je jure que c'est mon dernier. Ouais... Au moins jusqu'à ce soir. Soudain, tout s'éteint dans la maison. Zut ! J'ai encore dû faire sauter un fusible. Le damné système électrique ici date du déluge et l'ampérage est vraiment pourri.

Je ramasse un nouveau fusible et me dirige vers la cave. J'ai de la difficulté à distinguer les marches avec ma tête qui tourne et, en plus, ce satané escalier est à pic. Les marches ondulent sous mes pieds comme un tapis qu'on secoue. Soudain, je me sens trébucher et tomber dans l'escalier. Puis, je sens un horrible choc sur ma tête, sur la partie gauche de mon front. C'est terriblement souffrant et je ressens une douloureuse vibration résonner dans mon crâne. Alors que je sombre dans les ténèbres, j'entends vaguement les aboiements de Bingo, qui semblent venir de très loin.

— La ferme, Bingo..., marmonné-je avant de perdre conscience. Laisse-moi dormir...

*   *

*

Lorsque j'ouvre les yeux, j'ai du mal à déterminer où je me trouve. Ça ne ressemble pas aux murs de ma chambre, ça. Je bouge la tête pour apercevoir Noémie, assise à côté du lit. Ouille ! J'ai mal au crâne et un tantinet mal au cœur. Grande Sœur, en voyant que je suis réveillée, se lève et me sourit.

— Comment vas-tu, petite sœur chérie ? me demande-t-elle doucement.

— Je suis fatiguée, j'ai mal à la tête et j'ai un peu la nausée. Qu'est-ce qui s'est passé ?

— Tu as fait une chute dans les escaliers et tu t'es cogné la tête sur le meuble qui se trouvait juste en bas des marches. C'est un ami, venu te rendre visite, qui a été alerté par Bingo. Il a défoncé

416

la porte, t'a trouvée, t'a amenée à l'hôpital et nous a appelés. Tu dois une fière chandelle à ta chienne ! Elle t'a peut-être sauvé la vie ! Tu as eu une commotion cérébrale et tu as été inconsciente pendant près de vingt-quatre heures. De plus, tu avais beaucoup d'alcool dans le sang.

Hum... quoi de mieux pour se sentir atrocement stupide. Je pense à ce cher Antoine, toujours prêt à me secourir comme un chevalier servant. Il est sans doute venu chez moi après avoir reçu mon message débile.

– Bingo ! Où est-elle ?

– Ne t'en fais pas, elle est chez les parents. D'ailleurs, tu as eu beaucoup de visites hier, pendant que tu dormais. Toute la famille est passée, tous tes amis et collègues aussi. Maman a appelé tout le monde. Elle ne t'a quittée que ce matin. Ton sauveur d'ami aussi ne t'a pas laissée seule, il a dormi ici. Il est parti faire un tour, mais devrait revenir.

Je remarque des cartes de souhaits et de prompt rétablissement sur la commode, dont l'une, de Laurie, à l'intérieur de laquelle une citation est inscrite : « L'amour, c'est être toujours inquiet de l'autre. Marcel Achard. » Je porte ma main à ma tête. Un bandage de coton recouvre une bosse, sur le côté gauche de mon front. Je sens aussi des points de suture à travers le coton.

– Quel jour on est ? demandé-je, un peu inquiète.

– C'est samedi matin.

Ça alors ! Je n'ai rien vu passer. Je me sens comme dans un épisode de la télésérie *Dynastie* et je m'attends presque à ce que Noémie me fasse des révélations incroyables, du genre que j'ai été dans le coma pendant douze ans, que mon père est mort et ressuscité, que Samuel est devenu amnésique après qu'un de ses

417

clients l'eut attaqué avec sa fraise, qu'une bombe atomique est tombée sur Montréal et que des mutants postapocalyptiques errent dans les rues la nuit en s'attaquant aux passants pour manger leur cerveau.

Samuel ! Quand je me remémore ma journée de jeudi, et la déprime qui m'avait frappée et poussée à boire comme une ivrogne – encore ! je crois que je ne changerai jamais –, je recommence à broyer du noir. Noémie prend un petit miroir de poche et me le tend. Je m'y regarde. Horreur ! J'ai une tête à faire peur ! Mon front est enflé, et bleu et mauve à la fois. En soulevant une partie du bandage, j'aperçois les gros points de suture. On dirait que j'ai eu le crâne fendu. Grande Sœur me dit que ça va laisser une cicatrice, mais que les médecins peuvent l'arranger avec une petite chirurgie plastique.

Une chirurgie plastique ?! Oh mon Dieu ! C'est affreux ! D'abord, les mains et les genoux écorchés et maintenant, ça ! Je vais avoir l'air d'une sorcière ! Plus besoin de déguisement pour l'Halloween ! Et quant à mes chances de trouver l'âme sœur, elles sont maintenant quasiment nulles ! Qui voudrait de moi, avec cette énorme ligne sur le front ? C'est vraiment fichu ! C'en est trop ! J'éclate en sanglots dans les bras de ma sœur.

Je me blottis contre la poitrine chaude et réconfortante de Noémie. Les larmes roulent doucement sur mes joues pour tomber sur ma jaquette d'hôpital. Je suis secouée de douloureux soubresauts et me mets à renifler bruyamment. J'ai si mal que j'ai l'impression que je ne pourrai m'arrêter et que je vais sangloter jusqu'à la fin des temps. Je me sens perdue, seule, déprimée, vide, incomplète. J'ai le sentiment d'avoir laissé une partie de moi-même – ma joie de vivre, ma dignité, tout ce qu'il y avait de meilleur en moi – en Samuel. C'est comme si je lui avais donné ce que j'avais de mieux et que je l'avais perdu.

– Voyons, petite sœur chérie, ça va aller, me console Noémie. Les médecins vont pouvoir arranger ta cicatrice...

– Non ! Ce n'est pas ça ! Je m'ennuie de Samuel ! Je voudrais tant être avec lui !

– Je croyais que tu ne voulais plus le revoir ? Que c'était fini ?

– Mais quoi que je fasse, c'est lui que je veux, et personne d'autre ! C'est plus fort que moi. Et, en plus, je n'ai même pas couché avec lui...

À m'entendre, on dirait un enfant de trois ans qui braille et hurle : « Ce n'est pas un autre camion que je veux, c'est celui-là ! » Je suis vraiment pathétique.

– Qu'est-ce qui t'empêche de voir Samuel ? Si tu l'aimes tant, pourquoi ne le contactes-tu pas ?

Il me vient soudain en tête un proverbe d'Anon que Laurie m'avait dit un jour : « Si vous aimez quelqu'un, laissez-le aller. S'il revient, il était toujours à vous. S'il ne revient pas, il ne l'était pas. » Je présume qu'inconsciemment, j'espérais que Samuel revienne par lui-même.

– C'est compliqué, dis-je en reniflant. Tout ce que je sais, c'est qu'à peine deux mois après avoir laissé son épouse – il est encore en train de régler le divorce avec elle, d'ailleurs –, il s'était déjà mis à me draguer. Quel genre de gars est-ce, d'après toi ? Ça ressemble à un coureur de jupons. Tu sais, comme mon ami Antoine ? Et, en plus, il a refusé de me voir un matin, et je l'ai surpris avec une femme que je n'avais jamais vue et, il y a un mois, il y avait une autre fille chez lui...

– Tu ne sais rien du tout de son passé. Ne devrais-tu pas lui parler ? Tu ne sais pas qui était cette femme, après tout.

Je renifle avant de me moucher. Et si elle avait raison ? Aurais-je réagi trop vite ?

– Tu ne trouves pas bizarre, toi, qu'il soit déjà prêt à s'embarquer dans une autre relation si peu de temps après avoir quitté sa femme ? Et elle a parlé de maîtresses devant moi. Et s'il la trompait ?

– Amélie, vraiment, tu compliques toujours tout. Premièrement, tu ne le sauras pas tant que tu ne lui auras pas parlé. Deuxièmement, tu ne sais pas quelles étaient ses motivations pour s'intéresser à toi. Peut-être qu'il t'aime vraiment. Et cette fille, chez lui, tu ne sais pas qui c'est. Tu sais, moi, je n'ai eu qu'un copain avant Jacob – si on compte mon petit ami du secondaire – et lorsque nous avons décidé de nous marier, certains ont tenté de me décourager, car ils disaient qu'à vingt ans, j'étais trop jeune, que je ne connaissais rien à la vie, et que je n'avais pas connu d'autres hommes. Plusieurs m'ont dit que je faisais la plus grosse erreur de ma vie. Pourtant, nous sommes encore ensemble. Je savais d'instinct, moi, que c'était l'homme de ma vie. Je ne saurais comment l'expliquer. Peut-être est-ce le cas de Samuel avec toi ?

Je me souviens effectivement des noces controversées de Noémie. Je crois qu'elle demeure, même après tout ce temps, la plus brillante de la famille. Quant à moi, je n'aurai jamais le tiers de sa sagesse et je serai toujours l'écervelée. Je me demande malgré tout ce qu'elle dirait si Jacob se mettait à sortir avec une autre fille quelques mois à peine après l'avoir laissée... Je souhaiterais tout de même qu'elle ait raison à propos de Samuel. Mais acceptera-t-il seulement de me revoir, après la façon dont je l'ai traité ? Mes réflexions sont interrompues par quelqu'un qui cogne sur le cadre de porte de ma chambre. Mon cœur s'arrête. C'est lui ! C'est Samuel...

– Samuel ? dis-je, éberluée.

– Je ne vous dérange pas trop ? fait-il, avec un sourire timide.

– Heu... non, non... je... j'allais justement me chercher un café et appeler maman, prétexte Noémie. Allez, je te laisse en compagnie de ton sauveur.

Mon sauveur ? Alors, c'était Samuel et non pas Antoine qui est venu chez moi, m'a rescapée et a dormi à l'hôpital, rien que pour être avec moi ?

Noémie sort de la pièce en me faisant un clin d'œil. Une partie de moi est heureuse qu'elle nous laisse seuls, et une autre voudrait qu'elle reste pour m'empêcher de tomber encore sous le charme de Samuel. De plus, j'ai l'air monstrueuse, j'ai une cicatrice sur le front, j'ai les yeux rouges parce que je viens de pleurer et je dois être charmante en jaquette d'hôpital... Ouais, très séduisant, tout ça. Adieu, dignité. Je porte machinalement la main à mon bandage et tente de le camoufler avec mes cheveux, hirsutes, par ailleurs.

Samuel s'approche du lit et s'assoit sur la chaise. Il porte un jean et une chemise blanche sous un chandail bleu marin avec un col en V dont il a retroussé les manches. Merde, il est toujours aussi beau et séduisant. Je voudrais tant que tout soit réglé d'une phrase, même si c'est impossible. Le malaise est palpable. Pas étonnant après tout ce qui s'est passé. Samuel me tend une énorme boîte de chocolats belges – les meilleurs ! – enveloppée et enrubannée.

– Samuel, tu n'aurais pas dû ! C'est trop ! Je vais devenir obèse !

– L'autre fois, tu m'as dit : « Si tu veux me donner un cadeau qui va me rendre vraiment heureuse, donne-moi du chocolat. » Alors, voilà.

Incroyable ! Il s'en est souvenu ! Et s'il tenait vraiment à moi, après tout ? Puis-je vraiment juger cela par une boîte de chocolats ? Ce qui me rappelle celles que je recevais chez moi, le mois dernier. Visiblement, elles ne venaient pas d'Olivier. Et si...

– Comment vas-tu ? me demande Samuel.

– Pas trop mal. C'est donc toi qui es venu chez moi ?

– Oui, Élodie m'a rejoint immédiatement après ton appel. Elle disait que tu étais dans un drôle d'état et m'a raconté tout ce que tu lui as dit. Je suis tout de suite parti chez toi et je t'ai trouvée dans l'escalier de la cave. Je t'ai amenée ici et j'ai appelé ta famille.

Aïe ! Quelle idiote j'ai été ! Samuel doit être furieux contre moi et son amie aussi. Il a été si bon avec moi, il aurait bien pu me laisser crever là après ce que j'ai fait. Je prends un air piteux.

– Je suis désolée pour ce que j'ai dit à ta copine, Élodie. Tu dois être en colère. Elle t'a sûrement posé plein de questions.

Samuel éclate de rire. Je lui demande ce qu'il y a de si drôle.

– Je rigole parce que tu t'es trompée. Élodie, c'est ma sœur. Je t'en avais parlé, pourtant. Je l'héberge pour quelques mois, il y a des travaux de rénovation dans son logement. Tu as cru que c'était ma copine ?

Alors là, j'ai l'air plus gourde que jamais ! Évidemment, j'avais complètement oublié ! Je me sens tellement ridicule ! La catastrophe ! Le temps des excuses est venu, je crois. Je dois tant à Samuel et j'ai intérêt à me rattraper. Il faut que je prenne mon courage à deux mains et que j'aille jusqu'au bout de cette histoire.

– Je suis vraiment navrée pour la façon dont je t'ai traité pour ce qui s'est passé en février et après. J'aurais dû te laisser t'expliquer davantage. Mais, comprends-moi, ça m'a fait mal que tu m'aies caché des choses et que tu m'aies menti. De plus, je ne savais plus quoi penser quand j'ai vu ton ex-femme. J'ai eu peur. J'ai été bête et je m'excuse.

– Je sais, répond Samuel, j'aurais peut-être dû te parler de mon ex-femme et tout ça avant, mais, honnêtement, je ne voulais pas te faire fuir. D'abord, je ne savais pas comment tu réagirais lorsque tu l'apprendrais et je voulais retarder ça le plus possible. Un type divorcé, ça n'a pas nécessairement bonne réputation. Et puis, c'est dur pour l'ego. C'est difficile de se lancer dans une autre relation amoureuse après un tel échec. Et comment allais-je t'annoncer ça ? « Dis, Amélie, tu aimes la salade ? Ah, oui, en passant, tu sais que je suis en plein divorce ? » C'est déjà tellement compliqué et ça me coûte très cher, toute cette histoire. Je ne voulais pas que tu sois mêlée à ça.

– Mais... et cette fille que tu as vue le lendemain, au café, c'était qui ? Et pourquoi ne voulais-tu pas me voir pour rencontrer cette femme-là ? Je peux me tromper, mais tu souriais et tu semblais très heureux avec elle.

– Amélie, dit Samuel avec un sourire cynique, c'était Aryane. Tu sais, mon ex-femme ? Après notre engueulade, j'avais décidé d'appeler nos avocats respectifs et de clore cette affaire au plus vite. Alors, nous nous sommes tous vus au café, ce matin-là. Si tu avais bien regardé, tu aurais remarqué que nous n'étions pas seuls, nos représentants étaient là aussi. Et si je souriais, c'est parce qu'Aryane, après des mois de conflits, avait enfin accepté de signer le contrat de divorce. Elle m'a imposé certaines conditions, mais bon... peu importe. Je pouvais mettre tout ça derrière moi. Et je voulais te montrer les papiers en soirée, après que tout soit fini.

C'est vrai, à bien y penser, que ça ressemblait drôlement à son ex-épouse. Tout un revirement en douze heures ! Une vraie girouette, la madame ! Si toute cette histoire est véridique, alors je suis plus cruche que je ne l'avais soupçonné ! Et j'ai dû causer un tort énorme à Samuel par mon imbécillité. Il sort une pile de papiers pliée de la poche arrière de son jeans et me la tend. Je le regarde, étonnée et anxieuse. Il me montre une page en particulier.

C'est le contrat de divorce entre Samuel et son ex-femme, Aryane Bergeron. Quatre signatures se trouvent au bas de la page. Il y a celle de Samuel, celle d'Aryane et celle de deux autres personnes, qui sont identifiées comme étant leurs deux avocats respectifs. Le tout est daté du 15 février, le lendemain de notre rendez-vous galant raté.

Ce que je peux me sentir bête et égoïste ! La preuve en est là, noir sur blanc. Ainsi, tout est vrai. Quelle peine j'ai dû faire à Samuel ! De plus, toute la souffrance que j'ai endurée ces derniers mois est entièrement de ma faute ! En refusant de l'entendre, j'ai mis fin à une discussion qui aurait dû être faite il y a longtemps. Je suis d'une maladresse sans nom. Samuel parviendra-t-il à excuser ma bêtise ? Il me tend une autre feuille de papier affublée du logo d'un cabinet de juristes.

– J'ai même une belle facture d'honoraires d'avocats de trois cents dollars pour te prouver que tout est vrai, si tu veux, ajoute-t-il avec ce sourire moqueur que je connais si bien !

En effet, c'est un joli compte portant la même date que le contrat. Plus les révélations surviennent, plus je me sens coupable. J'ai été incroyablement odieuse et abrutie ! Prendre en note : ne plus jamais, jamais juger les gens trop rapidement ! Je suis impressionnée que Samuel veuille bien me voir et m'ait sauvé la vie après ce que je lui ai fait ! Et dire qu'il est resté avec moi depuis deux jours !

Je le savais bien que je n'étais qu'une immonde conasse et que mon cœur disait vrai ! Et dire qu'au moment où Samuel avait sans doute le plus besoin de moi, j'ai fait preuve de couardise et de faiblesse et je l'ai laissé, sans explications, comme une vieille chaussette. Je ne mérite vraiment pas qu'il veuille me reprendre. J'espère cependant qu'il n'est pas trop tard. Tout n'est pas réglé dans ma tête, il me reste encore plusieurs questions.

– Dis, qu'est-ce qui s'est passé avec ton ex ? Je veux dire : qu'est-ce qui n'a pas fonctionné ? Te sens-tu prêt à en parler avec moi ? Tu n'es pas obligé, si tu ne veux pas, mais ça te ferait du bien d'en discuter...

On croirait entendre Antoine, l'adepte de la discussion et du lâche-toi *loose* : « Allez, il faut parler de tes problèmes et ne rien garder en dedans. Tu vas voir, ça va te faire du bien de tout expulser. » Comme si les sentiments étaient des sécrétions dont on peut se débarrasser ! Les émotions, ce n'est pas un abcès que l'on peut crever et qui va régler tous les problèmes, une fois vidé. Ça serait tout de même bien de parler de tout ça, je suppose. Samuel acquiesce, mais il soupire et je vois que ce ne sera pas facile pour lui. J'ai l'impression qu'il a souffert.

– Aryane était une patiente du cabinet du Dr Williams, il y a environ deux ans de cela, commence Samuel. Il faut croire que je lui étais tombé dans l'œil, car elle avait commencé à m'amener des cadeaux et s'est mise à m'inviter à des sorties. Au début, je trouvais que c'était une fille bien, mais je refusais. Je ne voulais pas sortir avec l'une de nos clientes, je trouvais ça déplacé. Mais, comme tu l'as remarqué, c'est le genre de personne à qui on ne peut dire non. Elle a insisté, j'ai finalement répondu à ses invitations et, de fil en aiguille, nous nous sommes fréquentés et avons emménagé ensemble. C'était une personne très attentive, très affectueuse et même maternelle, je dirais. Elle m'appelait tous les jours au bureau et je trouvais ça très touchant de sa part. J'avais vraiment l'impression d'être précieux à ses yeux...

J'écoute Samuel parler sans l'interrompre. Il y a un mélange de bonheur et de déchirement dans son récit et dans sa voix. Je me doute que l'histoire va bientôt se gâter.

– En définitive, nous nous sommes mariés peu de temps après. Elle y tenait beaucoup et moi, ça ne me dérangeait pas trop. Je voyais bien que ça lui faisait plaisir. Avec le temps, des

425

problèmes ont commencé à apparaître. Ça a surtout commencé pendant les fêtes. Aryane est devenue paranoïaque, on dirait. Elle s'est mise à m'accuser de draguer mes patientes, de mentir et de travailler tard pour la tromper avec mon hygiéniste dentaire ou avec les secrétaires, bref toutes les femmes que je rencontrais ! C'était devenu infernal, elle voulait contrôler toutes mes allées et venues, elle appelait continuellement au cabinet, elle voulait constamment savoir où j'étais, avec qui, elle fouillait dans mes affaires... J'avais l'impression d'étouffer et d'avoir perdu toute liberté. Au bout d'un an, j'en ai eu assez, je me suis pris un petit appartement seul, et j'ai demandé le divorce. Mais, comme tu as pu voir, ce n'était pas une mince affaire.

Tout s'éclaire, maintenant. Ce n'était pas le coureur de jupons que j'imaginais. Samuel a vécu une situation particulièrement pénible. Je n'aurais jamais cru que c'était aussi terrible. Je ne me surprends plus qu'Aryane lui ait fait une vie de misères. Elle ne voulait probablement pas lâcher le morceau aussi facilement. Samuel, déjà très occupé par le cabinet, devait souvent rencontrer son avocat. Rien de surprenant à ce qu'il fut toujours occupé et difficile à rejoindre. Par ailleurs, ce que j'ai vu d'Aryane ne fait que confirmer son récit, et je ne doute pas un seul instant que tout soit véridique. À moins que je ne sois encore tombée sous le charme de Samuel et qu'il m'ait ensorcelée...

Alors, Samuel s'est marié presque en même temps que ma cousine Sarah. Son couple aurait commencé à se dégrader au moment où j'avais moi-même des problèmes avec Olivier. Drôle de coïncidence, tout de même. Son histoire s'est déroulée vraiment très vite. Ce qui me laisse étonnée et perplexe à propos d'un petit détail. J'ai tout de même réfléchi un bon moment avant de me décider à poser la question.

– Samuel, je peux te poser une autre question ?

– Bien sûr, vas-y.

– Après ta relation... houleuse avec Aryane, pourquoi m'avoir fréquentée si vite ? Tu ne te sentais pas quelque peu craintif, et même frustré, après ce qui venait de t'arriver ? Pourquoi t'embarquer si vite dans une autre relation, alors que tu venais d'en vivre une qui avait mal tourné ?

– Pour être franc avec toi, je me sentais effectivement découragé, et je n'avais pas du tout envie de me remettre avec une fille de sitôt ! D'abord, j'avais peur de me retrouver encore dans une toile de ce genre et de perdre à nouveau ma liberté. J'avais décidé d'être seul pour encore un bon bout de temps. Mais ça ne s'est pas passé comme prévu.

Je retiens mon souffle. J'attends impatiemment la suite. Samuel émet un nouveau soupir – ça lui arrive souvent ! – et se décide à poursuivre.

– Quand je t'ai rencontrée, je t'ai trouvée à la fois très sympathique et vraiment très jolie, mais rien de plus. Tu avais l'air d'une fille bien et tu étais attirante. Et ce que je te disais au départ était vrai : je trouvais bien de passer la fin de semaine en agréable compagnie plutôt que d'être seul. C'est uniquement pour ça que je t'avais proposé qu'on se côtoie au début. Et, à vrai dire, si j'avais pu juste coucher avec toi, sans lien ou attachement, je ne m'en serais pas privé. Je n'avais pas grand-chose à perdre.

Alors, j'aurais pu m'envoyer en l'air avec lui dès notre première rencontre ? Ça m'étonne drôlement. Zut, alors ! Avoir su, j'en aurais profité, ça ne m'aurait même pas dérangée et ça ne m'aurait pas fait de mal.

– Mais... plus je te fréquentais, plus je m'attachais à toi. Et... je crois que je suis tombé amoureux de toi.

Rien ne pouvait me faire plus plaisir que d'entendre ça ! Si j'avais su que je pouvais faire un tel effet à un homme ! Je ne pensais pas entendre la phrase magique qui allait tout arranger, mais, en fin de compte, elle est arrivée. Mais, je me sens encore plus coupable. Après tout, j'ai l'impression que c'est moi, la fautive, dans cette histoire. Pourtant, j'aime tellement Samuel... Je n'aurais pas dû être aussi trouillarde. Je ferais n'importe quoi pour racheter mon erreur. Je lui prends la main pour lui démontrer que quoi qu'il arrive, à l'avenir, je le soutiendrai.

– Pourquoi ne me l'as-tu pas dit, tout simplement ? Je t'ai quand même relancé deux fois !

– Je ne savais plus à quoi m'en tenir avec toi. Ni avec moi-même, d'ailleurs. Notre rendez-vous raté m'a laissé plutôt meurtri et incertain. Je venais de me faire engueuler par Aryane devant toi ! J'avais l'impression de me promener avec l'échec collé au front ! Je n'avais plus la force de recommencer à te voir, j'étais découragé. Après que tu sois venue me voir au cabinet et que tu m'aies fait ta déclaration pour ensuite te sauver, je ne savais plus quoi penser. Tu semblais si bouleversée après avoir entendu la vérité que je me suis dit que je devrais voir tes véritables sentiments avant de m'engager dans une relation avec toi. Et tu ne rappelais plus. D'autant plus qu'il y avait peut-être quelqu'un d'autre dans ta vie. Je me suis dit que je devrais faire comme l'autre soupirant. J'ai signé S et je croyais que tu aurais compris que c'était moi.

Je l'aurais peut-être deviné si je n'avais pas reçu deux bouquets en même temps. Avec moi, on dirait que c'est tout ou rien. Ou personne ne s'intéresse à moi, ou j'ai plusieurs admirateurs à la fois. C'est curieux. Quand je pense que Samuel avait découvert mes goûts du premier coup avec les roses rouges et les chocolats, alors qu'Olivier, après plusieurs mois de relation, en était incapable.

– Comment peux-tu m'aimer après tout ce que je t'ai fait ? demandé-je, abasourdie.

– Je ne sais pas trop, réplique Samuel en haussant les épaules. Parce que tu es drôle, charmante, intelligente, cultivée. Tu as un sens de l'humour remarquable et mordant. Et aussi parce que tu es

428

plutôt cinglée, délurée, irrévérencieuse et tu es tellement honnête, tellement vraie ! Je sais que tu dis toujours ce que tu penses vraiment. J'ai l'impression que tout est simple avec toi et qu'on peut se parler franchement. Et tu es incroyablement courageuse. Ce que tu as fait, dans cette histoire de Vectorade, c'était très brave. Tu es unique, personne ne te ressemble. Je me sens bien en ta présence, je me sens... léger. Et puis, tu es vraiment belle, attirante, *sexy* et séduisante.

C'est vraiment de moi qu'il parle ? On ne doit pas avoir la même paire de lunettes, c'est certain. C'est tout à fait l'inverse de l'image que je me fais de moi-même. Je ne peux m'empêcher d'être émue et touchée au plus profond de mon âme par ces paroles. Et lui, au moins, ne me prend pas pour un morceau de viande.

– Quand je t'ai trouvée inconsciente dans les escaliers, chez toi, j'ai eu peur de te perdre pour de bon. J'ai compris que je devais saisir ma chance et exprimer clairement mes sentiments, une fois pour toutes. Sinon, je me serais demandé toute ma vie ce qui aurait pu se passer.

– Moi aussi, je t'aime, tu sais, finis-je par avouer d'un air piteux. Je suis vraiment désolée de t'avoir fait souffrir. Tu vas me pardonner ?

– Voyons, je ne t'aurais pas sauvé la vie sinon ! rétorque-t-il moqueusement avec son merveilleux sourire.

Épilogue

(Juin)

Aimer ne peut être que joie et bonheur, sinon ce n'est pas de l'amour.

Jean Gastaldi

Je n'ai jamais vécu quelque chose de semblable. C'est comme si Samuel et moi avions accumulé un désir inexorable l'un pour l'autre et que nous n'arrivions pas à le satisfaire. Nous regardions la télévision chez moi il y a quelques instants, mais nous voilà déjà en train de s'envoyer en l'air sur le tapis, à côté de la table à café. Ça fait déjà un bon moment que ça dure, et j'ai presque envie de jeter un coup d'œil à mon horloge pour voir si nous avons fracassé un nouveau record de temps, mais je me retiens. Je ne voudrais pas que Samuel se fasse des idées et qu'il croie que je m'ennuie en me voyant observer ma montre...

La sensation de son corps entre mes cuisses est délicieuse. Sa bouche qui se promène le long de mon cou et de mon visage et ses mains caressant ma peau me remplissent de bonheur. Chaque fois qu'il m'embrasse les seins avec délectation, lèche mon ventre, plonge sa langue ou ses doigts dans mon sexe, je me retrouve les jambes molles, entièrement offerte à lui et éperdue de désir. Un brasier me dévore de l'intérieur et je supplie Samuel de l'éteindre au plus vite... Je tente de retenir les cris de plaisir qui me montent à la gorge, car je ne veux pas risquer d'alerter madame Picolli et que, comme elle l'a déjà fait au moins une fois, elle vienne voir « si tout va bien ». Inévitablement, je finis par atteindre les sommets du nirvana sexuel dans une jouissance absolue et je reste pantelante, repue, gavée d'un plaisir que je ne soupçonnais même pas.

Le lendemain de la visite de Samuel à l'hôpital, j'ai reçu mon congé en fin de journée, le dimanche. Bien entendu, mes parents étaient là. Mes amis et quelques membres de la famille étaient passés me voir quelques heures plus tôt. J'ai informé Samuel de mon départ, il est venu me rejoindre quelques heures plus tard et m'a reconduite à la maison. À ma demande, maman était allée me chercher des vêtements chez moi. Je lui avais demandé de prendre un ensemble que j'avais rangé dans un sac dans un tiroir et qui m'allait très bien. L'ennui, c'est que maman s'est trompée de sac. À la place, elle m'a amené mon costume de *Bunny girl* !

Je me suis retrouvée avec la minijupe ainsi que le chandail qui fait remonter mes seins jusqu'à mon menton. Ne restait plus qu'à mettre mes oreilles. En plus, on voyait mon ventre et mon nombril. J'avais l'air d'exploser dans ce machin. Mes seins déformaient mon chandail et la jupe était si courte qu'on voyait presque mes culottes. J'avais l'air ridicule et je n'avais rien d'autre à porter, car il était trop tard pour me procurer une autre tenue.

Lorsqu'il est arrivé et qu'il m'a vue avec mon costume burlesque sur le dos, Samuel a fait un drôle de sourire.

— Ce n'était pas ton uniforme pour...

— ... pour le *sex-shop* ! Oui, je sais...

— Tu vas mettre tes oreilles de lapin aussi ?

*   *

*

432

Mes parents m'ont dit qu'ils allaient garder Bingo encore une journée, histoire de me laisser me reposer et sans doute pour pouvoir gâter mon chien encore quelques heures. Je leur suis très reconnaissante de ne pas m'avoir accompagnée jusque chez moi et de m'avoir laissée seule avec Samuel. Je les adore, mes parents.

Le trajet vers la maison, dans l'auto de Samuel, avait des allures étranges. On avait un peu l'impression de recommencer à zéro. On se regardait l'un et l'autre, quelque peu intimidés. Et on se disait que si quelqu'un sonnait à la porte, on ne répondrait pas, cette fois-ci ! Je ne pouvais m'empêcher de porter sans arrêt la main à mon bandage qui m'agaçait.

De plus, je tentais sans succès de rabaisser ma jupe, qui ne cessait de remonter à la limite de mes fesses. Je me sentais à demi nue et c'était embarrassant. Je n'étais pas certaine de vouloir que Samuel me voie vêtue de la sorte, même s'il semblait apprécier grandement la vue. Je le fis entrer dans la maison. Aïe ! C'était légèrement bordélique. Gênant... Par chance, mes parents étaient passés et avaient fait un ménage rapide. Pas de bouteilles d'alcool, de pots de crème glacée ou d'emballages de chocolat traînant un peu partout.

Dès le moment où je franchis la porte, je me demandai quoi faire. Devais-je distraire Samuel en lui proposant de regarder la télévision ou un film ? Après avoir tenté de faire la conversation, je lui offris un verre d'eau, qu'il accepta. J'aurais pu lui demander s'il voulait du sexe, aussi... Il était clair que ce n'était pas d'un verre d'eau qu'il avait envie. Moi non plus, d'ailleurs. Mais je ne savais pas comment lui faire savoir ce que je désirais. Je me sentais bête et maladroite.

Quand je lui ai donné son verre d'eau, nos doigts se sont touchés et la sensation était exquise. Samuel m'a pris la main et a déposé son verre sur la table sans même en prendre une gorgée. Il me regardait avec ce sourire qui me fait fondre. Je sentais de grands frissons me parcourir tout le corps de bas en haut, suivis de bouffées de chaleur qui partaient de mon cœur pour me monter à la tête. Ma respiration et mon pouls s'accéléraient à un rythme effréné.

Je le regardais avec mon sourire béat, paralysée, incapable de la moindre action. En fin de compte, nous nous sommes enlacés, et nous nous sommes embrassés. Sa chaleur contre la mienne me remplissait de bonheur. Je sentais ses mains farfouiller sous ma jupe, caresser mes fesses avec insistance et se glisser à l'intérieur de mon chandail où, à travers mon soutien-gorge, elles se mirent à effleurer mes mamelons que je sentais éclore comme des fleurs. De mon côté, j'en profitais pour malaxer son postérieur avec envie. Le contact de nos deux corps et de sa peau contre la mienne était à la fois doux et jouissif. Puis, Samuel se mit à embrasser mon cou, provoquant des courants électriques partout dans mon corps. Je m'accrochais à ses épaules comme une naufragée et j'avais envie de parcourir chaque centimètre carré de son corps avec mes mains, avec ma langue, avec toute ma peau. J'ai retiré le gilet de Samuel pendant qu'il m'assoyait sur la table de la salle à manger, faisant tomber ustensiles et assiettes qui se trouvaient dessus. Je n'avais plus qu'une envie : m'ouvrir, m'abandonner complètement à lui, lui donner mon cœur et mon corps comme une offrande. Le laisser faire tout ce qu'il voulait, l'accueillir à l'intérieur de moi. À son tour, Samuel m'a enlevé mon chandail. Puis, il a littéralement plongé le visage entre mes seins, alors qu'instinctivement, j'écartais les cuisses pour lui ouvrir le passage et le laisser se coller davantage contre moi. Je l'enlaçais afin de lui cajoler le dos et de m'y agripper. J'étais sur le bord d'exploser de désir. Finalement, sans même prendre le temps de se dévêtir complètement, nous avons fait l'amour sur la table de la salle à manger.

Et, plus tard, nous l'avons fait dans la douche, puis quelques heures après dans la chambre, et... enfin, bref... Je n'ai jamais été aussi comblée de ma vie. Autant sur le plan émotionnel que sexuel.

Je ne regarderai plus jamais les dentistes de la même façon. Adieu le vibrateur ! Niveau de désespoir : moins dix ! Bonheur total ! En fin de compte, mon plan « Amélioration de la vie d'Amélie » a très bien fonctionné, bien que je ne sois pas entièrement responsable de son succès.

Mes trois conditions sont remplies. J'ai trouvé un homme qui m'aime – qui est beau, séduisant, sensible, viril et intelligent, quoi de mieux ! – et que j'adore. Samuel me rend heureuse comme jamais. Ensuite, j'ai trouvé un meilleur logement, même s'il n'est pas parfait. Et enfin, j'ai bel et bien obtenu – par un concours de circonstances, il faut l'avouer – des meilleures conditions d'emploi et une augmentation de salaire en prime.

Prendre en note :

1. Me fier à mon instinct au moins... une fois sur deux, disons.

2. Avoir confiance en moi et cesser de me sous-estimer.

Que c'est bon de se sentir aimée et désirée ! Je commence à me rappeler pourquoi je souhaitais tant tomber amoureuse de nouveau. Je me sens comme si Samuel était l'aboutissement ultime de ma quête amoureuse et que tout, dans mon parcours, me dirigeait inexorablement vers lui. C'est comme si j'avais enfin trouvé mon Saint-Graal après avoir, sans le savoir, suivi une route très précise, invisible, me menant jusqu'à lui.

Le plus étrange, c'est que je savais que je cherchais quelque chose, mais j'ignorais quoi exactement. Étrange comme après avoir trouvé une chose, on comprend que c'est bien ce que l'on désirait, mais sans l'avoir jamais vraiment soupçonné et sans même savoir qu'on la cherchait. Je ne peux considérer l'idée d'être avec quelqu'un d'autre que Samuel, et je sais que je n'aurais jamais pris une autre avenue, ni pu atteindre un autre résultat. Je ne m'explique pas cette étrange certitude et je ne veux pas chercher à la comprendre.

Quant à savoir si je vais réussir à garder tout ça en place, eh bien... ça reste à voir. Mais je suis optimiste. Je n'ai pas d'autres plans pour l'instant. Je me contente de savourer ce que j'ai. Ça peut sembler cliché, mais je viens de comprendre ce que jouir du présent signifie. Surtout après être passée à deux doigts de la mort. Enfin, presque...

C'est bien d'avoir frôlé la faucheuse, du moins dans mon cas. Tout le monde est d'une gentillesse extrême avec moi. Même madame Picolli m'a dit de ne pas me presser pour payer le loyer, ce qui relève du miracle pur et simple car, avant, elle ne tolérait même pas cinq minutes de retard !

En cette journée du lundi, Samuel, qui devait commencer à travailler à treize heures, a réussi à faire reporter son premier rendez-vous, afin de passer plus de temps avec moi. C'est vraiment trop gentil de sa part ! Quant à moi, j'ai encore deux jours de congé de maladie. Ordre du médecin. Justin m'a appelée ce matin pour prendre des nouvelles et me dire que je devais arrêter de me casser la figure et que si ça continuait, ses meilleurs employés allaient tous se retrouver à l'hôpital ou en congé.

Après une partie de jambes en l'air inoubliable – encore une ! –, Samuel se couche à mes côtés sur le plancher du salon, son corps collé au mien, et m'entoure de son bras. Nous sommes tous les deux nus, mais le temps de juin est chaud – un beau 21 °C – et c'est juste assez pour que nous soyons à l'aise.

– Alors ? Suis-je vraiment pardonnée, maintenant ?

– Je vais y penser, répond Samuel avec un sourire. Après tout, tant que tu n'es pas excusée pour ta conduite, tu me dois quelque chose, et ça me donne encore l'occasion de t'exploiter un peu. Et maintenant que je t'ai rien qu'à moi, je ne te laisserai plus jamais partir...

– Tu sais, je serais ton esclave sexuelle malgré tout.

– Hmmm... je vais réfléchir à ça...

*   *

*

Samuel et moi allons chercher ma très chère Bingo – vraiment trop souvent abandonnée, ces temps-ci – chez mes parents. Je m'aperçois que ma Créature n'a jamais été autant gâtée. Elle a un nouveau coussin – super épais et moelleux, et trois fois plus gros que l'ancien –, une couverture, des os à moelle fumés au bacon, des nouvelles balles – dont une phosphorescente –, un frisbee, des nouveaux biscuits, une corde à tirer, des toutous – dont un qui fait du bruit quand elle le mord –, des nouveaux plats, de la nourriture de luxe pour chien et d'autres nouveaux jouets que je ne connaissais même pas jusqu'à aujourd'hui.

Lorsqu'elle me voit, Bingo me saute dessus et se frotte sur mes jambes en pleurnichant et en gémissant, l'air de dire : « Pourquoi m'as-tu laissée si longtemps ? Je me suis ennuyée, moi ! » Je me penche pour la serrer dans mes bras et lui faire un énorme câlin. Pauvre bête ! Je vais devoir la gâter à mon tour, pour m'avoir sauvé la vie ainsi ! Mon adorable Créature ! J'ai l'impression d'être le centre de l'univers pour elle. Au moins, elle n'est plus la seule à penser comme cela...

Mes parents, après m'avoir couvée à mon tour – ils ont eu très peur lorsqu'ils ont appris que j'étais à l'hôpital et, depuis, ne cessent d'être aux petits oignons avec moi –, nous offrent le dîner, à Samuel et à moi. Nous mangeons et repartons aussitôt, mais je promets à maman et à papa de revenir les voir très vite. Après m'avoir reconduite à la maison, Samuel doit repartir pour le travail. Quelle tristesse ! Si je suis en congé, lui, en revanche, ne l'est pas.

À la suite de déchirants adieux, il me promet de ne pas revenir trop tard. Mais je sais qu'il ne rentrera pas avant vingt-deux heures au moins. Horaire de travail oblige. C'est cela, être la copine d'un dentiste... Il va falloir que je m'y habitue. J'espère ne pas devenir une veuve de la dentisterie. En attendant, puisque je suis seule avec ma Créature, il faut bien que je compense ma longue absence et que je m'en occupe. Première chose qui va lui faire plaisir : une très, très longue promenade, suivie d'une visite au parc à chiens où elle pourra se défouler à souhait. Alors, en route !

*   *

*

En fin de compte, l'éditeur qui m'avait contactée a abandonné le projet de publier ma biographie. Apparemment, la mode de ce genre d'ouvrage est en train de s'éteindre. Il n'a donc pas envie d'investir dans un projet qui a toutes les chances de ne pas fonctionner. Il faut dire que je ne savais pas trop ce que j'allais bien pouvoir raconter. Alors, ça me soulage un peu.

*   *

*

Je suis retournée au travail après mon congé. Tout le monde m'a accueillie avec des effusions de joie, ce qui m'a surprise. Je ne croyais pas que je manquerais autant à mes collègues. Je commence à vraiment apprécier mon emploi et, honnêtement, je savoure ma revanche. Travailler dans l'ancien bureau d'Audrey et accomplir ses tâches aussi bien qu'elle pouvait le faire me procure un plaisir indicible et je ne peux m'empêcher de rire face à l'ironie du sort.

Je soupçonne même Justin d'être plus heureux depuis le congé forcé d'Audrey – car elle était très accaparante, surtout quand venait le temps de se plaindre ou de faire des demandes –, mais il ne l'avouera jamais.

Cependant, une autre partie de moi se sent encore coupable. Je suis tout de même triste de ce qui est arrivé à Audrey, même si elle a tenté de me foutre à la porte. Allez savoir pourquoi... Il est vrai que, dernièrement, le sort s'est acharné sur elle. Après son opération, Audrey s'est tapé une septicémie, ce qui l'a considérablement affaiblie et a ralenti sa guérison. J'essaie d'être bonne gagnante et d'être gentille. Après tout, il vaut mieux être magnanime, non ? On ne frappe pas sur quelqu'un qui est déjà à terre.

Je l'ai même appelée une fois pour lui demander un avis professionnel, ce qu'elle a beaucoup apprécié. Ce doit être dur pour elle d'être loin du boulot qu'elle aimait tant et d'être passée d'une position d'autorité – dont elle a abusé, il est vrai – à une situation de totale impuissance. Peut-être pourrais-je proposer à Justin de lui donner une chronique occasionnelle en tant que collaboratrice spéciale ?

Je me doute que je regretterai ce geste un jour – je connais Audrey, si on lui donne un pouce de terrain, elle va en prendre dix pieds ! –, mais je préfère calmer ma conscience et ne pas rajouter à son malheur. Je tente d'équilibrer les choses. Et, après tout, c'est moi qui ai le pouvoir maintenant. Si Audrey venait à exagérer, je n'aurais qu'à m'en servir. Seul le temps pourra me dire si j'ai tort ou raison d'agir ainsi...

Dernièrement, j'ai eu droit à une révélation déconcertante. Je me suis rendu compte que c'était indirectement grâce à Audrey que j'ai rencontré Samuel. Si elle ne m'avait pas envoyée à Toronto, je n'aurais jamais fait sa connaissance. Dire que c'est à cette mégère tyrannique que je dois la découverte de l'amour de ma vie et que je devrais lui être indirectement reconnaissante. Que si les choses

439

s'étaient passées autrement, Samuel et moi serions demeurés inconnus l'un à l'autre, étrangers dans une même ville, sans que jamais nos chemins se croisent.

J'ai également découvert que si je n'avais pas appelé sa sœur pour débiter des conneries – après m'être soûlé la gueule comme une imbécile – je n'aurais peut-être jamais revu Samuel et je serais encore en dépression. Alors, en définitive, c'est aussi grâce à ma bêtise que je suis à nouveau avec Samuel. Hum... le monde est étrange, tout de même...

Tahar Ben Jelloun a dit : « Une vraie rencontre, une rencontre décisive, c'est quelque chose qui ressemble au destin. » Il avait sans doute raison.

En attendant, la présence de Léa au bureau me manque. Elle est en congé de maternité et son petit a deux mois. Elle était si drôle, gentille, attentionnée et sage. Je me rends maintenant compte qu'elle était plus qu'une alliée et une collègue de travail, mais aussi une amie. Pourquoi est-ce seulement lorsque les gens nous quittent que nous comprenons enfin à quel point ils nous étaient précieux ? Néanmoins, Alexis, son remplaçant, a toute une personnalité et s'avère pas mal divertissant. Je ne m'ennuierai pas trop avec lui.

À la suite du congé de maternité de Léa et de ma promotion, le magazine a dû trouver deux nouveaux chroniqueurs. Deux hommes viennent de faire leur entrée dans notre équipe – un record, la majorité des journalistes étant des femmes. Un certain Alexis Saint-Pierre-Medresh – un Québécois juif qui se promène en pantalon de cuir et qui se dit bisexuel, mais que, dans le fond, je soupçonne d'être bien plus aux hommes – et un certain David Blais – un type gentil, mais ordinaire –, tous deux à peine sortis de l'école. Ou de leurs couches, c'est selon. Je dois maintenant former le second, car il vient tout juste d'arriver.

Parfois, j'appelle Léa chez elle. La plupart du temps, nos conversations ne durent que quelques minutes, avec comme bruit de fond les pleurs et les cris du bébé. Je devrais passer la voir bientôt et il faudrait que je lui donne un cadeau. Je vais pouvoir lui présenter mon beau Samuel. Il va falloir que je cesse de le promener et de l'exhiber comme un phénomène de foire, le pauvre.

Mais je me sens si fière de le montrer à mon entourage et de dévoiler à tous comme il est beau, et fin, et intelligent, et tout ça... Oui, je sais, je me glorifie de ma relation avec Samuel, et c'est mal... De toute façon, Samuel veut en faire de même avec moi. Apparemment, sa famille et ses amis – le mystérieux Charles en particulier – meurent tous d'envie de me rencontrer. Je sens que je vais être exposée aux regards à mon tour très bientôt. Je ne sais pas trop si je devrai passer un examen écrit.

*   *
*

L'enquête sur le Vectorade a donné de nouveaux résultats. Après mes nombreux appels et mes innombrables questions, Carbu-Drink a commencé à avoir peur. Ils croyaient que j'avais des soupçons au sujet du médicament dans la boisson. Dans mon article, j'avais écrit que le Vectorade, en raison de sa qualité nettement supérieure, devait avoir un ingrédient secret très précieux et bien gardé, et que les autres entreprises seraient sûrement très heureuses de mettre la main dessus. Une phrase très simple, sans arrière-pensée, que j'avais rédigée pour conclure sur un ton humoristique. Avec tous ces éléments combinés, les responsables de Carbu-Drink étaient convaincus que j'avais percé leur secret ! Ils ont donc décidé de m'espionner pour en avoir le cœur net. Ils avaient peur que je dévoile toute la vérité.

Il y a plus : les Taylor ont non seulement avoué que Carbu-Drink les avait grassement payés afin qu'ils ne parlent pas, mais ils ont décidé de poursuivre l'entreprise. Les Taylor la tiennent

441

responsable de la mort de Ryan, et avec raison d'ailleurs. Carbu-Drink, de son côté, les traîne en justice pour non-respect de l'entente qu'ils avaient contractée – qui les obligeait à ne rien révéler – et leur réclame les deux millions de dollars. Quant aux Taylor, ils demandent une compensation de cinq millions pour le décès de leur fils.

Apparemment, les Taylor ont fini par se sentir coupables d'avoir signé ce contrat avec ceux qui avaient tué leur garçon. Leur conscience, avec un petit coup de pouce involontaire de ma part, les a amenés à changer leur fusil d'épaule. Tout cela, sans compter le recours collectif qui pend au bout du nez de Carbu-Drink. Décidément, ils ne sont pas sortis de l'auberge. Dieu seul sait comment cette histoire finira...

*   *
*

Voilà près de deux semaines que Samuel et moi sommes de nouveau ensemble. Un vrai paradis ! Et ce, même s'il travaille beaucoup et est très occupé. Il fait beau et chaud et, de plus, c'est presque l'été. J'adore ! Nous sommes samedi après-midi. Pour célébrer ma guérison – j'ai une petite cicatrice sur le front, mais elle est à peine visible, et les médecins vont la faire disparaître dans quelques mois – et le fait que tous les membres de notre bande de copains sont en couple en même temps – car ce n'est jamais arrivé avant – nous nous sommes donné rendez-vous, non pas au Sex-Symbol, mais au parc Lafontaine.

Gabrielle a même accepté de venir sur le Plateau Mont-Royal qu'elle déteste tant, juste pour ça. Et nous avons, exceptionnellement et spécialement pour l'occasion, laissé tomber l'une de nos règles fondamentales : les conjoints doivent être présents ! J'ai même emmené Bingo avec nous.

Nous allons tous être réunis, quatre couples en même temps, pour la première fois : Gabrielle et Alexandre, Antoine et Marianne, Laurie et Félix, ainsi que moi et Samuel. Chaque couple – je ne suis vraiment pas habituée à cette appellation, car elle a tendance à éliminer l'identité de chacun et à fusionner les gens comme si, tout à coup, ils formaient une entité indivisible – doit emporter de la nourriture.

Comment se fait-il qu'Antoine soit encore avec Marianne, même si elle m'apparaît comme étant une fille géniale ? Marianne connaîtrait-elle les cinq trucs pour obtenir ce que l'on veut des hommes ? Nous avons trouvé un nouveau surnom à Antoine : Robin des bois, ce qui le fait bien rigoler. Voilà sept mois qu'ils sont ensemble, ce qui est sans doute dix fois plus long que toutes les relations qu'il a eues auparavant. Antoine est réservé à ce sujet et ne parle pas vraiment des motivations qui se cachent derrière ce changement soudain. Il est toujours aussi insaisissable à ce propos.

Il aime bien conserver son image de briseur de cœurs et il ne veut surtout pas que les gens apprennent qu'il aime vraiment Marianne. Il est sans doute trop fier pour ça. Surtout avec les conseils qu'il m'a donnés. Il faut qu'il conserve sa réputation chèrement acquise. Enfin, espérons que ça va durer. Quant à Gabrielle et Laurie, leurs couples semblent stables également. Laurie et Félix parlent de louer un appartement ensemble.

Nous nous retrouvons à pique-niquer aux tables de bois, tandis que Bingo s'amuse à regarder les oiseaux et les écureuils ou à nous observer de très près lorsque nous mangeons. Ça me fait étrange de nous regarder tous les huit en même temps, réunis en un même endroit. Je ne me trompais pas quand je disais que c'était la fin d'une époque, mais ce n'est pas comme je l'avais imaginé. Je me doute que nos sorties de « célibataires » entre amis au Sex-Symbol tirent à leur fin, mais ça ne me rend pas aussi malheureuse que je ne le croyais.

Bien que nous ayons tous changé, ça semble être pour le mieux – heureusement, car sinon, ça n'aurait pas été joli. Et la prochaine étape... eh bien, je ne sais pas trop à quoi elle ressemblera et je préfère ne pas le savoir, mais ça ne peut pas être pire que les deux dernières années !

Le pire, c'est que je croyais que le jour où j'arriverais là où j'en suis maintenant, ce serait la fin de mon parcours et que j'aurais atteint mes objectifs. Je me disais que tout serait parfait, que rien ne devrait plus évoluer et que je pourrais bien mourir là, heureuse et parfaite. Je me rends maintenant compte que ce n'est pas la fin de mon cheminement, mais le début.

Je croyais que le fait d'avoir un meilleur boulot, un meilleur appartement et un copain serait l'aboutissement ultime. Je me rends maintenant compte de la futilité de ma pensée. Je sais que la vie est beaucoup plus complexe que ça. Ça valait bien la peine de me donner autant de mal pour m'en apercevoir maintenant ! Je me demande seulement ce que l'avenir me réserve...

*   *
*

Après le pique-nique, nous nous dirigeons vers la voiture. Je me tourne vers Samuel, avec un sourire moqueur. J'ai envie de voir s'il va paniquer.

– Alors, quand emménage-t-on ensemble ?

Il me regarde, pantois, incertain quant à savoir si je blague ou non. C'est probablement la première fois que je le vois incapable de parler.

– Une chose à la fois, Amélie. Ne bougeons pas trop vite.

– Je le sais bien, bel idiot ! Je joue avec toi, c'est tout.

– Un ange avec une queue fourchue, voilà ce que tu es, me dit-il en riant.

– Je le prends comme un compliment.

– Ah ! Et ne va pas t'imaginer des choses, me prévient Samuel, et ne t'attends pas à ce que je t'épouse. Les mariages, pour moi, c'est fini. J'ai eu assez de problèmes avec ça et c'est banni de ma vie.

Je fais une grimace faussement piteuse. Cher Samuel... Tant pis, je n'ai pas vraiment besoin de cela, de toute façon. Je l'ai lui, et c'est suffisant.

Niveau de désespoir : disparu. Prendre en note : bah, absolument rien, tout est parfait.

Table des matières

MEMBRE DU GROUPE SCABRINI

Québec, Canada
2007

100%

Imprimé sur du papier 100% recyclé